元典文化丛书编委会

主　　编　李振宏

编　　委　（以姓氏笔画为序）

　　　　　　　王宏斌　　白本松　　孙克强　　何晓明
　　　　　　　宋会群　　李振宏　　张曙光　　郝铁川
　　　　　　　高秀昌　　崔大华　　龚留柱

常务编辑　刘小敏

法典之王

―――《唐律疏议》与中国文化

徐永康 吉霁光 郑取 著　●河南大学出版社

目　　录

序 ………………………………… 冯天瑜（1）

"元典文化丛书"的说明 ……………… 李振宏（5）

前　　言 ……………………………………（1）

一　古代立法源流与《唐律疏议》的问世
　　　………………………………………（1）
　　1. 从"议事以制，不为刑辟"到成文法的公布 ……（2）
　　2. 从法家立法到儒家立法 …………………（4）
　　3. 唐代律典的编撰与《唐律疏议》的问世 ………（6）

二　《唐律疏议》与古代法文化的发展 …（10）
　　1. 古代刑法原则的集中反映 ………………（11）
　　2. 古代定罪量刑的系统规定 ………………（24）
　　3. 古代法律思想的完美表述 ………………（38）
　　4. 古代法律特点的充分体现 ………………（48）

三 《唐律疏议》所反映的价值观 …………（54）
  1. 家国一体的本位观念 ………………（55）
  2. 礼法并用的法制思想 ………………（64）

四 《唐律疏议》与儒家文化……………（75）
  1. 森然的等级制度 ……………………（75）
  2. 谨严的宗法制度 ……………………（85）
  3. 封建的婚姻制度 ……………………（89）
  4. 庄敬的祭祀制度 ……………………（101）
  5. 隆重的丧服制度 ……………………（106）
  6. 法典化的儒家文化 …………………（108）

五 《唐律疏议》与法家文化……………（113）
  1. "刑罚不可弛于国"的用刑观 ………（113）
  2. "同符画一"的立法观 ………………（117）
  3. "法应简约"的法制论 ………………（119）
  4. 宽刑时代的杂音——缘坐 …………（121）
  5. "外儒内法"的法制特点 ……………（123）

六 《唐律疏议》与宗教文化……………（125）
  1. 唐以前佛、道的传播及其与法律的关系 …（126）
  2. 《唐律疏议》有关佛、道的规定 ………（131）

七 《唐律疏议》与阴阳五行学说 ………（138）
  1. 中国古代法律与阴阳五行 …………（139）

2. 寓意微妙的五刑设计 …………………………… (140)
　　3. 悄然渗入法条的阴阳观念 ……………………… (145)

八　《唐律疏议》与诉讼文化 …………………………… (148)
　　1. 依礼理讼，刑期无刑 …………………………… (148)
　　2. 听狱断案，必以"五听" ……………………… (151)
　　3. 慎用刑讯，泛而不滥 …………………………… (154)
　　4. 立制设范，依法断狱 …………………………… (161)

九　《唐律疏议》的立法技术和语言风格
　　…………………………………………………………… (167)
　　1. 章程靡失，鸿纤备举 …………………………… (168)
　　2. 一字褒贬，力透纸背 …………………………… (170)
　　3. 以疏释律，尽显律意 …………………………… (173)
　　4. 严丝合缝，前后呼应 …………………………… (179)

十　《唐律疏议》与中华法系 …………………………… (189)
　　1. 立法高峰，后世楷模 …………………………… (189)
　　2. 精神独具，引领千年 …………………………… (193)
　　3. 中华文明，泽被域外 …………………………… (206)
　　4. 卓尔不群，独树一帜 …………………………… (211)

附录一　《唐律疏议》选译 ……………………………… (220)
附录二　主要参考书目 …………………………………… (290)
后　记 ……………………………………………………… (293)

序

公元前6世纪前后的几百年间(即德国哲学家雅斯贝尔斯所称"轴心时代"),南亚的印度人、西亚的希伯莱人、南欧的希腊人和东亚的中国人,在各自历经长时段的文明积淀之后,不约而同地达到文化史的一个临界点——人们已不满足于对现实的直观反映,而致力于对世界的本质和运动规律的探索,并思考作为实践与思维主体的人类在茫茫时空中的地位,开始形成深刻的而不是肤浅的、辩证的而不刻板的关于宇宙、社会和人生的学说,并首次用完整的典籍将其记载下来,从而使得此前处于萌芽状态的、散漫的宗教、科学、文学、史学、哲学成就得以凝集、综汇和升华。这些第一次强有力地歌咏出诸文明民族"元精神"的为数有限的典籍,可以称为"文化元典"①。

如果说,《吠陀文献》和《佛典》是印度元典,《古圣书》是波

---

① 关于"文化元典"的界说,详见拙著《中华元典精神》,上海人民出版社1994年5月版。

斯元典,《理想国》《形而上学》等先哲论著是希腊元典,《圣经》是犹太及基督教元典,那么,在中华文化系统中,堪称"元典"的,首推《诗》《书》《礼》《易》《春秋》等"五经"。被儒家尊为经典的《论语》《孟子》《荀子》,被道家及道教奉为经典的《老子》《庄子》,被墨家视作圭臬的《墨子》,法家的集大成《韩非子》,都享有"元典"之尊。此外,一些专科创始之作,如军事家鼻祖《孙子兵法》、医学宝典《黄帝内经》也可排入"元典"行列。

元典率先系统荟萃先民智慧,其思想富于原创性,其主题具有恒久性,因而元典有着立足于现实基础上的超越性,它们的思考指向宇宙、社会、人生等普遍性问题,在回答这些普遍性问题时,所提供的并非实证性结论,而是哲理式原型;并非僵固式的教条,而是开放性的框架,有着广阔的"不确定域",从而为历代阅读者和解释者保留了"具体化"和"重建"的无限空间,使之可以纵横驰骋,这便是所谓《诗》无达诂,《易》无达占,《春秋》无达辞"(《春秋繁露·精华》),以至在两千余年间,元典常释常新。一部中华元典诠释史与整个中国文化史的进程相伴相依,互为表里。

历史的辩证法反复昭示:发展不是简单的生长和增进,它往往不一定呈直线式进步,而是通过一系列螺旋式圈层实现的。这样"回复"便不总是重复往昔,而可能是一种上升的形式,是"唤醒"事物在其开端时即已蕴蓄着的可能性的一种形式。作为由具有自觉意识的人类创造的文化,也生动地展现着螺旋式的发展轨迹,如欧洲"文艺复兴"的崇尚古希腊、"宗教改革"的服膺《圣经》,便是对"元典精神"的发展和再造,而欧洲文化正是在这种"回复"中赢得历史性进步的。这种向

"文化元典"汲取灵感,获得前进基点的现象在中国也多次出现,著名的"古文运动"便是典型事例。考之以中国近现代思想文化史,这种"返本开新"、"以复古为解放",即回归元典精神以求新变的情形也俯拾即是。当然,现代化是一个文化转轨过程,充满变异与新生,现代生活好比一台巨大过滤器,对往昔文化传统或放行,或阻遏,于弃取间行扬抑之道。近世中国人立足于文明转型和挽救民族危亡的社会实践,选择中华元典精神里的变通哲学、忧患意识、华夷之辨、革命观念和民本思想,并与外来西学的相关部分彼此激荡交融,从而锻造出在近世中国发挥巨大作用的社会变易论、社会救亡论、民族国家论、社会革命论和民主主义。可见,元典精神的选择性发扬和创造性转换,是近现代文化的题中应有之义。这一题旨,也是今人和后人所要反复探讨和力加实践的。

我从事元典研究多有年所,然困惑处不少,亟望友朋切磋。令人高兴的是,河南大学出版社推出"元典文化丛书",这使我顿觉良师益友在侧,其欢欣鼓舞自不待言。该丛书将先秦时期应运而生的一批文化元典逐部加以诠释,并阐扬其对中国历史、中国文化及中国民族性格的全方位影响,从而揭示今人精神之来源,民族文化之来龙去脉。这套丛书旨趣高远,而行文切实,为一雅俗共赏佳品。主事者今嘱余为之序,特撰上述,以谢盛意,并藉此就教于丛书作者和读者诸君。

冯天瑜
1994年8月21日于武昌

"元典文化丛书"的说明

春秋战国时期,是中国历史上不同寻常的年代,在这段长达数百年的历史转型过程中,中国历史不仅在政治、经济上经历着深刻的变迁,而且在思想文化领域,此前处于萌芽状态的各种意识形态、哲学观念、历史意识、宗教神学、文化科学等,也都以成熟的形态凝聚、荟萃,涌现出一批文化元典,从而为后世中华文化的发展,奠定了一个义域广阔的开放性基础。这些文化元典,诸如《诗》、《书》、《易》、《礼》、《春秋》、《论语》、《老子》等,包含了后世中华文化的各种文化因子,历史地决定了中华文化发展的方向及其文化性质和特征。中华文化传统之所以成为今天人们所熟悉的面貌,中国国民性格之所以显示出大异于西方民族的特征,中华民族之所以能以独特的历史道路自立于世界民族之林,即是受惠于这批文化元典的历史奠基。

两千年多后的今天,中国又处在一个历史的转型期。传统社会向现代社会的过渡,必然要求以文化的变革为先导,为前提,同时作为最终巩固经济、政治变革成果的牢固根基。然而,任何一个民族的文化变革,都不可能是对先前文化传统的革除和清洗,而恰恰相反,民族文化的每次更新,都是原有文化传统精髓在更高层次上的发扬和转换,是将原有文化传统在其开端时已蕴涵着的文化意蕴在新形势下重新发现,重新唤起,并赋之以新的生命活力。惟有如此,文化才有更新,才有发展;惟有如此,文化也才有绵延不断的统绪,也才能为全体民族成员认同和承袭。大概正因为如此,传统文化的研究和清理,从80年代以来,越来越成为引人注目的热点选题。

研究和清理民族文化传统,自然应将目光投向奠定了民族文化传统基础的文化元典,它们之中包含着我们民族文化的基因,蕴藏着民族精神的范型。这一点,似乎不少文化学者都注意到了,因此,近年来出版了不少关于文化元典的通俗读本,白话、译作蔚为一时之盛。然而,民族文化的清理是一项严肃而艰巨的工作,通俗性的讲解和翻译,只是一个最必要的基础;我们还需要去深入挖掘诸文化元典的内在意蕴,特别是这些经典著作对中国文化、中国历史的发展,对中国国民性格的塑造,怎样起到了一种奠基性、支配性的作用,也都需要理个清楚;我们还需要知道我们的民族精神之来源以及民族文化传统形成、发展的来龙去脉,从而站在今天的历史高度,对民族文化的发展史,作出清醒的考察和历史的批判。但这种从历史角度考察文化元典的作用,进行文化精神寻根探源的艰巨工作,似乎还没有人做过。文化人的责任心和使命感,使我们选择了编撰"元典文化丛书"这个课题,并为丛书确定了这样的宗旨:揭示文化元典著作的内在精神,并以主要篇幅阐述这些元典著作对中国历史、中国文化、中华民族性格的全方位历史影响,使广大读者能够在一本书中了解一种元典论著的深刻内涵,并将今天的民族精神与之联系起来,知道今人精神之来源,弄清民族文化的来龙去脉,从而更深刻地认识文化元典的历史价值,寻找文化创新的契合点。

"文化元典"是著名文化学者冯天瑜先生创制的概念。"元典"包含有始典、首典、基本之典及大典、善典、宝典等意蕴,亦即圣典、经典之义。文化元典之中应是蕴藏了民族文化的基本精神。这样的典籍并不很多。然而,从民族文化整体去考察,有蕴涵其整体精神的元典之作,如传统的"五经"、"四书"即是;而就某一种文化领域来说,又有该领域的创始之作,如兵学有宝典《孙子兵法》,医学有首创之作《黄帝内经》,神话之源《山海经》,算学之宗《九章算术》,史学的范型《史记》等等。这种某一文化领域的创始作,自然也应厕于元典之列。这样,我们这套丛书初选了部分文化元典,分别考察它们对中国文化的全方位影响,以期从一个新的基点上重新认识古代典籍的文化价值。

揭示文化元典的深刻内涵,并着重阐述其全方位的历史影响,并非易事,要有较深的研究工夫;再加上要面对普通读者,又需有将学术成果通俗化的能力。因此,这套丛书的编写,对著作者提出了较高的要求:应对整个中华文化的发展道路、中华文化的基本精神有一概略的总体认识和把握;应对以往学术界的研究状况有全面的了解,尽可能全面地认识元典著作的整体性、全方位的历史价值,并具备驾驭这些成果及将其融为一体的能力;应具备将学术成果准确而不失生动活泼地进行阐述的语言文字能力。然而,在具体写作中,在具体的学术观点上,每个作者又都享有充分的自由,他们可以对自己著作的立意、结构和行文,进行创造性的构思和安排。因此,丛书的每一本著作,既是丛书整体中的一分子,又不失每位作者个人著作之特色。

　　本丛书的撰写是一项艰难的研究工作。但为了使它能拥有更广泛的读者,我们对作者提出了思辨性与通俗性、学术性与可读性相统一的要求;并力求在编写体例上、文风上照顾普通读者的需求,对一些艰涩的引文尽可能加以译述,或直接译为白话文加以征引。

　　现在,这套丛书开始出版了。作为一个文化人,当自身的使命感开始化作现实的时候,有一种掩饰不住的喜悦。然而,我不能不说,这套丛书所以能面世,真正对它做出了贡献的是每一位作者,而为它付出了代价的则是出版者。在当前到处都在谈论经济效益的情况下,河南大学出版社欣然承担这套很可能要赔钱的大型丛书的出版工作,表现了他们博大的胸怀和眼光以及庄严的历史责任感、使命感。

　　65年前,郭沫若在研究中国古代社会时说:"对于未来社会的待望逼迫着我们不能不生出清算过往社会的要求。目前虽然是'风雨如晦'之时,然而也正是我们'鸡鸣不已'的时候。"今天的中国早已不是风雨如晦的年代,然而,却处于一个历史、文化的转型期,一个社会全方位变革的时候,清理古代文化,弄清未来的方向,也是一个极为迫切的任务,我们仍需要为社会新文化的建设鸡鸣不已。愿我们的"元典文化丛书"能为中华民族文化的发展和更新尽一点绵薄之力。

李振宏
1994年9月11日

前　言

　　法律是一定经济关系的反映,又是文化的一个重要组成部分。世界各民族在进入了阶级社会以后,都建立了适应自己情况的、符合统治者需要的法律制度。由于各个国家不同的历史传统、民族特点和文化发展水平,所以即便是建立在同一类型经济基础上的法,也会带有自己的特点。中国有着绵延几千年未曾中断过的、有文字可考的历史和辉煌灿烂的古代文化,法律文化也是陈陈相因,自成一体。就成文法而言,上自战国初期李悝制定的《法经》,下至最后一部封建法典《大清律例》,两千多年间律典一脉相传,虽经沿革损益,仍是特色明显的独立完整的法律体系。

　　一百多年前,日本法学家穗积陈重首先提出了"法系"的概念。明治十七年(1884年)三月,他在《法学协会杂志》第一卷第五号发表《法律五大族之说》,将世界法律分为"印度法族、中国法族、回回法族、英国法族、罗马法族"五大法系,此后,"法系"这一概念便为西方法学著作对法律进行宏观比较研究时所经常采用。尽管用语不很统一,如日文称"法族",中文叫"法系",英文则可用 Legal genealogy,Legal family 或 Legal system 等词语来表示,但基本上可以将"法系"的概念理解为"由具有某些特征的某一国法律,以及仿效这一法律的其他国家法律所组成的一个法律系统或家族"。

在穗积陈重提出法系"五分法"以后,一百多年来,出现了按照不同的标准,对世界各国法律的外部特征和历史传统进行分类的多种结果,其中主要有:穗积陈重本人的"七分法"(中国法族、印度法族、穆罕默德法族、罗马法族、日尔曼法族、斯拉夫法族和英国法族),美国比较法学家威格摩尔的"十六分法"(埃及法系、美索不达米亚法系、希伯来法系、中国法系、印度法系、希腊法系、罗马法系、日本法系、穆罕默德法系、凯尔特法系、斯拉夫法系、日尔曼法系、海商法系、教会法系、罗马化法系和英国法系),以及当代法国著名比较法学家达维的"三分法"(罗马—德意志法系即大陆法系、普通法系即英国法系和以苏联东欧法律为代表的社会主义法系为当代世界主要法系,其他还有穆斯林、印度、犹太、中国和日本以及非洲各国等法系)等等。不管根据以上哪一种分类法,其结果一般都把中华法系(中国法系)当作一个独立的法系。在我们国内的法律史和法学著作中,也经常以此为出发点,研究中国法律的发展过程、特点及影响。

与世界上曾经存在过的其他法系相比,中华法系不仅特征非常明显,而且留下了一批法典。在这批法典中,最为耀眼的一颗瑰宝便是被视为中华法系的代表作的《唐律疏议》。

一　古代立法源流与《唐律疏议》的问世

中国是世界著名的文明古国之一。中国古代的法律,也经历了几千年未曾中断的过程。从大约公元前3 000年法律开始萌芽,到出现最早的奴隶制法,战国前期魏国的李悝制定了第一部比较系统的封建成文法——《法经》,此后各朝的立法可以说是辗转相承,陈陈相因,绵延不断,独树一帜,终于形成了悠久的、特色鲜明的法律传统,傲然自立于世界法律历史之林。在中国古代各朝代制定的林林总总的法律法规中,透发出耀眼光芒的一部法典即是唐代制定的《唐律疏议》。颁行于唐高宗永徽四年(653年)的《唐律疏议》是中国古代封建法典的代表作,作为完整保存至今的最早的一部法典,它串起了唐以前各朝所定法律的粒粒散珠,又为后世树起了一个可称完备的立法范本。

1. 从"议事以制,不为刑辟"到成文法的公布

中国制定法律的传统由来已久,传说在黄帝时便已经有《黄帝李法》。约在公元前 21 世纪,中国进入夏代,夏被认为是中国历史上第一个国家,因而也就形成了相应的法律。据说夏刑有 3 000 条,除刑法外,另有军法和行政方面的法律。《左传·昭公六年》亦记载:"夏有乱政,而作禹刑;商有乱政,而作汤刑;周有乱政,而作九刑。"说明在当时,不同朝代的统治者都曾制定过自己的法律,其中,禹刑和汤刑被认为分别是夏朝和商朝法律的统称,九刑则据说是西周的 9 种刑罚(墨、劓、刖、宫、大辟、流、赎、鞭、扑)或 9 篇刑书(篇目不详)。只不过书缺有间,有关资料大多已佚失,不少内容都属传疑了。

春秋时期,是中国古代社会从奴隶制向封建制转变的时代。这一时期社会的基本特点是"礼崩乐坏",井田制被破坏,礼制衰落,郡县制逐步取代了分封制,王权旁落,政权下移。这一切都表明奴隶制已开始瓦解,封建制正在兴起,由此引发了各诸侯国法律制度的变革。

在各诸侯国一系列立法活动的基础上,春秋末期出现了几次公布成文法的重大事件。首先创制成文法的是郑国的子产。《左传·昭公六年》:"三月,郑人铸刑书",杜预注:"铸刑书于鼎,以为国之常法。"子产在郑简公三十年(前 536 年)公布法律的这一举动成了中国法律发展史上的一个标志性事件,为此,晋国大夫叔向曾写信给子产进行指责。事隔 23 年,晋国大臣赵鞅、荀寅在公元前 513 年也将先前的法典铸在铁

鼎上，公布于众。《左传·昭公二十九年》记载，晋赵鞅、荀寅"赋晋国一鼓铁，以铸刑鼎，著范宣子所为刑书焉"。这一做法也遭到了鲁国孔子的强烈批评。稍晚些时候，郑国大夫邓析也编撰了竹刑。《左传·定公九年》记载，(公元前503年)"郑驷歂杀邓析，而用其《竹刑》"。杜预注："邓析，郑大夫。欲改郑所铸旧制，不受君命而私造刑法，书之竹简，故言《竹刑》。"

在叔向和孔子反对公布成文法的言论中，我们可以看到当时立法的基本情况。叔向说：

> 昔先王议事以制，不为刑辟，惧民之有争心也……民知有辟，则不忌于上。并有争心……'国之亡，必多制'，其此之谓乎？

孔子则说：

> 晋其亡乎？失其度矣……贵贱不愆，所谓度也……今弃是度也，而为刑鼎，民在鼎矣，何以尊贵？贵何业之守？贵贱无序，何以为国？

对叔向和孔子崇尚的"先王议事以制，不为刑辟"的状况，杜预解释说是"临事制刑，不豫设法也"。王引之案："杜以'议事'为'临事'，非也。议读为仪，仪度也；制，断罪也；谓度事之轻重以断其罪，不豫设为定法也。"(《经义述闻》卷十九"议事以制"条)按照这一说法，在中国奴隶社会的很长一段时期，统治者只是规定了几种制裁各种犯罪的刑罚手段，而对具体的罪名及其应处的刑罚并未作限定，以后法律即便有了某些发展，所有的规定也都是不公开的，发生了犯罪行为之后，都是由奴隶主贵族临时决定对这些犯罪行为如何处罚。正因为如此，一般民众见了贵族都感到害怕，这也是维护当时奴隶社会的上下尊卑贵贱的等级制度和社会秩序的主要支柱。但是，随着春秋时期成文法的公开,这种将法律"藏之盟府"的秘密法时代终于宣告结束了。

2. 从法家立法到儒家立法

公元前475年,中国进入了战国时期,各国先后兴起的变法改革使"缘法而治"的主张占据统治地位,"事断于法"原则的贯彻使法律空前发达起来,实行法制的具体需要也使法律进一步法典化和规范化。魏国的李悝收集参考各诸侯国已公布的成文法,著《法经》6篇,这是中国史籍上所记载的第一部比较系统的带有封建刑法典性质的著作。《法经》早已失传,但《晋书·刑法志》仍然保留了它的篇目。其文说:魏文侯师李悝"撰次诸国法,著《法经》。以为王者之政莫急于盗贼,故其律始于《盗》、《贼》。盗贼须劾捕,故著《网》、《捕》二篇。其轻狡、越城、博戏、借假不廉、淫侈逾制,以为《杂》律一篇,又以《具》律具其加减。是故所著六篇而已,然皆罪名之制也"。《唐律疏议》也说:"魏文侯师于里悝,集诸国刑典,造《法经》六篇:一、盗法;二、贼法;三、囚法;四、捕法;五、杂法;六、具法。"

商鞅在秦国实行变法,遵奉《法经》的基本精神,改法为律,并辅之以令,形成了以律令为主体包括其他众多法律形式的律令法体系。秦国律令法体系的建立代表了战国法制发展的最高水平,而当时官僚体制的确立又促进了刑法、行政法等公法性质的法律蓬勃发展。以秦国为例,在盗律、贼律、囚律、捕律、杂律、具律等6篇刑律之外,还颁布了大量的法律令,这在1975年底湖北云梦出土的睡虎地秦墓竹简中得到了证实。这些秦简中的法律虽然只是秦法中的一小部分,但其中有秦代 29 种法律的部分条文,内容涉及农业、畜牧业、手工业、商业、官吏任免、征发徭戍、军爵赏赐等许多方面,说明秦的法律包括了社会生活的各个领域。

秦灭六国,统一了中原,又向南北扩张,建立起统一的帝国,并通过各级官吏将秦国的法律在全中国实施。这种高度中央集权体制下的法制,继承了战国时期秦国"莫不皆有法式"和"繁法严刑"的特点,使得法律异常繁密。

汉初承秦制,萧何借鉴秦律制定了《九章律》,在《法经》6 篇的基础上增加了户、兴、厩 3 篇。其后汉王朝又制定了《傍章》、《越宫律》和《朝律》等。加上随时发布令以作为补充,此外运用决事比作为判例法,由此形成了一个完整的法律体系。1983 年底至 1984 年初,湖北江陵张家山出土的汉简中,有五百余支汉简记有汉律,虽然这只是汉代法律的一部分,但足以证明汉初继承秦律形成了比较完备的法制。

汉以降,随着封建正统法律思想的形成,各朝各代按照这一思想并根据本朝的需要制定自己的法典也成了惯常的做法,而且这一工作通常在开国之初便着手进行。三国时,曹魏在汉律的基础上制定了《新律》,不仅增加了篇目,而且确定刑法总则的名称为"刑名律",冠于律首。西晋则制定了礼律并重、条文简约的《泰始律》(又称《晋律》),它"兼采汉世律家诸说之长",总结了中国古代的刑法理论和立法经验,成为当时行世最久的一部法典。北魏统治者实行汉化政策,其间公布的《北魏律》依然反映了中国法律文化的特色。《北齐律》集魏晋南北朝时期法典编撰之大成,全律分为 12 篇,共 949 条,"法令明审,科条简要"(《隋书·刑法志》),确立了中国封建社会中期法典的基本框架。隋朝重新统一中国后,文帝和炀帝分别制定了《开皇律》和《大业律》,其中《开皇律》在内容和体例上较之前代法典均有创新。该律确定的12篇500条的立法体例和封建五刑制的刑罚体系,以及它所创制的"十恶"条目和发展的议、请、减、赎、官当等特权对以后各代法典产生了重大影响。

3. 唐代律典的编撰与《唐律疏议》的问世

从中国古代法典的发展历史来看,唐代是中国古代立法的成熟时期,仅此一朝便制定了《武德律》、《贞观律》、《永徽律》和《开元律》等四部法律,另外还有其他多种法律形式。在唐代制定的四部法律中,最具代表性的立法成果就是唐太宗时期制定的《贞观律》和唐高宗在位时制定的《永徽律》及其《疏议》。

近代律学大家沈家本先生说:"自魏李悝著《法经》六篇,汉萧何、叔孙通、张汤、赵禹递相增益,马融、郑康成以海内巨儒皆尝为之章句,岂非以律意精微,俗吏所不能通晓欤?魏晋以降,渐趋繁密。隋律简要,而唐实因之。"(《寄簃文存》卷六《重刻唐律疏议序》)说明了唐代立法可谓是集封建社会前期立法之大成者。

唐高祖李渊有鉴于隋亡的历史教训,在太原起兵反隋时,效刘邦约法三章,以笼络人心。除苛政,约法12条,惟制杀人、劫盗、背军、叛逆者死,其余隋朝的苛法一并蠲除。及至政权初建,又制定53条新格,其内容不详,据史籍记载,"唯吏受赇、犯盗、诈冒府库物,赦不原。凡断屠日及正月、五月、九月不行刑"(《新唐书·刑法志》)。这是唐朝立法的开端。武德四年(621年),又诏尚书左仆射裴寂等人更撰律令,其内容大致以隋《开皇律》为准,只是将53条新格附入,于武德七年(624年)颁行,这就是唐朝开国后的第一部法典《武德律》,共12篇,500条。

唐太宗李世民即位后,在"安人宁国"的治国方针和"德主刑辅"法制思想的指导下,进一步完善了封建法制制度。贞观元年(627年)诏长孙无忌、房玄龄等人更定《武德律》,至贞观十一年(637年)完成,仍为12篇,500条,称《贞观律》。贞观令、格、式亦同时颁行。《贞观律》仍然是以《开皇律》为蓝本,但"削烦去蠹,变重为轻者,不可胜纪"(《旧唐书·刑法志》)。主要是将过去应判死刑的某些犯罪改为加役流,缩小了缘坐处死的范围,此外,确立了五刑、十恶、八议等封建刑法的各项基本制度。以后,唐代的律典均无大的变动,故《贞观律》实际上是唐律的奠基石。

唐高宗即位后,于永徽元年(650年)命长孙无忌、李勣、于志宁等修订律、令、格、式。次年完成并颁布《永徽律》,其篇目、条文与隋《开皇律》、唐《武德律》、《贞观律》大多相同,仍为12篇,500条。永徽令、格、式亦同时颁行。

《永徽律》的制定是唐律的完备和发展。永徽三年(652年),鉴于中央和地方都存在不少定罪量刑畸轻畸重等很不一致的情况,同时又因"律学未有定疏,每年所举明法(科举考试中的明法科),遂无凭准",为了在这些方面使全国有统一的标准,唐高宗在永徽三年又命汇集全国律学人才之精英,由长孙无忌等人"修撰律疏"。长孙无忌、李勣等大部分曾参与修律的官员共19人参与了这项工作。他们以律文为经,按照12篇的顺序,对500条律文逐条逐句进行诠解和疏释,剖析其内涵,并设置问答,辨异析疑,揭示要旨,以补充律文未周备之处。次年书成上报,经唐高宗批准,于永徽四年(653年)颁行。此书在唐原称《律疏》,后又称《永徽律疏》,唐以后一度称作《故唐律疏议》,元以后,则被通称为《唐律疏议》,其中"疏议"二字,也有写作"疏义"的。

《唐律疏议》是我国现存最早的一部完备的封建法典。其中"疏"和"律"具有同等的法律效力,"自是断狱者皆引疏分析之"(《旧唐书·刑法志》),成为统一解释律文的法律依据,对后世影响很大。今传《唐律疏议》,其内容和文字是永徽以后直至开元年间多次修改的产物,并非永徽或开元一朝之典,而是有唐一代之典。

清人励廷仪在《唐律疏议序》中说:

> 其书凡五百条,共三十卷。其疏义则条分缕别,句推字解,阐发详明,能补律文之所未备;其设为问答,互相辩难,精思妙意,层出不穷,剖析疑义,毫无遗剩……洵可为后世法律之章程矣。

《疏议》继承了秦、汉、魏、晋、南北朝以至隋以来的律学成果,堪称我国古代律学的一大杰作,同时也是唐以后历代立法广泛引用、反复描摹的蓝本。可以说《永徽律》正是凭借《疏议》才得以流传后世,成为我国保留至今最早的一部法典。

说到唐代的律典,我们还要说明的是,唐朝的法律形式主要有四种,即律、令、格、式。据《唐六典》解释,四者的区别是:"律以正刑定罪,令以设范立制,格以禁违止邪,式以轨物程事。"而《新唐书·刑法志》则解释说:"唐之刑书有四,曰:律、令、格、式。令者,尊卑贵贱之等数,国家之制度也;格者,百官有司之所常行之事也;式者,其所常守之法也。凡邦国之政,必从事于此三者。其有所违及人之为恶而入于罪戾者,一断于律。"

根据以上史书的解释,唐代这四种法律形式的性质和作用显然是有区别的。其中令是国家组织制度方面的规定和行政命令,涉及的范围比较广泛,数量也很多,其主要作用在于规范国家体制,严格尊卑贵贱秩序。格是皇帝临时颁布的各种单行敕令、指示的汇编,是律、令的补充形式。唐格分两种:一种是关于尚书省诸曹的日常工作,留在本司内施行的,叫留司格;另一种是颁行天下,发至州县普遍遵行的,叫做散颁格。式是国家机关的公文程式和办事细则。唐代编定的式又称为"永式",它是带有行政法规性质的经常适用的法律规范。

假如对以上三种法律形式有所违反或构成犯罪的话,就要用律来加以制裁,所以律是有关犯罪和刑罚的法律规定,是对各种犯罪行为进行惩罚的量刑依据,但其中也包含有民事和诉讼法的规定。自商鞅改法为律,各朝各代制律不息。在唐朝,律是较为稳定的成文法,也是主要的法律形式。

二 《唐律疏议》与古代法文化的发展

以《贞观律》为基础修订的《永徽律》及其《律疏》，即《唐律疏议》，是我国封建社会一部具有代表性的法典。《唐律疏议》的颁行，也标志着中国古代法文化的发展达到了一个新的高峰。

《唐律疏议》开宗明义地指出："德礼为政教之本，刑罚为政教之用。"礼和法既是巩固封建政权的重要工具，又是调整人们在社会中相互关系的行为准则。"礼"为本，"刑"为用，"二者相须，犹口与舌然"。《唐律》"一准乎礼"，又将礼融进内容丰富的法条中，各种封建法律制度与原则，在《唐律疏议》中已堪称洋洋大观。

《唐律疏议》共 30 卷，12 篇，500 条。（现存《唐律疏议》为 502 条，据杨廷福先生考证，多出的 2 条是后人在传抄或刊版时的错歧误出。见杨廷福：《唐律初探》，天津人民出版社 1982 年版，第 29～30 页。）其篇目为：名例律、卫禁律、职制律、户婚律、厩库律、擅兴律、贼盗律、斗讼律、诈伪律、杂律、捕亡律、断狱律。按现今的说法,12篇可分为总则和分则两大部分,第一篇《名例》大致相当于现今的总则篇,其余11篇则相当于现今的分则篇。

1. 古代刑法原则的集中反映

唐律的基本制度和法律原则大都规定在《名例律》中。《唐律疏议》解释"名例"的涵义说:"名者,五刑之罪名;例者,五刑之体例。""命名即刑应,比例即事表,故以《名例》为首篇"。"名"是指适用刑罚的各种罪名,"例"是指定罪量刑的通例与原则。《名例律》体现了唐律的基本精神和原则,是整部法典的总纲,同时也包含了中国古代法文化的基本内容。

(1) 五刑

所谓五刑,是唐律规定的笞、杖、徒、流、死五种刑罚,又称封建制五刑。

第一是笞刑,是五刑中最轻的一种。《疏议》云:"人有小愆,法须惩诫,故加捶挞以耻之。"即用长3尺5寸的笞杖打犯人的腿部和臀部,共分5等,由笞10至笞50,每等增加10下。初时笞刑责打的是犯人的背、臀、腿3个部位,据说贞观初年唐太宗有一次看到针灸人体穴位模型,发现人的重要脏腑都在胸、背之间,他认为笞刑的适用对象多为轻罪,如因笞刑造成罪犯终身内残并非其初衷,于是下令不得再打背部。对这一情况,《新唐书·刑法志》作了相当详细的记载:"太宗尝览《明堂针灸图》,见人之五藏皆近背,针灸失所,则其害致死,叹曰:'夫箠者,五刑之轻;死者,人之所重。安得犯至轻之刑而或致死?'遂诏罪人无得鞭背。"从此以后,各代执行笞刑均只以臀部和腿部分受。关于笞刑的刑具,《疏议》也作了规范:"汉时笞则用竹,今时则用楚。"楚,就是荆条。笞杖长3尺5寸,削去其节目,大头2分,小头1分5厘。

第二是杖刑。用比笞杖粗的常行杖(又叫法杖)捶打犯人背、臀、腿部,分5等,由杖60至100,每等增加10下。杖刑所用常行杖的标准尺寸为:长3尺5寸,皆削去其节,大头2分7厘,小头1分7厘。但自中唐以后,在常行杖之外,又有重杖或痛杖,其数均为100,所以"虽非死刑,大半殒命",而且往往是杖未毕而人已死。

第三是徒刑。《疏议》曰:"徒者,奴也,盖奴辱之。"即在一定期限内剥夺自由予以监禁,同时强制犯人加戴刑具从事苦役,也分为5等,由徒1年至徒3年,每等递增半年。《新唐书·刑法志》记载了被判徒刑者服劳役的具体情况:"居作者著钳若校,京师隶将作,女子隶少府缝作。旬给假一日,腊、寒食二日,毋出役院。病者释钳校、给假,疾差陪役。谋反者男女奴婢没为官奴婢,隶司农,七十者免之。凡役,男子入于蔬圃,女子入于厨膳。"

第四是流刑。《疏议》曰:"《书》云:'流宥五刑。'谓不忍刑杀,宥之于远也。"这是把犯人遣送到一定距离外的荒远地区,并强制其服一定期限劳役的刑罚,是仅次于死刑的重刑。流刑分为3等:2 000里、2 500里、3 000里,统称"三流",皆服1年劳役。

"三流"之外,还有一种加役流,这是唐太宗时创制的一种特殊流刑。判处加役流的罪行原来都应为绞刑,唐太宗为了减少死刑的数量,开始将其改为斩趾刑。这时有大臣提出,斩趾刑为古代的肉刑,汉文帝时已予以废除,此时,太平盛世再恢复使用,实为不妥。唐太宗听从了这些意见,将其改为加役流,罪犯皆流3 000里,服役3年,作为对某些死刑的宽宥处理。《旧唐书·刑法志》相当详细地记载了当时修改刑罚的讨论情况:

> 及太宗即位,又命长孙无忌、房玄龄与学士法官,更加厘改。戴胄、魏徵又言旧律令重,于是议绞刑之属五十条,免死罪,断其右趾,应死者多蒙全活。太宗寻又愍其受刑之苦……其后,蜀王法曹参军裴弘献,又驳律令不便于时者四十余事,太宗令参掌删改之。弘献于是与玄龄等建议,以为古者五刑,刖居其一。及肉刑废,制为死、流、徒、杖、笞凡五等,以备五刑。今复设刖足,是为六刑。减死在于宽弘,加刑又加烦峻。乃与八座定议奏闻,于是又除断趾法,改为加役流三千里,居作二年。(案:《唐律疏议·名例律》"犯流应配"条注曰:"本条称加役流者,流三千里,役三年。"疑《旧唐书·刑法志》此处有误。)

唐代被处流刑者,执行时妻妾子孙可随从,服劳役期满或遇大赦免除居役后,便落户于流配地,同当地百姓一样课役,一般不返回原籍。《唐律疏议·名例律》"犯流应配"条规定:

> 诸犯流应配者,三流俱役一年。妻妾从之。父祖子孙欲随者,听之。移乡人家口,亦准此。若流、移人身丧,家口虽经附籍,三年内愿还者,放还;即造畜蛊毒家口,不在听还之例。诸流配人在道会赦,计行程过限者,不得以赦原。有故者,不用此律。若程内至配所者,亦从赦原。逃亡者虽在程内,亦不在免限。即逃者身死,所随家口仍

准上法听还。

《新唐书·刑法志》也对唐代被处流刑者的假期和役满后应选做官的时间要求作了说明：

> 流移人在道疾病，妇人免乳，祖父母、父母丧，男女奴婢死，皆给假，授程粮。非反逆缘坐，六岁纵之，特流者三岁纵之，有官者得复仕。

从这些规定来看，唐代的流刑制度是十分完备的。

最后是死刑。死刑分绞和斩两种。虽然从死者的痛苦程度而言，斩首在古代各种处死方式中是最轻的，但中国古代向来有"身体发肤，受之父母，不得毁伤"的传统观念，唐代仍然从这一儒家伦理观念出发，认为绞以致毙，仍可保全尸体，斩则殊刑，死后身首分离，故斩重于绞。据说古代的行刑刽子手有时利用人们的这种心理，在处斩前向死囚犯的家属索贿，如果要求得到满足，则在行刑时可以使死者颈虽断而皮肉与身体犹有一丝相连，这样死者的身首尚未彻底分离，对其家属可聊作安慰。古代的绞刑，也并非以悬吊的方式处死犯人，而是慢慢地把犯人绞勒死。其施绞的方法大致有两种：一种是将犯人跪绑于行刑柱上，然后把绳圈套在犯人颈上，由两个行刑者各在绳套上插进一根小棒，反方向转动，逐渐将绳子绞紧把犯人勒死。另一种方法是将犯人立绑于行刑柱，套绳圈于犯人的脖颈，由行刑者在柱后逐渐绞紧绳套，把犯人勒死。（金良年：《酷刑与中国社会》，第11页）

中国古代主要的刑罚制度可分为前期五刑（也称奴隶制五刑）和后期五刑（也称封建制五刑）。奴隶制五刑为夏、商、周普遍采用，并继续沿用于战国和秦，直到汉文帝时才对它做了比较彻底的改革。这五种刑罚是：墨、劓、刖、宫和大辟。其中墨刑是指在罪犯身体的脸部或额头刺刻后涂上墨,施刑部位创愈后将留下黑色的印记,终身不能去除;劓刑是指割掉犯人的鼻子;剕刑亦称刖刑,即截足,也叫膑刑,指切去膝盖骨,是破坏犯人行走功能的刑罚;宫刑是破坏罪犯生殖功能的刑罚,《周礼·司刑》注云:"宫者,丈夫则割其势,女子闭于宫中。"施刑的方法男女有别;大辟是剥夺罪犯生命的死刑,行刑方法五花八门,有许多种。后期五刑是从汉以后逐渐探索发展,到隋唐时期最终形成的。《唐律》确定的五刑制度,相比较奴隶制五刑来说,无疑是一个进步,除了死刑以外的其他4种刑罚是大大减轻了,而且死刑的执行方法也比过去有所规范和明确,这些说明了唐代法律的发展。

唐律还规定,五刑均可交铜收赎。其标准是,笞10赎铜1斤,至杖100交铜10斤,每等加铜1斤;徒1年赎铜20斤,至徒3年赎铜60斤,每等加铜10斤;流2 000里赎铜80斤,至流3 000里赎铜100斤,每等亦加10斤;绞和斩均为赎铜120斤。但唐律也对以铜赎罪规定了一些限制条件。

(2) 十恶

《唐律疏议》说:"五刑之中,十恶尤切,亏损名教,毁裂冠冕,特标篇首,以为明诫。其数甚恶者,事类有十,故称'十恶'。"所谓十恶,就是直接侵犯封建君主专制统治和封建伦理纲常的10种重大罪行。

十恶的内容,一曰谋反,"谓谋危社稷",即图谋推翻封建王朝的行为。二曰谋大逆,"谓谋毁宗庙、山陵及宫阙",即图谋毁坏皇帝的家庙、祖墓及宫殿的行为。三曰谋叛,"谓谋背国从伪",即图谋叛国的行为。四曰恶逆,"谓殴及谋杀祖父母、父母,杀伯叔父母、姑、兄姊、外祖父母、夫、夫之祖父母、父母。"五曰不道,"谓杀一家非死罪三人及支解人,造畜蛊毒厌魅",即指灭绝人道,如杀死一家3口,而被杀者都未犯死罪;或用肢解的手段杀人;或造合、传畜剧毒之虫及以邪术来杀人的行为。六曰大不敬,"谓盗大祀神御之物、乘舆服御物(盗取帝王祭祀用品或皇帝御用器物);盗及伪造御宝(皇帝印玺);合和御药,误不如本方及封题误(如以丸为散,应冷言热之类);若造御膳,误犯食禁;御幸舟船,误不牢固;指斥乘舆,情理切害及对捍制使,而无人臣之礼,(指斥皇帝或无礼对待皇帝派来的使臣)。"七曰不孝,"谓告言、诅詈(控告、咒骂)祖父母父母,及祖父母父母在,别籍、异财(另立户籍,分家析产),若供养有阙;居父母丧,身自嫁娶,若作乐,释服从吉(脱去丧服,改着吉服);闻祖父母父母丧,匿不举哀,诈称祖父母父母死。"八曰不睦,"谓谋杀及卖缌麻以上亲,殴告夫及大功以上尊长、小功尊属。"九曰不义,"谓杀本属府主、刺史、县令、见受业师,吏、卒杀本部五品以上官长;及闻夫丧匿不举哀,若作乐,释服从吉及改嫁。"十曰内乱,"谓奸小功以上亲、父祖妾及与和(与之通奸)者。"

"十恶"中的一些罪名实际上很早就出现了,如《尚书·大传》中已有"降"、"叛"的罪名,《康诰》也有"不孝"罪的记载,秦律中则有"非上"、"犯上"、"诽谤"、"不孝"和"谋反"等罪名,而汉朝随着儒家思想统治地位的确立,法律上相继出现了"大逆"、"大不敬"、"恶逆"、"不孝"和"禽兽行"等罪名,直到魏晋南北朝时期的《北齐律》把一批重大犯罪行为归纳为"重罪十条",明确予以重点打击。隋朝《开皇律》在"重罪十条"的基础上,改动了部分罪名,正式创制"十恶"之名,此后历代法典均予以沿用,未加改动。《唐律疏议》对"十恶"的具体罪名及其刑罚作了系统的阐述和全面的规定。由于十恶直接触犯封建统治秩序和纲常名教,故对犯十恶罪者均予严惩,如对谋反、谋大逆、谋叛罪不仅株连家属,且可至死。而且,十恶"为常赦所不原",贵族、官员犯十恶,不准享受议、请、减、赎、官当等特权,虽遇大赦,仍须革除官爵。

(3) 八议、请、减、赎、官当

《唐律疏议》继承并发挥了周礼"刑不上大夫"的原则,赋予封建贵族、官僚及其亲属种种法定特权,犯罪之后可以通过特殊的途径,减轻或免除其刑事责任。其内容主要有:

一为八议。八议指议亲(注云:"谓皇帝袒免以上亲及太皇太后、皇太后缌麻以上亲,皇后小功以上亲")、议故(注云:"谓故旧")、议贤(注云:"谓有大德行")、议能(注云:"谓有大才艺")、议功(注云:"谓有大功勋")、议贵(注云:"谓职事官三品以上,散官二品以上及爵一品者")、议勤(注云:"谓有大勤劳")、议宾(注云:"谓承先代之后为国宾者")。《名例律》规定:"诸八议者,犯死罪,皆条所坐及应议之状,先奏请议,议定奏裁;流罪以下,减一等。其犯十恶者,不用此律。"即凡属八议范围内的贵族官僚,除犯十恶大罪外,流罪以下减一等处理,死罪则由司法机关将其本应处死的犯罪事实及应议理由奏报皇帝,请求交付大臣集议,议决之后,再报请皇帝裁决。

二为请。即上请,这是低于"议"一等的法定优遇办法。唐律规定"请"的对象有3种:一是皇太子妃大功以上亲,二是应议者期以上亲及孙,三是有五品以上官爵者("谓文武职事四品以下,散官三品以下,勋官及爵二品以下、五品以上")。

这三种人犯死罪,可上请皇帝望其有所宥免,一般司法官不得擅自决断;犯流罪以下减一等处理。但有一定限制:"其犯十恶,反逆缘坐,杀人,监守内奸、盗、略人(拐骗人口)、受财枉法者,不用此律"。因为"得请者"的身份低于"八议者",所以犯罪后得到的照顾要次一等。

三为减。这是指有一定身份的官吏及其亲属犯罪,可享受减罪一等的优遇,但只限流刑以下的罪。适用"减"的对象有两种:一是六品、七品官员,二是应请者的祖父母、父母、兄弟、姊妹、妻、子、孙。其限制条件与"请"的限制相同。

四为赎。就是凡属应议、请、减范围内的人,八品、九品官员,及官员得减者的祖父母、父母、妻、子孙,犯流罪以下听赎。但如果犯了"五流"的罪,即加役流、反逆缘坐流、子孙犯过失(杀祖父母、父母)流、不孝流及会赦犹流,则不得减、赎。此外,一些特定的徒、流罪,如过失杀伤尊亲属徒、故殴人至废疾流、男夫犯盗处徒以上刑及妇人犯奸,亦不得减赎。

五为官当。官当,指以官抵当刑罪,原则上公罪比私罪抵当为多,官品高的比官品低的抵当为多。具体办法是:以官当徒的,其犯私罪者,五品以上,一官当徒刑2年,九品以上,一官当徒刑1年,如犯公罪,可以分别多抵当1年徒刑。以官品抵当流罪时,流刑三等均折算成徒刑4年。若一人有两种官爵的,如职事官与勋官,先以高者当,次以勋官当;如果用这两种官抵罪不尽,还可以用历任的官职来当罪。凡以官当徒的,如果罪轻不尽其官,可以留官收赎;如果官小不尽其罪,余罪也可以收赎。

此外,官吏因犯罪被罢职或除名者,经过一段时间,可以重新叙用。唐律规定,凡被除名者,6年以后可降三级叙用;

免官者,3年以后降二级叙用;免所居官者,1年以后降一级叙用。

(4) 划分"公罪"与"私罪"

唐律对官吏犯"公罪"或"私罪"作了明确的划分。所谓"公罪",是指官吏"缘公事致罪,而无私曲者",即职务上的过失犯罪。所谓"私罪",是指"不缘公事,私自犯者",如杀人、强奸等罪;而"虽缘公事,意涉阿曲,亦同私罪",即借职务之便牟取私利,故比同私罪。对私罪的处罚要重于公罪,在以官抵罪时,同样的官职,公罪可多当1年徒刑。这一规定既裁抑了官吏以权谋私的消极因素,又保护和调动了官吏工作的积极性,以提高办事效能。

(5) 自首减免刑罚

《唐律疏议·名例律》规定:"诸犯罪未发而自首者,原其罪。"并且允许遣人代为自首,不限亲疏。如属于法律所允许的亲属相容隐范围的人代首或告发的,被告发者也按自首处理。

对各种自首情况的处置办法有:"轻罪虽发,因首重罪者,免其重罪";在审讯中"别言余罪者"也同自首;如果自首不实及不尽者,以不实、不尽之罪罪之,至死者,听减一等;其知人欲告及亡叛而自首者,减罪二等坐之;犯罪后共同逃亡,轻罪能捕重罪者,及轻重相等能抓获半数以上自首者,皆除其罪;盗、诈取他人财物后向财主自首缴赃者,与向官府自首相同。自首以后,所有赃物仍须如数偿还。

唐律还规定了不得使用自首免罪原则的几种情况,如:听说别人代自己自首及被追不到官府听候处理的不得原罪；官府已判令立案追审的，虽欲自新也不得原罪；因盗故杀伤人或过失杀伤财主而自首者，盗罪得免，杀伤罪仍要处罚；已给人造成伤害及所盗之物已无法赔偿，以及事发逃亡、越度关口、奸良人妇女、私习天文的犯罪不在自首之列；对"常赦所还不原"的犯罪，虽自首仍不得减免。

此外，唐律还规定了有关公罪的特殊自首，即自觉举。如果公事失错或官文书稽程（公文误期），官吏能先自举发，一般能免罪。应连坐者，一人自觉举，其他人一同赦免。但是，"其断罪失错，已行决者，不用此律"，也就是说，如果这类错失行为产生的决定已经执行并完成的，比如误判了死刑或笞、杖刑已经执行的，误判了徒、流刑已经执行完毕的，就不能适用免罪的原则，即使自觉举的，仍然要依律科断。

（6）共同犯罪区分首从

唐律规定的共犯，是指二人以上的共同故意犯罪。处罚时，原则上分别首从定罪，"诸共犯罪者，以造意为首，随从者减一等"。造意即主谋，是首犯，随从者是从犯，其罪减首犯一等。但如果是家人共犯，则不论由谁造意，原则上只处罚同居的尊长。但如系盗窃财物或斗殴杀伤之类，则按一般区分首从之规定论处，而不独坐尊长。外人与监临主守官吏共同犯罪，虽由外人造意，仍以监临主守官吏为首犯。对于严重的共同犯罪，如谋反、谋大逆、强盗、强奸等，则不分首从，均以正犯科刑。

(7) 合并论罪的原则

唐律对一人犯数罪,在合并论罪时的处罚原则是:"诸二罪以上俱发,以重者论。"即一个人犯有数罪时,只取其重罪来科刑,不得累轻以加重;如所犯数罪判处同样的刑罚,则只判处其中一罪即可;若一罪先发现,已经判决,以后又发现了别的犯罪,若二罪相等时,维持原判,如后罪重于前罪,则通计前罪,以充后数。若数犯赃罪,则不采"以重者论"的原则,一般是累计赃值,折半论处。

(8) 更犯和累犯加重

唐律中的更犯,是指"犯罪已发及已配而更为罪"的情况,对更犯采取"各重其事"的处罚原则,"各重其后犯之事而累科之",即并科论处。但对最高刑有所限制。例如,对更犯流、徒罪者可以加役至 4 年,超过部分以杖刑代替,最多可加至 200;对更犯笞、杖罪者可以加笞、杖至 200。与累犯不同的是,更犯流罪以下者不得加至死刑。

唐律中有关累犯的规定,主要适用于盗罪,且是指 3 次以上犯徒罪或流罪而言。因其多次犯罪,屡教不改,危害很大,故唐律采用累犯加重可加至死的原则。《贼盗律》规定:"诸盗经断后,仍更行盗,前后三犯徒者,流二千里,三犯流者,绞。"

(9) 老幼废疾减免刑罚

《唐律疏议·名例律》规定:

> 诸年七十以上、十五以下及废疾(如折一肢,瞎一目),犯流罪以下,收赎。八十以上、十岁以下及笃疾(折

> 二肢、双目失明等),犯反、逆、杀人应死者,上请;盗及伤人者,亦收赎。余皆不论。九十以上,七岁以下,虽有死罪,不加刑。

即将老人、小孩与残疾人按其年龄和病残程度分为三等,规定不同的刑事责任,犯罪以后给予减免刑罚。《疏议》称此是"爱幼养老之义也",实际上,这些老耄、幼小、残疾之人不可能对封建统治造成较大危害,对他们减免刑罚,即可博得哀矜老幼的"仁政"美名,又不致损害统治者的根本利益,可谓一举两得。

(10) 同居相为隐

同居相隐是指同财共居者以及一定范围内的亲属有罪,相互之间可以容隐,不追究或减轻其法律责任。同居相为隐的理论根据是儒家的"父子相隐"思想。在《论语·子路》中,已有"父为子隐,子为父隐,直在其中矣"之说。秦简《法律答问》也禁止子女控告父母和奴婢控告主人,但不很严格。汉代标榜"以孝治天下",董仲舒据《春秋》经义,肯定了"父为子隐,子为父隐"的合法性。至宣帝时,正式把"亲亲得相首匿"作为刑法原则确定下来。《汉书·宣帝纪》说,宣帝地节四年(前66年)规定:"自今子首匿父母,妻匿夫,孙匿大父母(祖父母),皆勿坐。其父母匿子,夫匿妻,大父母匿孙,罪殊死,皆上请廷尉以闻。"这一规定,首先是限定在一家之内,即祖孙三代、夫妻之间;其次是卑幼首匿尊长一概不论,尊长首匿卑幼犯罪者,如属一般犯罪可不负刑事责任,死刑案件则上请廷尉,奏报皇帝决定如何减免其罪责。唐律继承了汉律关于"亲亲得相首匿"的原则,并扩大了容隐的范围。此后这一刑法原则不仅一直延续到清代,而且内容也时有发展。

《唐律疏议·名例律》规定:"诸同居,若大功以上亲及外祖父母、外孙,若孙之妇、夫之兄弟及兄弟妻,有罪相为隐;部曲、奴婢为主隐,皆勿论,即漏露其事及擿语消息,亦不坐。其小功以下相隐,减凡人三等。"据此规定,上述同居之人,不仅相互间隐瞒罪行可不受追究,就是为犯罪者通风报信,使其隐避逃亡时,亦不负刑事责任。但凡是犯谋反、谋大逆、谋叛3种罪的,亲属不得相隐,各从本条科断。

(11) 轻重相举原则

《唐律疏议·名例律》规定:"诸断罪而无正条,其应出罪者,则举重以明轻;其应入罪者,则举轻以明重。"这一规定的基本精神是法律上没有明确规定的犯罪行为,允许适用性质相同的法律条文,比照处断。例如《贼盗律》规定,夜间无故入人家,主人当时杀死者不论。假如主人对夜入己家者有所折伤,比杀死为轻,自然无罪。这叫"举重以明轻"。又如《贼盗律》规定,凡谋杀期亲尊长者,皆斩。即只要有预谋,就处斩。如已杀、已伤,比预谋为重,自应处斩。这就叫"举轻以明重"。

"轻重相举"原则之设,主要是为解决同一性质的犯罪因情节各异而如何决定量刑的轻重的问题。它不同于现代刑法中的"类推"原则。沈家本《明律目笺》在论及"比附"之时曾明确指出,举重以明轻、举轻以明重的原则,"本于开皇,乃用律之例,而非为比附加减之用",与明律"引律比附"的宗旨异趣,决不能等同"比附"。当然,唐律中也存在有比附类推,并屡见于疏议。如借人车船、碾碨之类,与借畜产相比附;盗皇太子妃宝(印章)比附于盗皇太子宝等。

(12) 涉外案件的处理原则

《名例律》规定:"诸化外人,同类自相犯者,各依本俗法;异类相犯者,以法律论。"《疏议》曰:"化外人,谓蕃夷之国,别立君长者,各有风俗,制法不同。"这说明,属于同一国家的外国人在唐朝领域内相犯,依该国法律处理;不同国家的外国人相犯,则依唐律处理。它反映了立法者既尊重外国习俗又维护国家主权的法律意识。

2. 古代定罪量刑的系统规定

唐律从第二篇《卫禁律》到最后一篇《断狱律》,相当于现今刑法的分则部分。在这11篇律文中,详细规定了各种违法犯罪行为及其应处的刑罚。

(1) 卫禁律

"卫者,言警卫之法;禁者,以关禁为名。"即关于警卫宫廷和保卫关津要塞方面的法律。共2卷33条,主要有两部分内容。

一是侵犯宫殿庙社的犯罪。大体可分两类:一是擅自闯入宫殿庙社,以及向宫殿放弹掷石的行为。二是皇宫警卫人员的各种失职行为。其特点是,实施了这些行为(或不作为)即构成犯罪,不要求危害结果的发生。如:擅入宫门者处徒刑2年,擅入殿门者处徒刑2年半,如果手执武器则各加二等治罪。擅入上阁内者绞,如持武器擅入皇帝停留所在者斩。向宫殿、宫垣、殿垣、上阁及皇帝所在地射箭者,分别处以徒刑或死刑。向上述地方放弹及投掷瓦石者,各减一等。守卫不觉,减擅入者二等治罪,主帅又减一等;故纵者,各与同罪。

二是侵犯关津及边塞保卫的犯罪。根据侵犯对象,也可分侵犯城、镇安全保卫和侵犯边境要塞安全保卫两类。例如:翻越州、镇、戍城及武库的垣墙,徒1年;翻越县城的垣墙,杖90。城关、津必须由门、济(渡口)而入,私度(无证通过)关者,徒1年;越(不由门、济)度者,徒1年半;越度边关、要塞者,徒2年。守边官吏兵弁如果玩忽职守或烽候不警者,处徒刑3年;以故陷失者,则处死刑。这些规定,既可控制国内人民,防止随意流动和反抗,同时也是为了防止外来侵略。

(2) 职制律

职制律是关于官吏的设置、职责、官吏渎职以及驿传等方面的法律,"言职司法制,备在此篇"。共3卷58条,主要有三方面的内容。

一是关于职务方面的犯罪。包括官吏设置与选任的犯罪、官吏职守上的犯罪及侍奉皇帝的过失犯罪等。例如:官员编制过限及不应置而置者,1人杖100,3人加一等,10人徒2年。贡举非其人,及应贡举不贡举者,1人徒1年,2人加一等,最高徒3年。官吏不因公事私自出境界者,要处以杖刑;官吏应值而不值日、不值宿,当番不到,限满未赴任或不按律令格式办事,以及事应上奏而未上奏者,都要分别处以不同刑罚。至于私自泄漏军国大事机密,则要处以绞刑。如果为皇帝配药、烹煮饮食、制造船只等发生差错的,也要处罚,最重可至绞刑。

二是违反驿传制度的犯罪。唐代建立了严密的驿传系统,水陆主要交通线上每30里设立一个驿站,全国共设1 639所,备有宿舍、马匹、舟船,以传递军政文书及接待过往官员。由于驿传事涉国家的军政大事,故规定非常严格。如不应入而入驿者,笞40;致使延误公文日程者,1日杖80,2日加一等,最高可判处徒刑2年;如果贻误军情则加重三等,后果严重的处以绞刑。此外,如文书应由驿使传递而不遣驿,随意增加驿马,或不循驿路,以及驮运私物等,也都按律予以处罚。

三是有关官吏贪赃枉法的犯罪。包括官吏受财枉法、收受部属财物、收受非部属钱财及利用职权牟取私利等违法犯罪行为。唐律对此处罚较严,如监临主司(主管官吏)受财而枉法者,1尺杖100,1匹(40尺)加一等,15匹绞。受财而不枉法的,一尺杖90,2匹加一等,30匹加役流。此外,官吏如果收受其管辖范围内人民的财物、猪羊供馈或役使其属下人民,或向属下人民借贷财物、奴婢、牛马以及接受财物而为人请求者,都以"坐赃论"。

(3) 户婚律

户婚律是关于户籍、土地、赋税以及婚姻家庭方面的法律,共3卷46条。按其内容,可分为两个部分。

一是妨害和破坏户籍、土地和赋税徭役管理的犯罪。户口是国家征收赋税、征发徭役的依据,唐朝一向重视户籍管理和赋税、徭役方面的立法,以期保障国家财政收入和徭役的正常进行。《户婚律》规定:脱户(整户不登记)者,家长徒3年;脱口(一户内有人未登记)或增减年龄,妄报为老、幼、废疾,以逃避课役者,1口徒1年,2口加一等,罪止徒3年。里正和州县长官不觉所辖地区脱漏户口增减年状者,根据其人数多少,分别处以笞刑至徒3年;如果知情,则与家长同样受罚。为缓和社会矛盾,律文严禁官吏擅自增加赋敛,"若非法而擅赋敛,及以法赋敛而擅加益,赃重入官者,计所擅坐赃论;入私者,以枉法论,至死者加役流。"对差科赋役违法及不均平的,也要处以杖60的刑罚。

户婚律严格保护封建国有土地和私有土地的所有权。唐初实行均田制,出现了为国家所有,但由农民个人使用的"口分田"制度。为保护封建国家的利益,并将农民附着在土地上,严格限制农民私卖"口分田"。"诸卖口分田者,一亩笞十,二十亩加一等,罪止杖一百;地还本主,财没不追"。对于妄认公私田,盗耕种公私田的,一律禁止,严重的要处1年或2年徒刑。此外,律文还严禁官吏侵夺公、私田,及占田过限的行为,犯者判处笞刑至徒刑。

二是破坏婚姻家庭和继承制度的犯罪。在婚姻制度上,户婚律确认封建包办买卖婚姻的合法性。它赋予家长主婚权,卑幼如不服从,则杖100。实行"以聘财为信"的制度,如受"聘财"而悔者,杖60。严禁"同姓为婚",违者各徒2年。严禁姑、舅、姨表亲为婚;严禁良贱通婚;严禁与逃亡妇女结婚;违者,离异,并处一定的刑罚。此外,还规定:"诸监临之官,娶所监临女为妾者,杖一百;若为亲属娶者,亦如之。其在官非监临者,减一等。女家不坐。"在离婚方面,仍然沿用"七出"和"三不去"的规定,并制定了强制离婚的要件"义绝"。"义绝"是指夫或妻与对方一定范围内的亲属有殴杀、奸非等情事,妻欲害夫等行为。户婚律规定:"诸犯义绝者离之,违者,徒一年。"另外,唐律还有"和离"的规定:"若夫妻不相安谐而和离者,不坐。"

在家庭关系方面,户婚律肯定封建家长制度,赋予家长支配家庭成员的极大权力。家长拥有教令权,子女必须绝对服从,如有违抗,可以施行家法,重者可以违反教令罪处徒刑 2 年。财产由家长支配,子孙"别籍异财"者,判处徒刑 3 年,"私辄用财者"也要受罚。为了保护家族血缘的纯正,维护封建家庭身份关系和继承制度,户婚律还对立嫡违法、养异姓男、养杂户男和部曲及奴为子孙等行为作了处罚的规定。

(4)厩库律

"厩者,鸠聚出,马牛之所聚;库者,舍也,兵甲财帛之所藏。"这是关于牲畜的养护、使用和仓库管理、官物出纳等方面的法律。共 1 卷 28 条,其内容也分两个方面。

一是关于牲畜管理方面的规定。马牛是当时主要的交通和生产工具,厩库律规定,官有牲畜如养疗不得法以致死亡的,处笞刑和杖刑。不如实查验畜产的,1 头笞 40,3 头加一等,罪止杖 100。用官畜驮私物的重量仅限 10 斤,违者,分别情况处以笞、杖刑。驿长如将驿马、驿驴私自借于人者,双方均要受罚。为保护畜力,凡故意杀死官私牛马者,处徒刑 1 年半;误杀伤者不予处罚,但要赔偿损失价值。

二是关于仓库管理方面的规定。为了保护官有资财不受侵犯,厩库律规定,有人从仓库出,防卫主司必须搜检,以防夹带,如不搜检则笞 20;"以故致盗不觉者,减盗者罪二等";夜间守卫者不觉人盗物的,减盗者罪三等。故意纵容偷盗的,赃满 50 匹加役流,100 匹绞。主管官吏私贷官物者,"无文记(没有文约、批示、票簿),以盗论;有文记,准盗论";私借官物的,借人及借之者,各笞 50。过 10 日,计所借之物,准坐赃论减二等,罪止徒2年。借用官物的,事讫过10日不还笞30,10日加一等,罪止杖100。对库藏物品保管不善而有损害者,坐赃论。

(5) 擅兴律

这是关于军队征调、防守、军需供给以及兴造工程等方面的法律。共1卷24条,其主要内容也分两个方面。

一是军事方面的规定。为了维护皇帝对军队的控制权与指挥权,擅兴律把禁止"擅发兵"作为当务之急。凡擅发兵,10人以上徒1年,满100人徒1年半,100人以上加一等,1 000人绞。"擅发兵"是指没有突发的紧急事件,又没有事先报告皇帝就擅自调动军队的情况。虽上报皇帝,但不待批复即发布调兵命令,同样依据"擅发兵"治罪。而且上述情况不需要实际已经调动了军队,只要调兵的命令已经下发就构成犯罪,即所谓"文书施行即坐"。军队出征时,如因调拨兵马、物资而贻误军机者,即构成"乏军兴"之罪,处斩刑,即使出于过失亦不得免。在征战期间,主将临阵先退者,处斩刑;下属随之而退者,"皆从此坐"。通敌、泄漏军机者,本人处斩,妻、子流2 000里;充当敌方间谍及知情不举者,一并处以绞刑。

二是工程兴造方面的规定。擅兴律规定,凡是兴造必须上报,如无法律明文而擅自兴造及征发徭役者,一律为非法,十庸(即绢30尺)以上以贪污罪论。如对工程兴造所用人力、物力申报不实者,笞50,已造成损费的,以贪污论罪减一等。此外,为防止人民起义,还严禁民间私造私藏甲、弩、矛等禁兵器。凡私有禁兵器者,根据品种与数量,处以徒刑乃至绞杀。私造禁兵器者,罪加一等,造未成者减二等。

(6) 贼盗律

在我国古代,盗、贼有所区别,"盗则盗窃劫略之类,贼则叛逆伤杀人之类"(沈家本:《寄簃文存》)。贼盗律是有关惩治严重危害封建统治秩序和私有财产制度的犯罪行为的法律规定,是唐律的重点内容。共4卷54条,其主要内容亦分贼和盗两方面。

一是危害统治秩序与人身安全的"贼"类犯罪。这方面的犯罪,大体可分危害皇权的犯罪、危害人身安全的犯罪、其他妨碍统治秩序的犯罪行为等几类,对其量刑均较一般犯罪为重,且最高刑大多为死刑。

属于这类犯罪处罚最重的首推直接危害封建皇权并被列为"十恶"之"前三恶"的谋反、谋大逆和谋叛。《贼盗律》规定,凡有犯者,本人不分首从,一律处斩,其亲属或没官为奴婢,或者流放。即便是"口陈欲反之言,心无真实之计,而无状可寻者",也要流2 000里。对于"造妖书妖言"或传播此类言论书籍以蛊惑众人者,则一律处以绞刑。同时,对于贼杀、伤等罪处罚也很严。一般谋杀,徒3年,已伤者绞,已杀者斩。如属吏谋杀长官者,流2 000里,已伤者绞,已杀者皆斩。卑幼谋杀尊长,根据不同情况或流,或绞,或斩。但尊长谋杀卑幼,则依故杀罪减二等。部曲与奴婢谋杀主人者,一律处斩;相反,主人杀死奴婢,只杖100或徒1年。此外,把杀一家非死罪3人及肢解人的"不道"行为,列为十恶大罪,本人处斩,妻子流3 000里。劫持人质者,皆斩;"部司及邻伍知见,避质不格者,徒二年"。对残害死尸、烧棺椁等行为亦要处重刑。

二是侵犯官私财产的"盗"类犯罪。在这方面,重点在镇压"强盗"犯罪。对"以威若力而取其财"的强盗行为,即使不得财,依然处徒刑2年;得1尺徒3年,10匹及伤人者绞,杀人者斩。如手持武器,虽不得财,也流3 000里,得5匹即绞,伤人则斩。对于"容留强盗"者,实行严厉处罚;其里正及主管州、县也要牵连受罚。对"窃盗"则区分为政治窃盗和一般窃盗。对前者处刑极严,如盗皇帝御宝处绞刑。盗大祀神御之物,被视为亵渎神权,处流2 500里。其他如盗宫殿门符和发兵符、盗官文书印、盗制书、盗兵器等,也都分别处以流刑或徒刑。一般窃盗,虽不得财也笞50;得1尺杖60,1匹加一等,5匹徒1年,50匹加役流。此外,《贼盗律》还规定:"诸监临主守自盗及盗所监临财物者,加凡盗二等,三十匹绞。"其处罚比普通人窃盗为重。

为维护统治秩序,《贼盗律》还严禁买卖人口。凡略人和略卖人,即抢劫或诱骗人口出卖为奴婢、部曲或妻、妾、子、孙者,根据不同情况,分别处以徒刑、流刑或绞刑。略取他人奴婢以强盗论;和诱者以窃盗论;若得逃亡奴婢不送官而卖者以和诱论;隐藏逃亡奴婢减和诱一等。对知情而收买人口、分得赃物者,"各计所受赃,准窃盗论减一等";对知道是盗赃而故买或隐藏的,也要处罚。

(7) 斗讼律

斗,即斗殴;讼,即告讼。这是关于一般斗殴杀伤及各种违反诉讼原则和诉讼程序的犯罪的规定。共4卷59条,在内容上亦分两个部分。

一是斗殴杀伤人。关于斗殴,《疏议》解释为:相争为斗,相击为殴。具体情况有多种,比如以斗殴双方的关系来分,有凡人之间斗殴杀伤和特别身份的人（如长官与部属、奴婢与良人、尊长与卑幼等）之间的斗殴杀伤；以加害人的主观状况来分，有故杀和过失杀等；以伤害手段来分，有用手足击人、用他物殴人或用兵刃击人等；以伤害后果来分，有伤、废疾、笃疾和致死等。《斗讼律》对各种不同的斗殴杀伤罪都规定了具体的处罚办法。例如，一般斗殴伤人，视殴伤情况分别处以笞刑至徒刑，致重伤者可处流刑，斗殴杀人者绞，以武器或故意杀人者斩。如殴打官吏或下级殴本部五品以上官，徒3年；伤者流2 000里，折伤者绞，死者斩。如殴六品以下官吏各减三等。假如因子孙违反教令，祖父母、父母将其殴打致死，徒1年半；子孙詈殴祖父母、父母，则入十恶之不孝，非绞即斩。其他尊卑相殴、主奴相殴、良贱相殴，也因贵贱不同，各有加减。

唐律对杀人行为，做了细致的分类。除了《贼盗律》中的"谋杀"（预谋杀人的行为）和"劫杀"（因劫囚而杀人）外，《斗讼律》还规定了以下5种杀人行为："故杀"，即"非因斗争，无事而杀"；"斗杀"，即"元无杀心，因相斗殴而杀人者"；"误杀"，即"斗殴而误杀伤傍人者"；"戏杀"，即"以力共戏，因而杀伤人"；"过失杀"，即在"耳目所不及，思虑所不到"的情况下致人死亡的。上述7种杀人行为合称为"七杀"，这一归纳反映了封建刑法理论的发展。

为了判明斗殴与死亡间的关系以及确定应负的责任，斗讼律还规定了"保辜"制度。所谓保辜，就是发生伤害案件，由官府验其伤之轻重程度，根据使用凶器及伤势，规定一定期限，在期限内视被害人伤势变化结果来确定加害人罪责的制度。保辜期限称为辜限。手足殴伤人限10日，以他物殴伤人限20日，以刃及汤火伤人限30日，折跌肢体及破骨限50日，

"限内死者,各依杀人论;其在限外及虽在限内,以他故死者,各依本殴伤法"。

二是诉讼方面的犯罪。除谋反叛逆以外,斗讼律对其他犯罪的告诉均有尊卑贵贱的身份限制。此外,斗讼律对诬告罪和其他违法控告的行为,如以赦前事相告言、直诉不实、越诉等,也作了具体的处罚规定。

(8) 诈伪律

这是关于欺诈和伪造方面的法律,共1卷27条。其内容可分两个方面。

一是伪造皇帝御玺及官府文书。这些都属于政治性诈伪行为,故处罚很严。为了维护封建皇权和国家正常的活动,对伪造皇帝御宝与宫殿门符、兵符等犯罪,一律处死刑;其中对伪造御宝罪还规定,不管仿造者用与不用,"但造即坐"。对伪写官文书印、诈书制书及口传制书而有增减者,亦非流即死。

二是欺诈犯罪。该律规定,对诈称官、诈求得官、诈称官吏捕人者,处流、徒刑。"诸诈欺官私以取财物者,准盗论。""妄认良人为奴婢、部曲、妻妾、子孙者,以略人论减一等。妄认部曲者,又减一等。妄认奴婢及财物者,准盗论减一等。"至于诈称疾病逃避徭役,及自残身者,处以杖至徒刑。证人诈伪,译人诈伪,影响法官判断,"致罪有出入者,证人减二等,译人与同罪"。医师违背本方,诈疗疾病,以取财物者,也"以盗论"。

(9) 杂律

杂律包括了不便归入其他篇目,又不能单独成篇的各种犯罪的规定，共2卷62条，主要有以下几方面内容。

一是违反社会治安管理的犯罪。杂律规定了"犯夜"、"博戏赌财物"、"无故于城内街巷走车马"、"向城官私宅射"等名目。凡无故犯夜者，笞20。赌博者，各杖100，"赃重者，各依自己分，准盗论"。凡在城内街巷及人众中，无故走车马者，笞50；以故杀伤人者，减斗杀伤一等。在闹市及人众中，故相惊动，令扰乱者，杖80；以故杀伤人者，减故杀伤一等；因失财物者，坐赃论。其误惊杀伤人者，按过失罪处理。向城内及官私住宅、道路射箭者，杖60，放弹及投瓦石者，笞40；因而杀伤者，各减斗伤一等。

二是犯奸罪。杂律将犯奸分为强奸与和奸两种。凡和奸，徒1年半；"有夫者，徒二年。"强奸则加一等。良贱相奸与亲属相奸又视不同情况予以减轻或加重。如部曲、杂户、官户奸良人者，各加一等。奴奸良人者，徒2年半；强者，流；折伤者，绞。而良人奸官私婢者，只杖90。如亲属之间犯奸，处罚比一般人为重，尤其是卑幼奸尊长妻妾，非流即绞。凡强奸，"妇女不坐"；如是和奸（即通奸），对妇女的处罚"与男子同"；"其媒合奸通，减奸者罪一等。"

三是买卖、借贷方面的违法犯罪。杂律强调奴婢、牲畜等的买卖要"并立市券"，即订立契约，如"已过价，不立市券，过三日笞三十，卖者，减一等。立券之后，有旧病者三日内听悔，无病欺者市如法，违者笞四十"。在债务关系上，注重保护债权人的利益。债务人不履行契约，有违契不偿的行为，要笞20至杖60，并强令其"备偿"。债权人还可直接向债务人索取财物以偿债，但不得超过契约的数目，否则，以"坐赃论"。

四是违反市场管理规定的犯罪。杂律规定由主管市场的

"市司"评议物价,如有从中舞弊者,"计所贵贱,坐赃论。入己者,以盗论"。对于垄断市场、哄抬物价的商人,如"规自入者",杖80;已得赃重者,计算其所得利益,准盗论。市场上通行的斗、秤等度量衡器必须经主管机关鉴定,并加盖官府印章,方准行用。违者,给予笞刑至杖刑的处罚。各类产品必须符合质量要求,凡"器用之物及绢布之属",制作不牢(行)、以假充真(滥)、尺寸不合要求(短、狭)而仍然出卖者,制造者和贩卖者各杖60,并根据其不法所得的数量"准盗论";市场管理官员及州、县官司如知情不加处理,"各与同罪;不觉者,减二等"。

五是其他侵害社会秩序和公共安全的违法犯罪行为。这一类的规定很多,也很杂,有时与违反社会治安管理的犯罪也很难区分。如杂律规定,"诸不修堤防及修而失时者,主司杖七十;毁害人家、漂失财物者,坐赃论减五等;以故杀伤人者,减斗杀伤罪三等"。但雨水超常,非人力所能防者,勿论。盗或故决堤防者,分别杖100和徒3年,造成危害者,另各加重。"诸失火及非时烧田野者,笞五十;延烧人舍宅及财物者,杖八十;赃重者,坐赃论减三等;杀伤人者,减斗杀伤二等。"如在重要地区失火及故意放火,又各加重。"诸见火起,应告不告,应救不救,减失火罪二等。""诸私铸钱者,流三千里"。

又如,各种侵害公共利益的行为也要受罚:"诸侵巷街、阡陌者,杖七十。若种植垦食者,笞五十。各令复故(恢复原状)。""其穿垣出秽污者,杖六十;出水者,勿论。主司不禁,与同罪。""诸占固山野陂湖之利者,杖六十。"

再如,各种侵犯公私财物的行为也要受罚:"诸于官私田园,辄食瓜果之类,坐赃论;弃毁者,亦如之;即持去者,准盗论。""诸弃毁官私器物及毁伐树木、稼穑者,准盗论。即亡失及误毁官物者,各减三等。"凡是弃毁、亡失及误毁官私器物的,都要赔偿。即使"于他人地内得宿藏物,隐而不送者",也要根据其价值,坐赃论减三等。"若得古器形制异,而不送官者,罪亦如之。"甚至拣得遗失之物,"满五日不送官者",也"各以亡失罪论;赃重者,坐赃论。私物,坐赃论减二等"。

立法者惟恐不能把所有触犯封建统治利益的行为都包罗净尽,在杂律的最后一条又规定:"诸不应得为而为之者,笞四十;事理重者,杖八十。"即法律虽无规定,但所作所为只要是统治者所不能允许的,均要处罚,以便司法官吏任意解释和援用。

(10) 捕亡律

这一篇规定了各种追捕罪人过程中的违法犯罪行为和各种逃亡犯罪,以及相应的刑罚,共1卷18条。其内容可分为两个方面。

一是追捕罪人违法。它包括官吏在追捕罪犯时的违法行为和行人及邻里不助捕罪犯的行为,其犯罪行为大都表现为"不作为"的方式。例如,罪人逃亡,文武官受命追捕而逗留不行,或与亡者相遇,人兵器仗足得相敌,不战斗而退者,各减逃亡罪一等处刑;斗而退者,减二等。如人仗不敌,不斗而退者,减三等;斗而退者,不坐。如逃犯持械拒捕,允许当场格杀勿论;如空手拒捕而杀者,则要徒2年。"诸追捕罪人而力不能制,告道路行人,其行人力能助之而不助者,杖八十;势不得助者,勿论。""诸邻里被强盗及杀人,告而不救助者,杖一百;闻而不救助者,减一等;力势不能赴救者,速告随近官司,若不告者,亦以不救助论。其官司不即救助者,徒一年。窃盗者,各减二等。"

二是逃亡罪及容止、隐匿罪人的犯罪行为。捕亡律规定,凡罪犯于服流、徒刑期间逃亡者,1日杖40,3日加一等,过杖100则5日加一等。如果是以武力越狱逃跑,流2 000里;伤人者,加役流;杀人者斩,从者绞。典狱官吏不觉失囚者,减囚罪二等;若囚武力越狱者,又减二等。并规定100日的捕限,如限内自己捕得或由他人捕得,或者逃犯已死亡及自首,可免罪。凡逃兵役或从军征讨途中逃回者,1日徒1年,15日绞,临阵逃亡者则斩;主司故纵与同罪。服徭役的丁夫、杂匠及工、乐、杂户,官户和官奴婢,部曲、奴婢逃亡,以及现任官吏无故私逃者,均各有罚。知情藏匿罪人,及指点路途、资助衣食,使罪人潜隐他处者,各减罪人罪一等。

(11) 断狱律

这是关于司法审判、执行和监狱管理方面的法律规定,共2卷34条。本篇是唐律的最后一篇,即第12篇。其主要内容有以下两方面。

一是司法官吏违反监狱管理的行为。断狱律规定:"诸囚应禁而不禁,应枷、镣、杻而不枷、镣、杻及脱去者,杖罪笞三十,徒罪以上递加一等";掉换刑具者,各减一等。"诸囚应请给衣食医药而不请给,及应听家人入视而不听,应脱去枷、镣、杻而不脱去者,杖六十;以故致死者,徒一年。即减窃囚食笞五十;以故致死者,绞。"将可以自杀及解脱的金刃及他物给予囚犯者,杖100;如囚犯因此逃亡及自伤、伤人者,徒1年;自杀、杀人者,徒2年。"诸主守受囚财物,导令翻异;及与通传言语,有所增减者,以枉法论,十五匹加役流,三十匹绞。"

二是各种违法审判的行为。例如:应议、请、减及老、幼与废疾者,"并不合拷讯,皆据众证定罪,违者以故失论"。"其于律得相容隐,即年八十以上、十岁以下及笃疾,皆不得令其为证,违者减罪人罪三等。""诸断罪皆须具引律、令、格、式正文,违者笞三十。"对官司出入人罪者,据其情节予以不同的处罚。

3. 古代法律思想的完美表述

《唐律疏议》的基本内容已如前述,根据这些基本内容,我们可以清楚地看到唐律这部中国封建社会代表性法典的本质。

(1) 维护皇权和封建集权统治

唐律的首要任务是保护皇帝,保护以皇帝为核心的封建专制统治。唐律确立皇帝"奉上天之宝命","作兆庶之父母"的至尊地位,在许多条文中,都就皇帝对国家政务的最高处置权作了规定。这种权力不仅范围很广,涉及立法、司法、行政、军事等方面,而且具有无上权威,在任何情况下都不允许侵犯,否则便构成重罪。可以说,唐律规定死罪的律条中,有许多是为维护皇权而设置的,威胁到皇帝人身安全和有损皇帝尊严、危及皇权的行为,也是唐律中处罚最为严厉的,在"十恶"中,首列谋反、谋大逆、谋叛就是明证。其他如大不敬也是危害皇权的罪名。

以唐律规定的谋反罪的构成特点为例,律文及疏议将谋反分成3种情况:一是谋反未行,即同真反。即只要有预谋就构成犯罪,而不必有对客体的实际侵犯行为,是"但谋即罪"。而"谋"的本义,据晋朝张斐在《律表》中的解释是:"二人对议谓之谋。"《唐律疏议》也认为:"称谋者,二人以上。"但接着又称:"若事已彰明,虽一人同二人之法。"说明哪怕是一个人,只要有明显表现,亦可构成预谋罪。二是已行即罪,不必有害。《贼盗律》规定:"即虽谋反,词理不能动众,威力不足率人者,亦皆斩。"说明只要谋反已行,即使无人响应或不能为害也都以实犯论处。三是虽无实状,出言即罪。《贼盗律》规定:"诸口陈欲反之言,心无真实之计,而无状可寻者,流二千里。"《疏议》曰:"有人实无谋危之计,口出欲反之言,勘无实状可寻,妄为狂悖之语者。"说明此种行为仅有口头上的"狂悖之语",既无预谋,又未行动,也要处流刑。

另外,唐律规定对"共犯"要区分首、从,分别定罪,而对谋反之类的重罪,都规定"皆斩"、"皆绞",《疏议》称:"言'皆'者,罪无首从",说明对这一类的犯罪,是不分为首、伙从还是胁从,均科以同一刑罚的。"同居相为隐"的原则也不适用于谋反等重罪,知者不论是谁都必须告发。谋反者不但本犯皆斩,还要缘坐其亲属。《贼盗律》规定,"诸谋反及大逆者,皆斩;父、子年十六以上皆绞,十五以下及母女、妻妾、祖孙、兄弟、姊妹若部曲、资财、田宅并没官,男夫年八十及笃疾、妇人年六十及废疾者并免;伯叔父、兄弟之子皆流三千里,不限籍之同异。"对包括谋反在内的"十恶"大罪,不再适用议、请、减、赎等法定特殊优遇,其他如老幼废疾减免刑罚的办法遇谋反罪,亦另作处理,不再当然适用。

仅从上述内容,我们就可以看出唐律对封建君主专制统治的维护程度。

（2）严格整饬吏治

为了保证封建国家机器的正常运转，提高统治效能，严格规定和严厉惩治文武官员的违法失职和贪赃枉法行为，是唐律的又一重要任务。这些规定的健全与唐初统治者以隋为鉴，力图杜绝官吏枉法、失职、贪污的现象有密切关系。在唐律中，完全以官吏为对象和涉及官吏的条款占了相当大一部分，像《职制律》全篇都是以官吏为对象的，《卫禁律》、《厩库律》、《擅兴律》和《断狱律》中，针对官吏的律条也都占半数以上。

唐律严禁官吏渎职，在行政事务方面有"公事稽留"、"官文书稽程"、"失错制书"、"点检不到"、"奏事有误"、"部内田畴荒芜"等罪名；在军政要务方面，有"给发兵符违制"、"主司私放征防人还"、"乏军兴"、"奸人出入不觉"等罪名；在司法上，则有"官司出入人罪"等罪名。对官吏的各种擅权、违纪行为处罚也很严。另外，唐律在规定一种犯罪时，往往把官吏对这一犯罪失于察觉、疏于防范或未及时采取有效措施的罪责也规定在同一律条中。例如，《卫禁律》规定了惩治擅自进入宫殿等禁地，越度、私度、冒度关津等等犯罪，同时也规定了宫殿宿卫人员以及地方和驻守人员警卫不严的罪责，而且这方面的规定更多。又如，《杂律》一面规定对穿穴垣墙，以出秽污之物于街巷者杖60，同时又规定："主司不禁，与同罪。"

相比之下，唐律对官吏贪污受贿罪的规定也更为系统，处罚也更重。唐律是第一部出现"六赃"名称的封建法典。《杂律》"坐赃致罪"条"疏议"说："赃罪正名，其数有六，谓：受财枉法、不枉法、受所监临、强盗、窃盗并坐赃。"其中，受财枉法是指官吏收受贿赂而为枉法曲断,受财不枉法是指官吏虽贪赃但没有枉法,受所监临是指主管官员不因公事需要而接受部属财物,"坐赃者,谓非监临主司,因事受财,而罪由此赃,故名'坐赃致罪'"。也就是说,除《职制律》规定的官吏贪污受贿行为以外,凡是一般官吏因事而接受他人财物的,一律以坐赃治罪,"一尺笞二十,一匹加一等;十匹徒一年,十匹加一等,罪止徒三年"。可见,唐律的"六赃"有半数以上是规定官吏贪赃受贿行为的。

再看《职制律》的规定,就可知唐律整饬吏治的严厉程度。例如,监临官在监临范围内接受被监临人的财物,向被监临人借财物,私自役使被监临的下属,做生意营利等,按情节分别处以笞刑至徒刑。监临官应约束其家人不得有上述行为,违者各比监临官本人减二等治罪。官吏出差,不得在执行公务之处接受礼物,索取或强要财物,违者分别情节,以坐赃论或坐赃减若干等论处。

《职制律》"挟势乞索"条非常详尽地说明了对官吏和豪强利用权势索取他人财物的行为要进行处罚:

> 诸因官挟势及豪强之人乞索者,坐赃论减一等;将送者,为从坐。(亲故相与者,勿论。)

同条《疏议》曰:

> 或有因官人之威,挟恃形势及乡闾首望、豪右之人,乞索财物者,累倍所乞之财,坐赃论减一等。"将送者为从坐",谓领豪右人等乞索者,虽不将领而敛财送者,并为从坐。若强乞索者,加二等。注云:"亲故相与者,勿论",亲谓本服缌麻以上,及大功以上婚姻之家;故谓素是通家,或钦风若旧,车马不吝,缟纻相贻之类者,皆勿论。

该条律文及其解释明确规定,如果当官的凭借自己的威风和权势向下属及百姓索要财物,要合并计算其所获取财物的总数,倍赃折半,按照坐赃罪论处,减本刑一等。带领官员去求索财的人,或者虽不带领但却聚敛财物赠送给官员的人都是从犯。如果是强行索要的,要罪加二等。但是律条的规定还是很有人情味的:如果是本宗五服以内的亲属,或者是关系较近的通婚之家,还有素来就是世代交好的人家,彼此关系相当不错,也常有财物相赠之类的经济来往,在这种情况下,馈赠些东西,是不能够定罪的。

为了保证选用贤才,澄清吏治,以加强政府机关的管理效能,《唐律疏议》规定对"贡举非其人"、"置官过限及不应置而置"、"在官应直不直"、"官人无故不上"、"之官限满不赴"等行为均要处以相应的刑罚。如《唐律疏议·职制律》"贡举非其人"条规定:"诸贡举非其人及应贡举而不贡举者,一人徒一年,二人加一等,罪止徒三年。"律注说:"非其人,谓德行乖僻,不如举状者。若试不及第,减二等。率五分得三分及第者,不坐。"同条《疏议》曰:

> 依令:"诸州岁别贡人。"若别敕令举及国子诸馆年常送省者,为举人。皆取方正清循,名行相副。若德行无闻,妄相推荐,或才堪利用,蔽而不举者,一人徒一年,二人加一等,罪止徒三年。

就是说,依照《选举令》,各州要在规定的年度荐举士人到中央参加考试。另外,皇帝也会特诏命令地方荐举人才,国子监、弘文馆等每年都送人到尚书省应试。这些被推荐的举人都应当选取贤良方正、清廉循良,名声与其实际操行相符合的。如果把在道德品行方面很一般的人胡乱地推荐了上来,或者发现了可以任用的人才不予举荐,都要处罚。有一个人的话判处徒刑1年,以后每增加2个人就罪加一等,最高可以判徒刑3年。假如被举荐者的品德操行乖戾孤僻,不是荐举时所说的那种情况,即使考试及格,过后也要给予处分。如果所荐举的人品德操行没有什么欠缺,只是考试策问未能及格,则比荐举乖戾孤僻的罪减轻二等。

《唐律疏议》还进一步对认定此罪的方法作了说明。在被推荐的人中,如果参加考试5人,通过了3人,或考试10人,通过6人,那么推荐他们的官员都可免罪;倘若5人中只取了2人,就要为那3个举荐"非其人"承担罪责,其余也是按照这一比例类推。在被推荐的人中,只要有一人德行乖僻,不如荐举所说的情况,就要据此判荐举人的罪,哪怕其他及格的人再多,也不能折抵其罪责。假如荐举人原意是想把可以应试的人才推荐上去,心中并没有牵涉私情,因为没有察知被荐人的德行上有欠缺,则可以比明知故犯的罪减轻三等处理。从史料来看,唐朝时因荐举人不当而被处分的事情有过多起,举人不当之律显然在发生作用。

唐律禁止官吏贪赃枉法和以财行求的有关规定也相当具体,光各种罪名就有十多条。如《唐律疏议·职制律》"有事以财行求"条说:"诸有事以财行求,得枉法者,坐赃论;不枉法者,减二等。"这是指用财物送人而有所求,以致枉法,即按赃论罪,即使不枉法,也要减赃罪二等予以处罚。同律"监主受财枉法"条又说:"诸监临主司受财而枉法者,一尺杖一百,一匹加一等,十五匹绞。不枉法者,一尺杖九十,二匹加一等,三十匹加役流。"监临主司指主管某部门的官,如受财枉法,即处以严刑,量刑与强盗罪的处罚相同。即便没有枉法,而受人财物,亦即受贿,也要处以罪刑。这样,使贪官墨吏多少能有所收敛。如果监临主守自盗所监守财物或盗取被监临人的财物者,比一般盗罪加二等,赃满30匹绞。

《唐律疏议》还对"长吏辄立碑"的行为作了禁止性规定,该律条指出:

> 诸在官长吏,实无政迹,辄立碑者,徒一年。若遣人妄称己善,申请于上者,杖一百;有赃重者,坐赃论。受遣者,各减一等。

律注说:"虽有政迹,而自遣者,亦同。"《疏议》对这一法律条文解释说:这一罪名的犯罪主体"在官长吏",指的是"内外百司长官以下,临统所部者",即京内和京外各主管衙门自长官以下监临、统辖某一部门的官员。这些官员如果"未能导德齐礼,移风易俗,实无政迹,妄述己功,崇饰虚辞,讽谕所部(指婉转暗示部下),辄立碑颂"的,要处徒刑1年。其部下为他立碑歌功颂德的,作从犯处罚。如果是官员教人虚妄地称扬自己的成绩,向上级申请表演的,处杖刑100。假如是虚构事实向皇帝上表陈述的,按照"上书诈不实"的法条规定,判处徒刑2年。计算得赃的价值超过本罪的,就按照所值赃物来定罪。受指使立碑或向上级申请立碑的人,各自比该官员的罪行减轻一等。倘若当官的没有派遣人立碑,而是百姓自动树碑及妄自向上级申请的,要按"不应得为从重",判处杖刑80,并且将所立的碑撤除或砸毁。对"官人虽有政迹",而派遣部下为自己立碑,或教人向上级申请立碑的,也丝毫不考虑该官员已经做出的成绩,完全同前面一样科罪。只有在部下自动做了这些事,而且该官员毫不知情的情况下,才不办该官员的罪。

此外,像受命负责护送官府财物、囚犯或牲畜,却雇用、委托他人代办的,要处罚;官员收受部属财物的,要处罚,连给予财物的人也要比该官员减轻五等处罚,最高可判处杖100;当官的受命出使,沿途或到达目的地后,接受赠送财物或索取财物的,要分别情况予以处罚;执法官员在审理案件时,当事人事先并未许诺贿送财物,法官在讼事了结后收受了财物的,不管其是否有违法行为,也都统统要处罚,等等。正因为有这些严格的法律,才保持了唐朝初年"官吏多自清谨",政纪比较严明的局面,在一定程度上促成了封建社会"太平盛世"的出现。

(3) 维护封建经济基础

唐朝统治者重视运用法律手段保护和促进封建经济的发展,在削平割据政权后,便于武德七年(624年)颁布了"均田令",规定:丁男和18岁以上的中男受田100亩,其中80亩为"口分田",20亩为"永业田";老病残疾给田40亩;寡妻妾30亩,如自立户头者增加20亩。所授之"口分田"不许买卖,身死则收回;而"永业田"可以继承,在一定条件下得买卖。同年颁布的"租庸调法",则是使受田的农民向国家承担相应的差科赋役的制度。为了维护这些基本的经济制度,唐律中规定了占田过限、盗买卖和盗耕种公私田、里正三事(授田、征赋和课税)有失等罪名,同时严惩脱户、漏口、相冒合户、私入道等违法行为,以确保国家赋税收入。

唐代还加强了对手工业、商业的法律调整,进一步完善了工商立法。例如,一面制定了工匠服役制度,明确了服役时间,一面对应服役而不服役的工匠、杂户、丁夫,视情况处以刑罚。《擅兴律》规定:"诸被差充丁夫、杂匠,而稽留不赴者,一日笞三十,三日加一等,罪止杖一百。"对手工业主要产品的规格、质量也作了统一规定,并订立了类似责任制的规范。在商业管理方面,对市场贸易时间、主管市场的官吏、市场交易的各种规则也都作了规定。这些立法,对唐朝封建经济的发展和工商业的繁荣起了一定作用。

(4) 维护父权制家庭

维护以父权、夫权为中心的封建家庭制度是中国封建法制的一大特色。赋予尊长(主要是父家长)在家庭中的绝对权力,从家庭婚姻方面维护封建纲纪伦常,是唐律的又一重要任务。封建家长权主要表现为三方面:一是财产权。唐律给予家长以处分家产的全权,借以巩固家长制的经济基础。《户婚律》:"诸同居卑幼,私辄用财者,十匹笞十,十匹加一等,罪止杖一百。"《疏议》解释其立法理由是:"凡是同居之内,必有尊长。尊长既在,子孙无所自专。"对于祖父母、父母在,子孙别籍异财者,更是视为大敌,要徒3年,还列入"十恶"之中。二是教令权。唐律赋予家长以教诫子女的权力,如果子孙违犯了教令,要处2年徒刑。同时,家长既可将不孝和违犯教令的子孙向官府告发,不受"同居相为隐"的限制,又可自己任意打骂责罚,即使殴打致死,所负刑事责任也很轻,仅处1年半徒刑。三是主婚权。家长是子孙的法定主婚人,家长可按自己的意志命令子女与任何人结婚,也可令其离婚,子女不得违抗。如果子孙在外自行订婚,而家长在家里又为其做主定了亲事,只要尚未成婚,就要以家长的意志为准。在此情况下,如果卑幼拒绝尊长之命,要杖100。

为了维护家庭中尊长卑幼的等级次序,唐律对亲属相犯规定依五服制罪,实行同罪异罚的原则。对严重的亲属相犯行为,还根据情节分别列入"十恶"中的有关条款。

在婚姻关系中,唐律确认男尊女卑、夫主妻从的夫权统治,夫妻在法律上的地位是尊长和卑幼的关系,夫妻之间的违法行为,法律常常是按照尊卑相犯的原则处理。对于离婚,仍沿用汉以来"七出"、"三不去"的原则,但对妇女的规定更趋严苛,如"三不去"虽仍是"七出"的限制条件,但又规定,妇女"若犯恶疾及奸者,不用此律",仍要被出。唐律还规定,夫背妻逃不受处分,且3年内不许其妻改嫁;妻背夫逃非但要受惩处,并听令其夫嫁卖。

(5) 确认封建等级特权

封建法律是等级特权法。唐律在本质上也是以维护封建等级制度为目的的。唐律将皇帝之下的臣民划分为官和民两大类。官(包括贵族)按爵位官品高下分成不同等级,民也分为良人(凡人)和贱民两类。其中贱民又分官贱和私贱,官贱有官奴婢,官户、工乐户、杂户、太常音声人等3种;私贱有奴婢和部曲(部曲妻、客女、随身同)两种。以上不同等级的人在法律上的地位各不相同。封建贵族官僚及其亲属犯罪,可分别享有议、请、减、赎的特权,在一般情况下,都可得到优待。良人犯罪,除符合法定的老幼废疾减免刑罚的条件外,无任何法律特权。"奴婢贱人,律比畜产"。不同身份等级的人,如良贱之间、主奴之间、上下官品的官员之间、官民之间相犯,都要同罪异罚,分别处刑。此外,良贱之间也禁止通婚,违者予以处罚。

4. 古代法律特点的充分体现

唐律总结和发展了秦汉以来封建立法经验,是一部具有代表性的最完备的封建法典。从唐律的结构与内容看,它主要有以下几个特点。

(1) 依礼制律,礼法合一

从内容来考察,依礼制律,礼法合一是唐律最主要的特点。所谓"失礼之禁,著在刑书",就是指凡是有违封建伦理道德的行为,都被法典记载下来,并且规定了具体的刑罚内容。这些规范的实质是礼,又以法律的形式表现出来,从而体现了礼法合一。

《唐律疏议》"礼法合一"的表现主要有三方面:一是在制定、修撰法律的活动中,坚持以礼为纲的指导思想。唐初君臣都主张治国必须礼法并用,治国只用严刑而弃礼义定会亡国。在这一指导思想下制定出来的唐律是礼为法之指导,法为礼之护卫,两者如昏晓阳秋相依相存。二是从唐律的条文看,皆"一准乎礼",许多律条干脆就是从礼的规则转变而来。如"八议"、"同居相为隐"、"秋冬行刑"、"留养存祀"、"七出三不去"等等,原先都是礼书的内容,此时却成了法律规范。三是在解释法律时,也往往以儒家经义作依据。在律疏中,到处可见来自《诗》、《书》、《礼》、《易》、《春秋》、《公羊》、《左传》等书籍中的经句,这些经句补充甚至发展了律条,使礼和法更紧密地结合在一起。例如《名例律》"老小及疾有犯"条规定,10岁以下儿童"盗及伤人者,亦收赎",但未言及"殴己父母不伤"如何科断,为此,《疏议》通过引用礼书对律文进行解释,进一步加强了礼在法律中的地位。有关的详细内容,可见本书第三部分的进一步说明。

由于唐律的"礼法合一",使得西汉中期以来延续数百年的引经断狱之风基本终结,同时,"礼法合一"本身也是引经断狱的必然结果。

（2）中典治国,用刑持平

根据"德主刑辅"的思想,总结前朝的经验教训,唐律中的刑罚制度比以前大为轻省。例如,将五刑次序改为由轻到重,"三流"服劳役时间由3年改为1年。适用刑罚的原则也以从轻为度,如在对老幼废疾减免刑罚时,当犯罪时和"事发"时犯罪人情况有变（指原未老后已老,原幼小后长大,原未残后残疾等）,均依对犯罪人有利的情况来处理。刑罚加减的原则也从轻的方面着眼,加刑时在同一刑种中加等,一般不加至死刑,个别加至死刑也只处绞刑。减刑时,则将死刑二等和"三流"都合并为一等,遇减便减轻一个刑种。对大多数犯罪的量刑,唐律相对其他朝代都要轻一些。正因为如此,唐律在封建法典中被认为"得古今之平",是刑罚适中的典型。

（3）规范详备,科条简约

魏晋南北朝以来,封建法律已开始由繁趋简,先《晋律》,经《北齐律》,再《开皇律》,已为唐律打下了较好的基础,确定了法典的基本框架结构。唐初定律时,唐太宗李世民又一再强调"国家法令,惟须简约"。《贞观律》不仅保持了12篇、500条的结构,继承了过去某些刑律"清约、简要、适中"的特点,而且"削烦去蠹,变重为轻者,不可胜纪",使刑律的简约又进一步。

同时,唐律在简要的篇幅中,又纳入了尽可能多的内容。各种犯罪,尽量包罗无遗,各篇律文,前后相互呼应,其彼此照应、丝丝相扣的程度为以往任何律典所不及,其逻辑严谨、用语确切、文字简要、概念明确,达到了我国古代封建法典立法技术的高峰。

(4) 注疏准确,律疏并行

我国古代对法律的解释,源远流长。从秦简中的《法律答问》,到两汉儒家的以经释律,再到西晋律学家的律注,法律解释的内容和形式都在发展,但像《唐律疏议》这样能够做到律疏紧密结合、浑然一体还是第一次,像《唐律疏议》这样所具有的理论深度和文字工夫也可以说是中国古代法制史上罕见的。

现存的《唐律疏议》实际上包括了律文、注文及疏文3个部分,从其相互间的作用关系看,注是对律文的说明解释,疏文又是对律文和注文的说明解释。

所谓律,是指律条本身,《永徽律》在永徽二年颁布时并没有疏,只包括了正文和注文两个部分。其中的注,是立法者对律文内容及适用所作的最必要的说明和补充,它在律文制订时同时写就,夹嵌在律条文名的中间或紧接于律条之后,用比律条相对小一些的字体书写。从关系上说,注是对律文含义的补充及适用的说明。比如,注文可以对律文罪名的罪状进行说明(以下律文后括号内的文字为注文),如《名例律》"十恶"条:"二曰谋大逆。(谓谋毁宗庙、山陵及宫阙。)"经注文解释,可明确"大逆"罪名是专指毁坏皇家宗庙、陵墓及宫殿等的一类犯罪。通过注文,也对律文的适用作限制,如《名例律》"老小及疾有犯"条:"九十以上,七岁以下,虽有死罪,不加刑;(缘坐应配没者不用此律。)"该律条的意思是,属90岁以上、7岁以下的人,本人有死罪也不加刑罚。但是,如其亲属中有人犯了要对这些人实行缘坐、流放、没为奴婢的那些罪,就不实行这条"不加刑"的法律(即照样要因缘坐而受刑)。还有,注文可以对律文作具体解释,如《名例律》"彼此俱罪之赃"条:"诸彼此俱罪之赃(谓计赃为罪者。)及犯禁之物,则没官。(若盗人所盗之物,倍赃亦没官。)"文内注文都是对前律正文的具体解释,如"计赃为罪者"是对上文的限制性解释;"若盗人所盗之物"及"倍赃"是对"没官"的解释。又如《职制律》"有所请求"条规定:"诸有所请求者,笞五十;(谓从主司求曲法之事。即为人请者,与自请同。)主司许者,与同罪。(主司不许及请求者,皆不坐。)已施行,各杖一百。"文中前一注文是"请求"罪的概念及犯罪主体范围的说明,后一注文是对犯罪构成与否的必须说明。按照长期研究唐律的学者钱大群教授的观点,就唐的刑律来说,律由正文及注文组成的形式,最迟不会迟于《贞观律》,因为现已发现的《贞观律》与《永徽律》的残片,律文之下已都有注文。

在《唐律疏议》中,律文和注文后面是疏文。所谓疏是在《永徽律》制定之后,组织以制定《永徽律》的主要人物为核心的一批人,专门对律文进行逐条逐句的解释,解释的文字就插写在律文(包括注文)各条各句的中间或后面,公布时同原律文及律文注文一起抄写公布。由于疏文部分除低一格注明"疏"字外,紧接着以"议曰"作解释的发语词,这种"疏议曰"的写法,到元代时,疏文部分开头的"疏"与"议曰"之间的句读关系被忽略,整个解释部分被直呼为"疏议",整个律文和律疏遂被称为"唐律疏议",连书名也成了《唐律疏议》。

在唐代,不带"疏"的纯粹律(包括注)文称《律》,在篇幅上只有12卷,而带疏的律(疏离不开律),称为《律疏》,篇幅达30卷。对《唐律疏议》来说,除开律及注,其他的部分概称为"疏"。"疏"是什么意思?《名例律》篇首的疏文自己解释说:

> 昔者,圣人制作谓之为经,传师所说则谓之为传,此则丘明、子夏于《春秋》、《礼经》作传是也。近代以来,兼经注而明之则谓之为义疏。疏之为字,本以疏阔、疏远立名。又,《广雅》云:"疏者,识也。"案疏训识,则书疏记识之道存焉。

从这段文字看,"疏"有3个含义:一是本义疏阔、疏远。二是"疏"讲为"识",意为"记住",所谓"书疏记识"。三是疏相当于"传",即像古代左丘明、子夏为《春秋经》、《礼经》作传一样。很明显,"律疏"中的"疏"是兼取第二、三两种意义,如把经文及其注文一起讲明称为"传"一样,把律包括注文一起讲明称为"义疏"(或"疏")。

至于《唐律疏议》中的"议",钱大群教授认为其义也有二:一是言论、意见,一是说理或陈述意见之文体。《唐律疏议》中的"议"也是兼以上二者之义。

再有一点要说明的是,《唐律疏议》中的《律疏》是由"议"及"问答"两个部分组成的。其中"议"是解释议论部分,"问答"是假设案例和疑难情况的提出及解答。法律以"问答"形式作解释,乃我中华法律解释的传统形式之一。《睡虎地秦墓竹简》中就有很多秦代"法律答问"的记载。《商君书》中也记载了在战国时期,国家专门以答复民众法律询问的专职官吏曰"法官"。明代还有专门以问答形式写的属于有权解释的法律解释书。唐代"律疏"的两个部分,为了在行文上清晰起见,"议"的部分写"议曰","问"的部分写"问曰","答"的部分写"答曰"。"议"与"问答"都是"疏"的内容与形式。有的《唐律疏议》的版本,在版式上律文顶格排,"疏"的整体部分都比律文低一格,而"议曰"与"问曰"、"答曰"都再比"疏"低一格平列。这是正确地反映《律疏》各部分内容关系的一种合理形式。(钱大群:《唐律研究》,第64～67页)

千百年来,唐律注疏的准确、简洁、周备是有口皆碑的。注疏一经问世,便同律文具有相同的效力,在司法实践中发挥着应有的作用,并对后世刑律的制定产生了深远的影响。唐律之律与疏的密切关系亦引人注目。疏因律而生,律因疏得存。论地位,论影响,《贞观律》并不在《永徽律》之下,然完整地留传到今天的最早的一部封建刑法典却是《永徽律》而非《贞观律》。这并非偶然,其功大半在其注疏。

三 《唐律疏议》所反映的价值观

毫无疑问,《唐律疏议》是中国古代法文化的结晶。虽然对"文化"的定义学者们曾经提出过各种各样不下几十种的解释,对法文化的概念,也自然产生了涵盖面大小不等的说明,而我们认为,法文化是指一个民族、国家在其价值观支配下的法律实际活动所取得的精神文明和物质文明的总体状态,从中可以反映出该民族、国家法律实践活动所形成的法律传统及其发展规律。法文化的结构包括若干个层次,第一是深层法律结构,诸如法律心理、法律观念、法律思想等,第二是外在表层结构,诸如法律制度、法律机构、法律技术(法律艺术)等,最后则是上述两种结构的互动关系。

由于中国古代法文化的特质集中地表现在它所具有的有别于其他民族和国家的独特的价值观,因此,我们通过剖析《唐律疏议》中所反映的价值观,就可以比较清晰地看到《唐律疏议》与中国古代法文化的关系。

1. 家国一体的本位观念

具有数千年悠久历史的中国法律文化经历了漫长的发展阶段，形成了独特的"集体主义"精神，也有学者把它称之为"团体本位"。这种"集体主义"精神主要是指家庭本位和国家本位。

我国夏、商时代，尚处于"神权法"统治时期，其特征是笃信上帝，专事鬼神，而不注重人事。从西周开始，逐步确立了"不崇鬼神、注重人事"的时代风尚，这标志着在中国较早地结束了"神治时代"。但由于西周的社会结构是以血缘关系为基础的宗法制，当时的人并不是个体意义上的自然人，而是宗法家族意义上的人。于是，"礼"得以以宗法家族制度的化身登上政治法律舞台，获得了空前的社会价值——它不仅是区分统治阶级和被统治阶级的标准，也是在统治阶级内部实现权利再分配的尺度。当时的政体是宗法贵族政体，其支柱是嫡长继承制、土地分封制和世卿世禄制。其特征是亲贵一体，即政治等级与宗法血缘等级合二为一。宗法贵族政体在意识形态领域的反映是"礼治"，即按宗法等级精神来塑造和支配社会生活的各个方面。"礼治"的基本原则是"亲亲"、"尊尊"。"亲亲父为首"，故推崇孝道；"尊尊君为首"，故提倡忠君。君父一体，所以忠孝合一。家族是社会的基本细胞，国家是家族的扩大。宗法家族规范与国家法律毫无二致。任何损及家族秩序的行为无不具有违反国法的性质。于是，"不孝不友"成了"刑兹无赦"的大罪。"直钧，幼贱有罪"成了神圣的审判原则。在法律活动中处处表现着尊卑、亲疏、长幼、男女之间不平等的精神。

战国至秦朝是我国中央集权的君主专制政体确立的时代。一家一户的土地私有制不断发展,改变了原来的土地王有的局面;官僚制取代了世卿制;地域性行政组织取代了宗法血缘组织;中央集权的君主专制政体取代了宗法贵族政体;追求"后天"的功利取代了依赖"先天"的身份制度……出现在华夏大地上的是一个挣脱了血缘链条的国家。在当时战国纵横、诸侯争雄的历史关头,各国统治者为了在兼并战争中取胜,几乎不约而同地倡导起"国本位"。在这种情况下,"国本位"也成为新兴地主阶级创制的法律的基本精神。"国本位"强调一切以国家利益为最高原则,为此必须用强制手段冲决家族的外壳,把个人从家族的小圈子里拉出来,把个人利益同国家利益联系起来,用赏、罚两手驱使人民去做有利于国家的事情,同时这样做的结果,是个人也将获得官爵和良田。皇帝是国家的代名词,因此,"国本位"的出发点和归宿必然是确立和维护中央集权的君主专制政体。不管是什么人,只要违反皇帝的命令和国家的法律,必将受到无情的制裁。

作为"正—反—合"这一历史发展的必然,中国社会出现了一种特殊的本位思想:"国、家本位"。"国、家本位"是"国本位"与"家本位"在新的历史条件下的合二为一。它是在自然经济基础上专制政体与家族结构相结合的产物,"国、家本位"既是对"家本位"的一次回顾,又是对"国本位"的一种修正。中国封建社会的基本特征是在自然经济土壤上宗法家族制度与集权专制政体的密切结合。无数个孤立的宗法家族需要超社会的权威实体的庇护,而专制皇权也需要家族的效忠和拱卫。这就使维护宗法家族秩序的儒家"礼治"同维护集权专制政体的法家"法治"携起手来,形成"国家"与"家族"的统一(即"礼法合治"),并进而实现"法家法律的儒家化"和"儒家思想的法典化"。

封建法律以维护集权专制政体和宗法家族制度为最高原则。为了维护自己的统治,封建阶级一方面对侵害专制皇权的行为予以无情镇压,另一方面又把半立法权、半司法权交给家族首长,让他们帮助朝廷来治理人民,并以此换取家族首长对朝廷的效忠。但是,国家利益与家族利益并非毫无矛盾。比如"亲属相隐"、血亲复仇必然带来藐视国法的副作用,而禁止"亲属相隐"和血亲复仇,又会伤害伦理精神。经过长期的探索和总结,封建统治阶级用"小罪可隐,告者有罪","大罪不可隐,隐者连坐"和既不禁止又不提倡复仇的具体分析、区别对待的方法,将"国法"和"宗法"调和了起来。

隋唐时期,宗族对国家的威胁基本消失,国家和宗族的关系转向协调多于对抗,因此《唐律疏议》对家族规制的着重点开始转移到维护家族利益,协调宗族内部关系上来。与此同时,《唐律疏议》也比较注意协调国家利益和家族利益之间的矛盾。

中国的家族是父权家长制,因此,《唐律疏议》对家族利益的维护,就主要通过维护父权的形式表现出来。父权是尊长全面管理家族事务及其成员的权力,主要体现在教令、主婚、经济管理和祭祀等方面。

中国社会自古以来就认可祖父母、父母有权惩责违背父亲意志的子孙(即教令权)。如《吕氏春秋·荡兵篇》说:"家无怒笞,则竖子婴儿之有过也立见。"《颜氏家训》也说:"怒笞废于家,则竖子之过立见,刑罚不中,则民无所措手足,治家之宽猛亦犹国也。"而典型的孝子接受父母的扑责时,不但不应当逃避,反而应该受之怡然,即使因此而流血,仍需要"起敬起孝"(《礼记·内则》)。《唐律疏议》积极维护教令权,其主要特点在于对因子孙违反教令,出现詈、殴、过失杀 3 种行为时的法律差别待遇上。子孙詈祖父母、父母,要被处以绞刑(《斗讼律》"殴詈祖父母父母"条),而如果祖父母、父母教令子孙,《唐律》不但不予以规制,相反认为"祖父母、父母有所教令,于事合宜",子孙"即须奉以周旋,不得违犯"(《斗讼律》"子孙违犯教令"条疏议)。子孙殴打祖父母、父母,要处以最高刑等斩刑,而如果祖父母、父母殴杀子孙,仅仅"徒一年半"(《斗讼律》"殴詈祖父母父母"条),按《唐律》加等的算法,两者之间要相差 8 个刑等。子孙因过失杀死祖父母、父母,"流三千里",而祖父母、父母因过失杀死子孙,"各勿论"(同上),什么罪责也没有。

中国古代社会,"稼穑而食,桑麻而衣",家庭内部实行全家财产共有制。如《仪礼·丧服》所说:"父子一体,夫妻一体也……而同财,有余则归之宗,不足则资之宗。"但对于家庭共有财产的管理和处分,在父权家长制下面,原则上就只能由家长做主。按礼制的规范,父母生存期间不许子孙蓄私财。如:《礼记·曲礼》说:"父母在,不有私财。"《礼记·坊记》说:"父母在,不敢有其身,不敢私其财。"《礼记·内则》又说:"子妇无私货,无私蓄,无私器,不敢私假,不敢私与。"《唐律疏议》承载"礼治"的精神,严格防止子孙私自动用和处分家财。《户婚律》"同居卑幼私辄用财"条规定,如果卑幼辈不通过尊长辈的同意,私自取用本家庭中的财物,取用绢值 10 匹,处笞 10 小板;每满 10 匹,加刑一等,直至判处杖 100 为止。此外,唐代立法者还认为,如果父母在世时,子孙别立户籍,分异财产,不仅"情无至孝之心",而且"名义与之俱沦",实在是"罪恶难容",犯有这种行为的人应该"并当十恶"(《名例律》"十恶"条疏议)。由此出发,《唐律》对子孙别籍异财的处罚要重于私辄用财的行为。《户婚律》"子孙别籍异财"条规定,祖父母、父母健在时,子孙别立户籍,分异财产,要判处"徒三年"。

需要说明的是,中国古代家庭或家族共居的情况也有一个变化的过程。《周礼·地官·小司徒》记载:"以七人六人五人为率者,有夫有妇然后为家,自二人以至于十为九等,七六五为其中。"《孟子·梁惠王》也说:"百亩之田无夺其时,八口之家可以无饥矣。"可见作为共同居住生活的亲属团体家而言,其范围较小,通常只包括两个或3个世代的人口。一般人家,尤其是耕作的人家,因农地亩数的限制,大概一个家庭只包括祖父母及其已婚的儿子和未婚的孙儿女,祖父母逝世则同辈兄弟分居,家庭只包括父母及其子女,在子女未婚嫁以前很少超过五六口以上的。

古人说大功同财,所指的便是同祖的兄弟辈而言。秦时为了农民生产劳动的积极性,同时国家可以多收户口税,规定:"民有二男以上不分异者,倍其赋。"(《史记·商君列传》)"又令民父子兄弟同室内息者为禁",可见那时兄弟与父母同居是很普遍的事。"孟子说入以事其父兄,又有养其父母兄弟妻子及父母兄弟妻子离散一类的话,也可证明此点,韩元长兄弟同居于没齿,樊重三世共财,蔡邕与叔父从弟同居,三世不分财,乡党高其义,是则汉时一般的习惯,很少父母已没仍兄弟同居至于三世的,所以乡党高其义而为史家所书,其为难能少见可知。一般人大约都如缪彤家兄弟原同财业,及各娶妻,遂求分异的情形。这还是士大夫之家,若为寻常人家,自不会有人如彤之闭户处挝,弟及弟妇而谢过的情形了。"(瞿同祖:《中国法律与中国社会》,第4~5页)

汉武帝以后,随着强调孝的观念的儒家地位的上升,再加上汉初对赋税制度做了改革(赋税由田赋和人头税两部分组成,其中人头税又分算赋和口赋两种,凡年15~56的人,不分男女,每人每年纳赋120钱为一算,叫算赋;7~14岁的小孩每人每年纳赋20钱,叫口赋或口钱),统治者便日益鼓励人民合户而居。到了魏晋以后,累世同居的事例便不乏于史书了。

三国时,杨播、杨椿兄弟一家之内男女百口缌服同爨。椿尝戒子孙曰:"吾兄弟在家必同盘而食……吾兄弟八人今存者有三,是故不忍别食也。又愿毕吾兄弟世不异居异财"(《魏书·杨播传》)。博陵李氏七世共居同财,家有22房,198口(《魏书·节义传·李几传》)。南北朝时期,义兴陈玄子四世同居,家170口(《南齐书·孝义传·李延伯传》)。到了隋唐,郭儁家门雍睦,七叶共居(《隋书·孝义传·郭儁传》)。唐刘君良累代同居,兄弟虽至四从,皆如同气,尺布斗粟人无私焉,其家六院惟一饲。(《旧唐书·孝友传·刘君良传》,《新唐书·孝友传·刘君良传》)。张公艺九世同居(《旧唐书·刘君良传》附),为当时义门之最。宋代义居风气更盛,南唐到宋时江州陈氏聚族至千口,每食必群坐广堂,其后族中人口且激增至三千七百余人(《新五代史·南唐世家》,《宋史·孝义传·陈兢传》)。江州许祚八世同居,长幼781口。池州方纲八世同爨,家属700口,居室600区,每旦鸣鼓会食。其他十世同居至四世同居者多家,少者累数十百年,多者至三四百年。如此世代同居,成百上千口人"通财合食",可说是中国古代的一大奇观。

为了鼓励这种以累世同堂、"通财合食"为美的道德观，《唐律疏议·户婚律》规定：

> 诸祖父母、父母在，而子孙别籍、异财者，徒三年。若祖父母、父母令别籍及以子孙妄继人后者，徒二年；子孙不坐。

处罚的对象不仅是别籍异财的子孙，同时包括命令子孙别籍和任意把子孙送给别人的长辈。而且该条疏议还说"称祖父母、父母在，则曾、高在亦同"，只要曾祖父母、高祖父母还活着，也不允许小辈别籍、异财。《户婚律》"居父母丧子"条又规定："诸居父母丧，生子及兄弟别籍、异财者，徒一年。"也就是说，在父母去世以后27个月的服丧期内，仍然禁止兄弟别籍、异财，违者要处徒刑1年。

除了以维护父权的方式来保护家族利益外，为了保持家族内部的稳定与和谐，《唐律疏议》制定了有关亲属之间互相侵犯的处罚原则。一般来说，卑幼侵犯尊长，服叙越近处罚越重；相反，尊长侵犯卑幼，则服叙越近处罚越轻。如《斗讼律》规定，凡人以手足殴人未伤，笞40；殴缌麻兄姊则杖100，殴小功兄姊再加一等为徒1年，殴大功兄姊再加一等为徒1年半，殴期亲兄姊则为徒2年半；如殴尊属（长辈），则在兄姊基础上再加一等，即殴缌麻尊属徒1年，殴小功尊属徒1年半，殴大功尊属徒2年，殴期亲尊属则徒3年。以上如造成了殴伤的结果，再各加一等。反之，尊属殴卑幼未伤不论罪，如折伤，伤缌麻卑幼减凡人一等（凡人折伤徒1年），为杖100，伤小功卑幼再减一等为杖90，伤大功卑幼又减一等为杖80。《唐律》正是通过严格刑罚和设置等差的方法，拉近了亲属之间的关系，有效地维持了唐代家族内部的稳定和和谐。

当然,国家利益与家族利益并非毫无矛盾。比如"亲亲相为隐",固然其可以维系家族内部的亲情和温馨,有利于社会的稳定和发展,但如果一味强调和提倡,就很容易以情乱法,特别是在有家族成员谋反、谋大逆、谋叛等场合下,就会极大地危害国家的生存和稳定。因此,唐代立法者注意吸取历史经验,权衡利弊,斟酌再三,终于总结出用"小罪可隐,告者有罪"和"大罪不可隐,隐者连坐"的原则来处理家、国之间的利益冲突。

"小罪可隐,告者有罪"和"大罪不可隐,隐者连坐"的这一原则用《名例律》"同居相为隐"条的语言表述就是:

> 诸同居,若大功以上亲及外祖父母、外孙,若孙之妇、夫之兄弟及兄弟妻,有罪相为隐……其小功以下相隐,减凡人三等。若犯谋叛以上者,不用此律。

在唐代立法者看来,原则上,所有同居亲属,不论服制为哪一等,均可相隐,不同居的大功以上亲属亦可相隐,不同居小功以下相隐,即使有罪,也要减轻处罚,至多被处以杖刑。但如果有亲属犯有谋反、谋大逆、谋叛这三种大罪,就不能再允许家族成员互相隐瞒,所以也就不适用上述"相隐"的法律规定,各自按照反、逆、叛三罪的法条处断。

为落实这个原则,《唐律疏议》做出了许多种规定,形成了一个比较全面的规范系统。因为"同居相为隐"的缘故,《唐律》规定当卑幼辈包庇藏匿逃犯,罪名的事实已经成立时,尊长即使知道卑幼藏匿逃犯并且听任不管,也无罪,"独坐卑幼"(《捕亡律》"知情藏匿罪人"条律注)。至于出现尊长死后,曾将罪犯藏匿过,但已把罪犯打发派遣出去,后来才被发觉罪状以及藏匿有亲属的同案犯的情况时,基于同样的原因,"并不坐"(《捕亡律》"知情藏匿罪人"条律注)。同样是因为"亲亲相为隐",《唐律》规定司法官吏不得逼迫亲属作证,"其于律得相容隐……不得令其为证"(《断狱律》"议请减老小疾不合拷讯"条)。如果司法官员违反这一规定,指派亲属作证,那么就要"减罪人罪三等"(《断狱律》"议请减老小疾不合拷讯"条)。此外,作为"亲亲相为隐"的意义的延伸,《唐律》还规定如果有人通过明示或者暗示的方式告知自己的主人官府将要追捕他的消息,使得主人因此而隐匿、脱逃,"亦不坐"(《名例律》"同居相为隐"条)。

"亲亲相为隐"原则的又一印证是《唐律》规定卑幼不得告发尊亲属。唐代立法者认为父母是子女所应尊敬依靠的人,对父母不利的事,子女只能隐瞒遮盖,不可暴露冒犯。父母即使违法犯有过错,作子女的也只能依理苦口劝止,尽到恭敬孝顺的心意,并尽力使父母不陷入犯罪。如果因此而告发父母,那么就是"忘情弃礼"的行为(《斗讼律》"告祖父母父母"条疏议),罪属不孝之列,理应受到严惩。因此"诸告祖父母、父母者,绞"(《斗讼律》"告祖父母父母"条)。该条疏议还认为告发其他有服尊亲属是"欲令入罪而故告之"的行为,因此"情在于恶",仍然有罪,并比照"告祖父母父母"条处理。与此同时,《唐律》也规定尊长不得告发卑亲属,"诸告缌麻、小功卑幼,虽得实,杖八十;大功以上递减一等"(《斗讼律》"告缌麻以上卑幼"条)。但尊长告发子孙、外孙、子孙的妻妾,以及自己的妾,如果属实,就"勿论";如果是诬告,也"不坐"(《斗讼律》"告缌麻以上卑幼"条疏议)。

对应于告发的规定,《唐律》还规定了一些不视为告发的情况。如捉奸时,因捕捉与亲属行奸的外人而牵露了亲属的奸情的人,不视为告发。唐代立法者认为有上述行为的人,虽然应该隐瞒包庇自己的亲属,但其"非是故相告言",只是因为"事相连及",所以该人就"不合有罪"(《捕亡律》"被殴击奸盗捕法"条疏议),等等。

此外,在《唐律》的《名例律》、《捕亡律》、《斗讼律》等律文及其疏议当中,还有许多体现"亲亲相为隐"精神的条文。如"若于法得相容隐为首及相告言者,各听如罪人身自首法……"(《名例律》"犯罪未发自首"条),"若男女俱是本亲,合相容隐……"(《捕亡律》"被殴击奸盗捕法"条疏议),"相容隐者为捕得,亦同"(《捕亡律》"捕罪人泄露其事"条),等等。

"大罪不可隐"的精神则主要体现在《唐律》谋叛以上国事重罪不得相隐,必须告发的规定上。如果是已经知道他人暗中密谋危害社稷,或者明知他人已经损害、毁坏了皇帝的宗庙、陵墓以及宫阙而不告发,那么"不告者,绞"(《斗讼律》"知谋反逆叛不告"条)。如果是明知他人图谋损害、毁坏皇帝的宗庙、陵墓以及宫阙,或者知道他人准备背叛祖国、投降敌伪而不告发,那么"不告者,流二千里"(《斗讼律》"知谋反逆叛不告"条)。

2. 礼法并用的法制思想

"家国一体"的价值观反映在礼法关系上,就是《唐律疏议》所表现出来的,在推行法制的整个过程中,始终贯彻"礼法并用"的指导思想。

"礼法并用"是我国古代法律流变中的重要传统。礼法结合的过程要追溯到西汉。汉武帝接受了董仲舒的建议,罢黜百家,独尊儒术,确立了儒家思想的正统地位后,接着就拉开了礼法结合的帷幕,礼开始进入法律。一些直接体现和维护礼的制度,如"亲亲得相首匿"、"留养承祀"等相继确立下来。另外,汉武帝以后还盛行以经断狱,用《春秋》的精神和事例作为审案的依据。魏晋南北朝是礼法并用过程中的重要时期,在这一时期,礼大量入律,形成了许多反映礼法结合的重要制度,如曹魏律中的"八议"制度,晋律中的"准五服以制罪",南朝陈律中的"官当"制度,北朝北齐律中的"重罪十条"规定等,这些制度奠定了礼法结合的基础。

此外,唐代的统治者也高度重视礼法并用这一法律精神。唐太宗、魏徵、王珪等人都主张治国必须礼法并用。他们吸取前人的教训,认为只用严刑而弃礼定会亡国。如唐太宗说:"秦乃恣其奢淫,好行刑罚,不过二世而灭。"(《贞观政要·君臣鉴戒》)王珪则认为,正是因为"近代重武轻儒,或参以法律",才使得"儒行既亏,淳风大坏"(《贞观政要·政体》)。因此,他们都强调只有礼法并用,方能治国安民,其中魏徵的说法十分典型。他说,如果"设礼以待之,执法以御之,为善者蒙赏,为恶者受罚",那么臣民"安敢不企及乎?安敢不尽力乎"(《贞观政要·择官》)?

在这样的背景之下,《唐律疏议》在前律的基础之上,集各律之长,把礼法融为一体,最终完成了礼法结合的大业。

《唐律疏议·名例律》的前言开宗明义地指明了这一思想,"德礼为政教之本,刑罚为政教之用,犹昏晓阳秋相须而成者也"。在《唐律疏议》的制定者看来,德礼是政治教化的根本,而刑罚是政治教化的手段,两者之间的关系就像黄昏与拂晓、春天与秋天一样相互需要又相辅相成,如果缺少了一方,则另一方也就无法成立了。

从这一法律指导思想出发,《唐律疏议》有机地把礼法结合在了一起。《四库全书总目·唐律疏议提要》说:"论者谓唐律一准乎礼,以为出入得古今之平。"《唐律疏议》把礼作为自己的灵魂,其内容处处可见礼的精神。《唐律疏议》把儒家经句作为确定一般法律原则的主要依据。如对《唐律疏议·名例律》"妇人有官品邑号"条所作的引证,该条疏议说:

> 依《礼》:"凡妇人,从其夫之爵位。"注云:"生礼死事,以夫为尊卑。"故犯罪应议、请、减、赎者,各依其夫品,从议、请、减、赎之法。若犯除、免、官当者,亦准男夫之例。

《唐律疏议》还把儒家经句作为确定罪名的主要依据。如"十恶"中的不睦罪,《唐律疏议·名例》"十恶"条疏议引用《礼记》和《孝经》中的经句,说明取名"不睦"的理由,说:

> 《礼》云:"讲信修睦。"《孝经》云:"民用和睦。"睦者,亲也。此条之内,皆是亲族相犯,为九族不相叶睦,故曰"不睦"。

此外,《唐律疏议》还把儒家经句作为确定刑罚的主要依据。如《唐律疏议》中的五刑,其刑种、刑等的确定和它们的来源都与儒家的经句有关。《唐律疏议·名例律》"徒刑五"条疏议从《周礼》中寻找确定徒刑这一刑种的依据,说:

> 《周礼》云:"其奴男子入于罪隶",又"任之以事,寘以圜土而收教之。上罪三年而舍,中罪二年而舍,下罪一年而舍",此并徒刑也。

《唐律疏议·名例》"流刑三"条疏议用《尚书》的经句来说明流刑分三等的原因,说:

> 《书》云:"流宥五刑。"谓不忍刑杀,宥之于远也。又曰:"五流有宅,五宅三居。"大罪投之四裔,或流之于海外,次九州之外,次中国之外。

所以流刑分为三等,以便与此一致。礼在《唐律疏议》中的重要地位,决定了法要以维护礼为自己的首要任务。它一方面确认各种特权,在国和家中都建立人与人之间不平等的等级关系。如《唐律疏议》对皇权、贵族特权、夫权、父权的维护。另一方面又利用刑罚打击各种违礼行为,积极维护礼的权威。此类例证,可谓俯拾即是。

更可贵的是,《唐律疏议》本身较为完美地协调了礼法之间的矛盾。《唐律疏议》中礼法之间的矛盾较突出的有两类,一类是礼所维护的对象与严重犯罪行为的矛盾,另一类是违礼与不违法的矛盾。唐律通过律文及其疏议的规定,比较妥帖地弥合了两者之间的裂隙。

礼所维护的对象与严重犯罪行为的矛盾在《唐律疏议》中较为突出。据礼的精神,《唐律疏议》把一部分人纳入享有司法特权的范围,并按照他们享受的不同特权做出明确规定,有的可以求得皇帝给予免死,有的可以减等受罚,等等。但是,当他们直接损害了国家政权或统治阶级的根本利益时怎么办?严重危害了社会秩序又怎么办?《唐律疏议》考虑到了这种矛盾,它把这些人享有的特权控制在一定范围内,以不损害国家政权、统治阶级的根本利益和不对社会秩序产生严重危害为限。超越此限度,法律规定的特权失效,犯罪者仍须依法论罪,如同凡人。《唐律疏议·名例律》"八议者"条规定:八议者犯死罪"议定奏裁",流罪以下的"减一等",但是"犯十恶者,不用此律"。也就是说,八议者犯有十恶罪,原死刑奏报中央,经大臣集议后由皇帝裁断的程序及流刑以下减一等的规定随即取消,特权不再有效。还有请、减、赎和官当等也有类似情况。另外,对老小和残疾者犯罪同样采用以上处理方法。《唐律疏议·名例律》"老小及疾有犯"条规定,老、小和残疾者犯罪,可视其不同的情况给予减免刑罚的优待,他们犯罪亦可有赎、请等方式代罚,但也有一定的限制,超出限制幅度,也须用刑。此条规定,年70以上、15以下及废疾者,犯流罪以下收赎,犯死罪及加役流等不适用此规定。80岁以上、10岁以下及笃疾者,"犯反、逆,杀人应死者,上请";盗及伤人者,亦收赎;余皆勿论。

违礼与不违法的矛盾在《唐律疏议》中也较为突出。西周时期,法律制度由礼和刑两部分组成,"出礼则入刑",两者的配合相当一致。汉以后开始了"以礼入律"的过程,到了唐代,最终完成了"礼法合一"。《唐律疏议》是一部刑法典,违法也就是违反《唐律疏议》,也就是犯罪。犯罪是一种危害社会、触犯刑律应受刑罚的行为。这种行为一般在刑法中应有规定。但是,由于各种原因,一些轻微的违礼行为没有确定的罪名,或尚不能直接规定为犯罪,对其应当如何处理,《唐律疏议》也作了安排。《唐律疏议·名例》"老小及疾有犯"条规定,10岁以下儿童"盗及伤人者,亦收赎",但未言及"殴己父母不伤"如何裁断。为此,此条疏议专门作了说明:"其殴父母,虽小及疾可矜,敢殴者乃为'恶逆'","于律虽得勿论,准礼仍为不孝","上请听裁"。此条疏议讲得明白,10岁以下儿童殴打父母,虽然根据矜老恤幼的原则,《唐律》规定是无罪的,但敢于殴打父母仍属十恶中的"恶逆"行为,法律出于矜老恤幼之考虑不予处罚,但据礼仍然构成不孝。对于这种违礼不违法行为,

《唐律疏议》本不得处罚，但考虑到社会影响，所以用"上请"方式处理，由皇帝定夺。

儿童有违礼不违法的行为，成年人也有这类行为。《唐律疏议·职制律》"匿父母及夫等丧"条对闻父母及夫丧后不举哀的行为及处罚方式都作了规定，但未言及"居期丧作乐及遣人作"行为，因为"律无条文"。对这一行为如何处理，此条疏议特别作了补充说明："身服期功，心忘宁戚，或遣人作乐，或自奏管弦，既玷大猷，须加惩诫，律虽无文，不合无罪，从'不应为'之坐。"其处罚幅度是"期丧从重，杖八十；大功以下从轻，笞四十。缌麻、卑幼，不可重于'释服'之罪"。在这里，疏议明确指出了"居期丧作乐及遣人作"也是一种违礼不违法行为，但此种行为仍在处罚之列，故应依"不应为"予以制裁。

此外，《唐律疏议》还通过"不应得为"条的规定，来规制其他的违礼不违法行为。《唐律疏议·杂律》"不应得为"条说："不应得为"是指"律、令无条，理不可为者"。违礼显然属于"理不可为"的范围。《唐律疏议》规定不应为行为的处罚幅度是："情轻者，笞四十；事理重者，杖八十。"这样，即使法无明文规定，违礼行为也不能逍遥法外，从而也就消解了违礼与不违法的矛盾。

如上所述，《唐律疏议》在汉武帝以后"以礼入律"的基础上，完成了"礼法合一"，成了封建法典儒家化的终结者。但是，由于礼和法并不是在所有的问题上都能协调一致，因此《唐律疏议》中也留下了一些小小的遗憾，礼和法之间未能完全沟通，以致后世经常围绕着这些问题争论不休，其中最为典型和突出的就是有关"复仇"的规定。

血亲复仇是各民族早期都曾有过的传统习惯，而且由氏族之间的复仇,到血亲、近亲之间的复仇,再到同态复仇,经历了好几步的发展。进入阶级社会以后,按说有了国家和法律,复仇应该受到限制,但由于复仇观念已深入人心不易革除,而且初期简单的国家机构尚无力去过问社会上的复仇做法,再加上当时的刑事政策本身就是报复主义的,所以奴隶社会承袭了复仇的做法。中国上古时代也普遍存在复仇这一习惯,并且在礼书当中,也都认可和强调这一做法。比如《礼记·曲礼》说:

> 父之仇,弗与共戴天。兄弟之仇,不反兵,交游之仇,不同国。

《论语·檀弓》记载孔子遇到学生子夏提问应如何对待"父母之仇"时是这样回答的:

> 寝苫枕干,不仕,弗与共天下也。遇诸市朝,不反兵而斗。

在《大戴礼》中,则按照不同的复仇情况对复仇者分别提出了要求:

> 父母之仇,不与同生。兄弟之仇,不与聚国。朋友之仇,不与聚乡。族人之仇,不与聚邻。

成书较晚的《周礼》,进而论及君主、师长、主友之仇,并倡导根据仇人和复仇者的关系,采取把仇人迁移于海外、千里之外、异国等远隔之地的所谓"避地"之制,旨在设法取消复仇的行为。并立下规矩,要求"凡报仇雠者书于士"(《周礼·春官·朝士》),即向官府报告。复仇者必须遵守"复仇不除害"的规则,即只能杀仇人本身,不能为了防止对方复仇而连带杀戮仇人的其他亲属。另,"凡杀人而义者,不同国,令勿雠,雠之则死"(《周礼·地官·调人》)。可看出此书规定的复仇已附有条件,且有限制意图。

《公羊传》对复仇论述最详尽,且最持积极肯定的态度。该书根据杀人者和被杀者的不同身份,将复仇作了分类,在总体上都主张被杀者的后代应当复仇。比如在述及鲁隐公被异母弟公子小白(后为桓公)所杀,《春秋》与《公羊传》不记其葬事时,引用《春秋》的话说:"君弑,臣不讨,不书葬,以为无臣子也。"(《春秋公羊传·隐公十一年》)而且提出:"父不受诛,子复仇可也。"(《春秋公羊传·定公四年》)即在父兄无罪被虐杀时,允许子弟为其复仇,这些观点代表了当时儒家的普遍看法。

先秦法家恰恰相反,他们坚决反对复仇。商鞅变法时,明确"为私斗者,各以轻重被刑",致使秦"民勇于公战,怯于私斗"(《史记·商君列传》)。秦统治者强调国家利益和法律高于一切,认为只有君主才有权行赏施罚,所以不许私人复仇,以免扰乱社会秩序。

汉以后,民间一般肯定复仇,官方则举棋不定,时而放任,时而限制,时而禁止,但又不认真执行。因此,复仇之风盛行,"怨仇相残"已成严重社会问题。汉武帝允许以《春秋》决狱,五伦范围之内,复仇已成为习惯。不仅同辈人可以复仇,而且可以子孙相报;不仅有男子复仇,弱女子复仇也时有所闻;不仅本人可以为父母复仇,在力不能及的情况下,还可请人代为复仇。有仇不报,反遭舆论谴责,成为不孝子孙。东汉章帝建初年间(76~83年),有人因其父被人侮辱而将侮辱者杀死,章帝免其死罪,从轻发落,后便依此例判案。和帝时将其定为《轻侮法》,虽不久被废,但影响仍在。

三国魏文帝严禁复仇,黄初四年(223年)下诏:"丧乱以来,兵革未戢,天下之人,互相残杀。今海内初定,敢有私复仇者,皆族之。"(《三国志·魏志·文帝本纪》)但魏明帝在定《魏律》时又规定,对于"贼杀"、"斗杀",只要向官府告发而杀人者逃亡,可以"听子弟得追杀之"。此期官方一般禁止或限制,实施中又予减免或迁乡。

唐代完成了"礼法合一",在复仇这一问题上,唐律也是极力协调两者的矛盾。《唐律疏仪·贼盗律》"亲属为人杀私和"条规定:

> 诸祖父母、父母及夫为人所杀,私和者,流二千里;期亲,徒二年半;大功以下,递减一等。受财重者,各准盗论。虽不私和,知杀期以上亲,经三十日不告者,各减二等。

同条疏议说:

> 祖父母、父母及夫为人所杀,在法不可同天。其有忘大痛之心,舍枕戈之义,或有窥求财利,便即私和者,流二千里。若杀期亲,私和者徒二年半……若杀祖父母、父母应偿死者,虽会赦,仍移乡避雠,以其与子孙为雠,故令移配。若子孙知而不告,从"私和"及"不告"之法科之。

在法制已经相当严明的唐代,法律在一般情况下已不允许人们私相复仇,对于复仇杀人的,按照谋杀及故杀、斗杀等有关规定处理,不再有减免刑罚的条款。同时,为了维护伦理,在亲属为人所杀时,法律一方面禁止其家人为了钱财而与杀人者私下讲和,又要求其家人告发,而且,"父之仇,弗与共戴天"的经义此时被表述为"在法不可同天"的法律要求,立法理由的渊源是清晰可见的。

为了防止被杀者的亲属私下复仇,以维护社会治安,唐律选择了让杀人者"移乡避雠"的方法来解决这个问题。《唐律疏议·贼盗律》"杀人移乡"条规定:"诸杀人应死会赦免者,移乡千里外";"若死家无期以上亲,或先相去千里外……并不在移限,违者徒二年"。犯杀人罪的本应处死,但遇到皇帝大赦被免了罪,如果被杀害者家中有期服以上亲属的,被赦免的一家应迁离本乡到千里之外去落户,倘若被杀者的家中没有期服以上的亲属,或者在事发前双方亲属已相隔千里以外,对杀人者就不必移乡了。对违反这一规定的官吏,要判徒刑2年。倘若死者的子孙知道罪犯没有迁移却不予告发的,也要按"私自和解"及"不告发"的法律规定判罪。此外,在《斗讼律》"祖父母为人殴击子孙即殴击之"条还规定:

　　诸祖父母、父母为人所殴击,子孙即殴击之,非折伤者,勿论;折伤者,减凡斗折伤三等;至死者,依常律。

疏议的解释是:"祖父母、父母为人所殴击,子孙理合救之。"因此,如果是当时立即还击,虽然造成了对方有所损伤,只要不属于折伤以上的,就不构成犯罪。这一立法则是从子孙要对祖父母、父母尽孝的角度考虑的。

　　但是,《唐律疏议》的这些规定并没有真正解决复仇的难题。武则天时,有一个叫徐元庆的人将刑杀其父的县尉赵师韫(后升至御史)杀死,然后自首,围绕着对徐元庆应该如何处理,引起了一场大争论。左拾遗陈子昂认为,"宜正国之法,寘之以刑,然后旌其闾墓,嘉其徽烈"。柳宗元后来反对,专门写了《驳复仇议》,认为礼和刑的"防乱"目的均一致,只是作用不同,因此,"旌与诛莫得而并焉",他赞成有限制的复仇,即对"杀人而不义"和"父不受诛"者可以复仇,反对对"杀人而义"和"父受诛"者复仇。但他也没有解决礼、法或礼、刑的矛盾。

唐宪宗时,又因发生复仇案而引起争论。韩愈认为:"不许复仇,则伤孝子之心,而乖先王之训;许复仇,则人将依法专杀,无以禁止其端矣。"故主张"宜定制曰:凡有复父仇者,事发具其事由,下尚书省集议奏闻,酌其宜而处之。则经、律无失其旨矣"(《旧唐书·刑法志》)。他同意前者,而反对"父不受诛",子可复仇。

明代邱濬进一步发挥了柳宗元的意见,他认为父兄如果被人故杀,报官而官府不纠察,子弟复仇,官吏应免职,复仇者无罪;如果不报官而擅杀,若杀之有理,"情有可矜",可坐其罪而免其死,将其流放,但他仍然无法解决"父不受诛",子是否可复仇的问题。实际上一直到近代,法律仍然没有彻底解决如何对待复仇这一看似简单的问题,而在司法实践中,即使法律严格禁止复仇,不少司法官仍会在内心同情矢志复仇者,参照礼的精神来处理这类案子,有时连皇帝也会这样做。唐初贾氏之父为族人所害,其弟年幼,贾抚育之,不嫁。弟长大后将仇人杀死,取心肝祭父墓。事后贾氏遣弟自首,法官判以极刑,她便诣阙自陈,请代弟死。高祖怜之,特赦贾氏及弟免死,移其家于洛阳。(《旧唐书·列女传》)可见,在漫长的封建社会中,对复仇的处理始终处于矛盾状态,法律条文上看似禁止私自复仇,舆论界却又都赞扬复仇行为,统治者的态度则很是暧昧,盖因礼与法在复仇这一问题上恰似水和油难以调和也。

四 《唐律疏议》与儒家文化

把礼制作为国家的根本,向来是儒家文化的传统思想。儒家在"礼崩乐坏"的春秋战国时期仍然坚持"为国以礼",要求恢复和加强以贵族政体为核心的一整套宗法等级制度。唐朝统治者继承和发扬了儒家文化中的礼制思想,将礼的规则贯彻到了《唐律疏议》中去,具体表现为等级制度、宗法制度、婚姻制度、祭祀制度和丧葬制度。

1. 森然的等级制度

中国古代社会是一个十分强调等级差异的社会。等级制度森严是古代社会显著的特点,这也是中国古代礼制的一个首要内容,历代统治者用此来固定社会上每一个成员的法律地位,"别贵贱,分尊卑",使大家安分守己,服从统治,使整个社会处在一个等级严明、上下有序的状态。由于等级制度是中国进入封建时代以后调整人们之间各种关系的基本制度，因此它也成了唐代立法的基础。

唐律根据当时的社会经济关系，将不同身份和地位的人划分为不同的阶级或阶层，同时也按照不同的等级规定了各自所处的不同法律地位，赋予其相应的权利和义务。这样，根据唐律以及律疏的设计，展现在我们面前的是一个金字塔式的多阶层等级结构的社会，上到至高无上的皇帝，中间是贵族官僚阶层，最下层是平民百姓，界限分明，不得有任何逾越行为。为了防止超越界限的行为的发生，唐律用严刑重罚来稳定和巩固这些界限与等级结构，通过这种方式来维护社会等级秩序。

唐律中有关这方面的规定主要体现在三个方面，首先是维护皇权专制统治，确立皇帝的最高地位，其次是维护贵族官僚特权，最后是区分社会良贱的等级差别。

在封建社会，皇权始终是至高无上的，《唐律疏议》首先也是维护皇权专制统治，确立皇帝的最高地位。在唐律中，皇帝处在整个社会的最顶端，他"上祗宝命，下临率土"，享有立法、行政、司法审判和军事方面的各项权力。当然，我们如果能想像出国家机器其他方面的职能的话，那么，这方面的最高权力毫无疑问也是掌握在皇帝之手的。因此，唐律中就如何维护皇帝的权力、尊严和人身安全进行了详尽的规定，以确保皇帝的最高统治地位。

为了确保皇帝的权力及其人身的绝对安全，唐律及其律疏非常重视对以直接推翻国家政权为目的的犯罪的镇压，在法律规定和解释中对此做了严格规定。凡是违反了相关规定的行为，均属罪大恶极，都要处以最严厉的刑罚。唐律中关于侵犯帝制统治的罪名主要有：

（1）谋反罪。谋反罪是唐律规定的"十恶"大罪中的第一大罪，它是以推翻皇权统治为直接目的的犯罪，而且只要有犯罪意图就构成此罪。唐律对君权的维护是非常看重的，它的根本用意是把谋反这种危及皇权统治的犯罪消灭于萌芽状态，它要求臣民彻底服从于现行统治秩序，对离经叛道的谋反行为甚至想也不能想。

（2）谋大逆。这是"十恶"中排第二位的大罪，是预谋毁坏皇帝宗庙、陵墓和宫阙的犯罪行为。其中，宗庙和陵墓是供奉先帝牌位和埋葬先帝尸体的地方，宫阙是当时在位皇帝居住和活动的场所，皇帝神圣不可侵犯，这些地方自然是外人无论如何都碰不得的。而且不光是不能毁坏，连有毁坏的念头也都不行！《唐律疏议》之所以这样规定，目的是要防止臣民对皇帝世袭统治神圣不可侵犯的信念产生怀疑，避免因而危及帝制统治。

（3）谋叛罪。该罪是"十恶"中的第三大罪，律注和疏议解释其意思是：有人图谋背叛本国，打算投奔外国，或者企图翻越城池，投向非法建立的伪政权，或者打算把奉命守卫的土地随同献给投奔的敌国，就像《左传·昭公五年》所记载莒国的牟夷以牟娄等地来投奔鲁国，《论语·阳货》记载的公山弗扰凭借自己治下的费城叛离鲁国之类的事情。表明唐代统治者对割地投敌、背叛国家的行为异常痛恨，因为这种行为对国家的政权来讲是一种极大的威胁，所以对这种行为加以严密防范，并对其加以重罪以保证国家主权的统一和稳定。

唐代和秦朝以后所有的统一国家一样，实行中央集权的君主专制制度，其政权的核心就是皇帝制度。因此，作为以刑法为主的法典,唐律还通过除"十恶"罪之外的其他罪名,来严惩一系列与此有关的犯罪行为,来维护皇权和以帝制统治为核心的封建政权。

皇权最突出的方面是皇帝对国家政务的最高决定权。为了保证皇帝对国家政务的最高决定权,唐律针对国家官吏不依法请示和不遵照政令办事的行为,规定了"应奏而不奏,不应奏而奏"罪和"弃毁制书"罪。《唐律疏议·职制律》"事应奏不奏"条规定:"诸事应奏而不奏,不应奏而奏者,杖八十。"所谓"应奏而不奏"的意思,疏议的解释是:"谓依律、令及式,事应合奏而不奏";而"不应奏而奏"的意思是指"格、令、式无合奏之文及事理不须闻奏者"而奏。注文对这条法律进一步解释说:"虽奏上,不待报而行,亦同。"也就是说,虽然官员向上作了请示,但未等指示下达就擅自行动的,同于不奏不申之罪。可见,"应奏而不奏"是妨碍皇帝正常行使权力,"不应奏而奏"是妨碍皇帝集中精力处理重要政务,故唐律规定要各杖80。

这一原则也适用于在案件的判决时要按照规定向上级官府呈报核准等情况。比如《唐律疏议·断狱律》"应言上待报而辄自决断"条规定:"诸断罪应言上而不言上,应待报而不待报,辄自决断者,各减故失三等。"因为根据唐代法律的规定,各级官府都有自己的审判权限,在判决时应呈报上司批准。按照《狱官令》,县一级衙门判刑的权限只限于杖罪以下,徒、流刑县判决后要呈报州衙门复核批准。大理寺及京兆府判决的徒刑案件及官员的刑案,均要呈报刑部复核批准,发现有不当可以驳正。大理寺及各州所判流刑以上案件,或者要对官员附加撤去官职处分的,也要申报刑部复核。其中死刑案件要上奏皇帝批准。之所以要规定如此严格的案件复核程序,目的是为了在层层把关、相互监督的基础上,由皇帝牢牢地掌握最高的司法审判权。

除了政务决定权和司法审判权之外,军事指挥权也是皇权的重要方面。因为军事指挥权往往在国家动乱时是维护皇权统治最直接和最有力的权力,它的得失甚至关系到国家的稳定与兴衰,所以历代皇帝都非常重视军事指挥权的掌握和运用。为维护和保证皇帝的最高军事指挥权,唐律对擅发兵罪和擅自调发军需物资罪也予以严厉的惩治。《唐律疏议·擅兴律》"擅发兵"条规定:"诸擅发兵,十人以上徒一年,百人徒一年半,百人加一等,千人绞。"疏文补充说:"擅发九人以下,律、令无文,当不应为从重。"即按《唐律疏议·杂律》规定的"不应得为而为"罪从重处罚杖80。不仅如此,擅自给拨兵丁者也构成犯罪,按"随所给人数,减擅发一等"处刑。可见,军队调动权和军需调发权是皇帝掌握军队控制权的两个重要手段。

皇帝不仅严格控制军队的调动权,而且批准征发军用物资的权力亦在皇帝。在没有皇帝命令的情况下擅自调发军需,也构成犯罪。《唐律疏议·擅兴律》规定:"诸应调发杂物,供给军事者,皆先言上待报。违者,徒一年;给与者,减一等。"

为了保证皇帝在司法上的最高权威,唐律也惩处相应的司法犯罪行为。首先,制敕断罪是皇权至上的原则在司法领域的体现,且这种断罪具有超越法律的效力。但是,制敕断罪若未上升为正式的法律形式,则任何人不得随意引用,否则构成犯罪。因而,《唐律疏议·断狱律》规定:"诸制敕断罪,临时处分,不为永格者,不得引为后比。若辄引,致罪有出入者,以故失论。"即按同律"官司出入人罪"条规定的内容处刑。

唐代还继承了南北朝时期的做法,对死刑执行实行严格的复奏制度,即"'死罪囚',谓奏画已讫应行刑者,皆三复奏讫,然始下决。"也就是说,死刑执行必须经过皇帝最后批准。如果违反这一制度,则依《唐律疏议·断狱律》"死囚复奏报决"的规定处流 2 000 里。

赦令是皇帝意志的直接体现和作为皇帝权威的象征,因而是至高无上的,必须严格加以遵守和执行,对于破坏赦令执行的行为,唐律作了严格的规定。根据《唐律疏议·断狱律》的有关规定,若有人事先知道皇帝即将颁布大赦令的信息而故意犯罪,"不得以赦原"。如果官吏徇私舞弊,"闻知有恩赦而故论决"犯人,以故意出入人罪论处;若"赦书定罪名,合从轻者,又不得引律比附入重,违者各以故失论"。因为这些行为都破坏了赦令的严肃性。

在维护皇帝权威和至尊地位的同时,唐代法律着力所表现出来的另外一个方面是维护贵族官僚特权。根据古代官民有别的观念,唐律赋予贵族和官僚以各种特权和优遇,具体表现在:对于贵族官僚的犯罪行为,原则上不加以真正惩罚,而是通过议、请、减、赎、除名和官当等各种优遇方式,使犯罪官僚获得减、免或换刑的处理结果。

在唐代贵族官僚所享有的各种特权中,影响最大的是八议制度。《唐律疏议》中的"八议",是关于亲、故、贤、能、功、贵、勤、宾 8 种人的特殊处罚法则,也就是以法律形式公开保护贵族、官吏的等级特权,使他们在违法犯罪时得以减轻或免除刑罚的一项刑法原则。八议制度起源于西周,疏议中认为"八议"就是周代的"八辟"演变而产生。这里的"辟"意思为

"法则"。到了汉代,"八辟"改称为"八议",作为一项法律原则,它于魏朝正式入律,并历代相承,而到隋《开皇律》中规定得更加完备。唐沿隋制,对八议的适用对象、主要内容和执行程序都作了明确而严密的规定。

根据《唐律疏议》的解释,议亲是指皇帝、太皇太后、皇太后、皇后的有关亲属,即皇亲国戚;议故是指皇帝的故旧;议贤是指有德行的贤人君子;议能是指有治国治军才能的人;议功是指在治国平天下中立有大功的人;议贵是指封建贵族和大官僚,一般指职事官三品以上、散官二品以上及爵之一品者;议勤是指为国家操劳、公而忘私的人;议宾是指前朝去位和"禅退"的国君及其后裔。

根据《唐律疏议·名例律》"八议者"条的规定:"诸八议者,犯死罪,皆条所坐及应议之状,先奏请议,议定奏裁;流罪以下,减一等。"意思是这8类具有特殊身份的人如果犯有死罪,司法机关无权直接审理,必须申报给皇帝,由皇帝召集公卿都堂集中评议,评议之后,再由皇帝考虑如何处理,故称"八议"。

除八议外,唐律还规定有"上请"制度,是低于"议"一等的法定贵族特权制度,《唐律疏议·名例律》规定:"诸皇太子妃大功以上亲、应议者期以上亲及孙,若官爵五品以上,犯死罪者,上请;流罪以下,减一等。"由此可见唐律中"请"的特权所面对的对象区别于"八议"的对象,它不是享有八议特权者本人,而是八议者的亲属,以及官爵五品以上犯死罪者,具体分为三类:皇太子妃大功以上亲,应议者期以上亲属及孙,有四品和五品官爵的人。这些人犯死罪,司法机关应就其罪状及身份,报请皇帝裁决,如果是流罪以下的犯罪,则减刑一等来处理。对于"请"的案件则可以明确说明其犯罪的情况和应判处绞刑或斩刑的意见。"上请"制度虽然与"八议"的名目不同,但是它与"八议"一样,目的都是为了维护贵族的特权制度。

"减"也是贵族特权制度中的一种。《唐律疏议·名例律》规定:"诸七品以上之官及官爵得请者之祖父母、父母、兄弟、姊妹、妻、子孙,犯流罪以下,各从减一等之例。"因此,享有减免权的对象是两种人:一是七品以上的官,二是上述得"请"者的直系亲属以及兄弟、姐妹和妻。这两种人犯流刑以下的罪行可以减一等处理,但死罪却不可以减免。

另外,关于"赎"的规定也为贵族阶级享受特权创造了条件。如《唐律疏议·名例律》"应议请减"条规定:"诸应议、请、减及九品以上之官,若官品得减者之祖父母、父母、妻、子孙,犯流罪以下,听赎。"由此可见,赎权的适用对象分为三种:一是具有"议"、"请"、"赎"、"减"特殊身份的人,二是八品、九品官员,三是七品以上官吏的近亲。这些人犯了流罪以下,一般可以用铜赎罪。但是,如果犯了"五流"的罪,即加役流、反逆缘坐流、子孙犯过失流、不孝流以及会赦犹流,则不得减赎。此外,对某些特定的徒罪和流罪,如子孙过失杀伤期亲尊长及外祖父母、夫、夫之祖父母、父母应处徒刑的,故意殴打人至残疾应处流刑的,男人犯盗罪应处徒刑以上的以及妇人犯奸罪的,也不得减、赎。

除了议、请、减、赎这4种特权制度外,唐律还规定官当制度来保护封建官僚的法律特权。议、请、减、赎这4种制度是减免贵族官吏刑罚的制度,而"官当"制度是让官吏贵族可避免实处流、徒之刑。

"官当"制度是自两晋南北朝以来所形成的一项重要的官吏特权制度,这个制度发展到唐朝也更加完备、系统。所谓"官当",是指如果官员犯罪,可以用其官职来抵免或减少徒、流刑的刑罚制度。

唐代凡是九品以上的官吏,只要所犯不属五流及死罪范围内的,要被判处徒刑的,准许其以官职来折抵刑罚。官品越高,抵当的刑罚则越多,而且减免的机会也就更多。

唐律根据官员官品的高低,规定了相应的抵当规则。如犯私罪,五品以上,一官可以当徒 2 年,九品以上,一官当徒 1 年。如犯公罪,可以分别多加 1 年徒刑抵当。以官品抵当流罪时,流刑三等均相当于徒刑 4 年。现任的官品如不够抵当其应处徒刑的年数,或者抵罪已尽又犯新罪的,只要未经科断,可以用历任的官品当罪。另外,"诸以官当徒者,罪轻不尽其官,留官收赎"。也就是说,假如有五品官犯了应处徒刑 2 年的"私罪",依律例减一等,合徒 1 年半。但五品以上之官,一官可以当徒 2 年,即是"罪轻不尽其官",因而不必罢官,交铜 30 斤收赎了事。还规定:"官少不尽其罪,余罪收赎。"亦即所有现任官及历任的官品都已算上,还不足以当罪,这时,官职虽然丢了,但"余罪"仍可不必执行刑罚,"收赎"而已。

唐律维护等级制的第三个方面是规定了社会良贱的等级差别。唐律将人分为良人和贱民两类,普通百姓被称为良人,而身份低于普通百姓的人称为贱民。对贱民又划分为官贱和私贱两种。官贱隶属于官府,在诸司供役,分为官奴婢、官户、工户、乐户和太常音声人等档次。私贱则分为私奴婢和部曲两种,身份地位各不相同。其中身份最低的是官私奴婢,唐律规定他们"不同人例","律比畜产"。对于广大平民尤其是列入贱籍的"贱民",唐律仅规定了有限的一些权利,甚至直接规定其毫无权利可言,并且一旦侵犯了身份地位比他们高的人,在法律上就处于受重法严刑处罚的地位。

在刑法的处罚上,遇良人与贱民相互侵犯的情况,如果是良人侵犯了贱民,则可以减轻处罚;而如果是贱民侵犯了良人,却会加重处罚。在家庭中,家主与家贱相犯的情况下,家主侵犯了家贱,便会量刑较轻乃至无罪,反之,则会量刑极重。如《唐律疏议·斗讼律》"部曲奴婢良人相殴"条规定:"部曲殴伤良人者,(官户与部曲同。)加凡人一等。(加者,加入于死。)奴婢,又加一等。"同条规定:"其良人殴伤杀他人部曲者,减凡人一等;奴婢,又减一等。"从中可见,官户、部曲的社会地位较良人的地位要低,而奴婢的社会地位更要低于官户、部曲一等。由于身份上的差异,法律要求二者所需负担的法律责任有明显的区别,贱民的权利得不到丝毫的保障。

在婚姻方面,良人和贱民之间也存在着一道不可逾越的鸿沟。这两种不同身份的人如果违律结婚,在受刑罚制裁的同时,婚姻关系也要解除。可见,唐律十分强调在缔结婚姻时身份等级的一致。

另外,在诉讼上也充分体现身份等级上的差别。部曲、奴婢对主人负有隐罪的义务,如果主人犯有罪行,部曲、奴婢必须替主人隐瞒,否则便是犯罪,会受到法律的制裁。这反映了中国家族社会中的"同居相为隐"的原则已延伸到了主人和部曲、奴婢之间。但是,由于部曲、奴婢的身份低微,因而法律规定的只是单向的隐罪,即《唐律疏议·名例律》"同居相为隐"条所规定的"有部曲、奴婢为主隐:皆勿论",以及同条疏议所言"部曲、奴婢,主不为隐,听为主隐"。这些规定都反映和强调了这种差别。

2. 谨严的宗法制度

中国古代的社会组织在很大程度上是以血缘纽带组成的,为了使社会生活变得有秩序,必须通过血缘的亲疏来调整家庭内部关系,必须维护族长、家长的统治地位和世袭特权。因而在这种背景下,形成了早期的宗法观念,出现了最早的家法、族规。随着儒家思想成为中国封建法律观念中的核心内容,宗法思想也始终笼罩着整个社会,在唐代,它也指导着当时的立法活动。

如果说社会中的上下贵贱的关系在古代礼制中可以被归纳为等级关系,那么在家庭或宗族之中,按血缘关系的尊卑长幼、亲疏远近来区分,则可在古代礼制中被概括为宗法关系,与之相应的由法律建立起来和加以维护的一套制度,则被称为宗法制度。

中国封建社会的宗法制是以宗族血缘关系为纽带,与国家制度相结合,以维护封建社会统治秩序的制度,从"三纲"的角度来看,等级关系的主要内容是涉及"君为臣纲"这一领域,而宗法制度的内容则主要是围绕"父为子纲"和"夫为妻纲"而展开的。这实际上是维护以父权和夫权为中心的封建伦理关系。儒家按照传统礼制,认为"天下之本在国,国之本在家",因而深信家与国是相通的,要把"齐家"提到治国平天下的高度,就必须从立法上反映这种尊卑长幼、亲疏有别的宗法伦理关系。所以一部唐律,也是一幅以血缘关系为基础的多层次的宗法等级结构图。

唐朝社会和以往社会结构一样，是以家族组织作为社会的基础，以宗法关系作为维护家庭内部秩序的规则。宗法关系赋予尊长全面管理家族事务及其成员的权力，诸如教令、主婚、经济管理和祭祀等。由于注重家族内部的身份等级，所以家族成员之间如果出现尊卑相侵，则与凡人同罪异罚（包括杀伤、相盗、奸非等等），甚至家族身份也成为判定是否构成犯罪的一个重要标准。与此同时，在一定程度上允许家族成员相互"容隐"犯罪，并且禁止相互告发和作证等等。

由于家庭成员之间的身份和等级各不相同，因而在认定是否触犯刑律构成犯罪和所受到的处罚程度也大不一样。遇到亲属相犯时，唐律在对行为人定罪量刑做出决定时，要求必须考察他与对方当事人的亲等关系，以此来决定其应受的刑罚的轻重。

首先，卑幼在家庭中必须无条件地服从尊长，因而卑幼不得告发尊长。唐律对卑幼告发尊长的行为，均视为不符合礼的规定要求，因此均规定为犯罪。例如在《唐律疏议·斗讼律》"告祖父母父母"条中说："诸告祖父母、父母者，绞。"接下来解释道："父为子天，有隐无犯。如有违失，理须谏诤，起敬起孝，无令陷罪。若有忘情弃礼而故告者，绞。"意思是说，父母是子女所应尊敬依靠的人，对父母本身不好的事，子女只能隐瞒遮盖，不可暴露冒犯。父母若违法犯错，作子女的依理必须苦口劝止，要表示恭敬孝顺的心意，不要使他们陷入犯罪。倘若子女对父母忘却恩情，放弃礼制故意告发，处以绞刑。另外，《唐律疏议·斗讼律》"告期亲以下缌麻以上尊长"条中说：

诸告期亲尊长、外祖父母、夫、夫之祖父母，虽得实，徒二年；其告事重者，减所告罪一等；即诬告重者，加所诬罪三等。告大功尊长，各减一等；小功、缌麻，减二等。相反，尊长告卑幼，无论是实告还是诬告，处刑均比卑幼告尊长为轻，而且亲等愈近刑罚愈轻。《斗讼律》"告缌麻以上卑幼"条规定：

> 诸告缌麻、小功卑幼，虽得实，杖八十；大功以上，递减一等。诬告重者，期亲，减所诬罪二等；大功，减一等；小功以下，以凡人论。即诬告子孙、外孙、子孙之妇妾及己之妾者，各勿论。

同时，作为卑幼如果是侵犯了尊长，情况就会变得更加严重。因为卑幼侵犯尊长是对尊长权威的挑战，这在传统礼制社会中是绝对不允许发生的。唐律对此作了相当严厉的处罚，比对一般人之间的侵犯行为的处罚要重得多。如《唐律疏议·斗讼律》"殴詈祖父母父母"条规定：

> 诸詈祖父母、父母者，绞；殴者，斩；过失杀者，流三千里；伤者，徒三年。

由此可见，唐律是相当注意维护尊长的权威和地位的。

相反，如果是尊长侵犯卑幼则会减轻处罚。《唐律疏议·斗讼律》"殴缌麻兄姊等"条规定：

> 若尊长殴卑幼折伤者，缌麻减凡人一等，小功、大功递减一等；死者，绞。即殴杀从父弟妹及从父兄弟之子孙者，流三千里；若以刃及故杀者，绞。

也就是说，如果以凡人相殴伤判徒刑1年为基本的量刑幅度，那么殴打缌麻关系的卑幼折其一指则减一等，即杖100，伤害小功的卑幼，杖90，伤害大功的卑幼，杖80。同样，凡人相殴致死者处绞刑，但殴死从父弟妹（大功），以及从父兄弟之子（小功）孙（缌麻）者则流3 000里。若殴杀弟妹及兄弟之子、外孙者,徒3年。

在唐代的家庭内部,仍然保存了一夫一妻多妾的制度,甚至还存留着古代早期媵的残余,她们在家庭中的地位,是呈现逐级降低的阶梯形状:夫为贵,妻次之,媵又次之,妾的地位则最低。妻子虽然在名义上地位与丈夫平行,但实际上还是属于尊卑关系。《唐律疏议》也引用《仪礼·丧服》的"夫者,妇之天"这句话来确定夫妻的法律地位。因而在夫妻关系中,如果是夫妻相犯,夫轻妻重;妻妾相犯,妻轻妾重;媵妾相犯,媵轻妾重。例如《唐律疏议·斗讼律》"妻殴詈夫"条规定:"诸妻殴夫,徒一年。若殴伤重者,加凡斗伤三等;死者,斩。"另外,同条还规定:"即媵及妾詈夫者,杖八十。若妾犯妻者,与夫同。媵犯妻者,减妾一等。妾犯媵者,加凡人一等。杀者,各斩。"所以,媵、妾对于妻,其地位相当于妻子对丈夫。

依据礼制中的孝亲之礼,为了表示子女对父母应有的尊敬,唐律规定子女在父母犯罪囚禁期间不准嫁娶,并对违反者给予处罚。如《唐律疏议·户婚律》"父母被囚禁嫁娶"条规定:"诸祖父母、父母被囚禁而嫁娶者,死罪,徒一年半;流罪,减一等;徒罪,杖一百。"疏议解释说:"祖父母、父母既被囚禁,固身囹圄,子孙嫁娶,名教不容。"意思是说,祖父母、父母既被监禁在牢狱中,做子孙的却娶妻嫁人,这种事情是名分礼教所不能容忍的。所以对于子女失礼违法嫁娶处刑的轻重,同父母犯罪所处刑罚的轻重成正比,从祖父母、父母犯徒罪被囚禁而子孙嫁娶判杖刑100,至犯死罪的情况下加重至判徒刑1年半,其目的显然是为了维护宗法等级的伦序。

除了家庭内部的犯罪按照长幼的顺序来定罪量刑外,其他亲属间如果尊长对卑幼犯罪,也按照由疏至亲的顺序递减处罚。当控告亲属相互殴杀时,贯彻亲疏有别的原则。《唐律疏议·贼盗律》的"亲属为人杀私和"条的疏议中讲,"其有五服内亲自相杀者,疏杀亲,合告;亲杀疏,不合告"。即如果有五服之内的亲属自相残杀的,其中与自己血缘关系相对比较远的"疏"亲杀死血缘关系相对较近的"近"亲,应予告发;"近"亲杀死"疏"亲,不该告发。另外,唐律明确规定非同居亲属相盗,无论亲疏均要处罚,但处罚时,关系亲者处罚轻,关系疏者处罚重。如《唐律疏议·贼盗律》中"盗缌麻小功亲财物"条规定,"诸盗缌麻、小功亲财物者,减凡人一等;大功,减二等;期亲,减三等"。这些律文和疏议表明,唐代对亲属亲疏之间各种类型的犯罪,都存在着定罪量刑上的差异。

3. 封建的婚姻制度

唐朝的婚姻制度中,婚姻的缔结只需要双方家长的同意,再经过一定的仪式,婚事便成立了。直系尊亲属,尤其是男性的直系尊亲属,有绝对的主婚权。他可以命令他的子女与任何一定的人结婚,社会和法律都承认他在这方面的权威,予以强有力的支持,不容子女违抗。于是父母的意志在法律上成为婚姻成立的要件,子女即使在成年以后,也没有婚姻自主权,除非得到父母的同意。如果自行在外订有婚约而父母或其他有主婚权的尊长在家里又为其做主定亲,后者之成立虽晚于前者,但只要尚未成婚,前者便属无效,而不能以在外订约且订约在前为理由来搪塞,否则是要受 100 或 80 下杖刑的。只有在自己在外业已成婚,父母后为其定亲的情形之下,前一婚姻始能继续有效。在这方面的法律规定上,唐代几乎是全盘继承了西周时期的有关制度,而上面这最后一种情况,是我们所能见到的《唐律疏议》对古代延续下来的婚姻成立须有"父母之命"原则的一个松动。

在主婚人顺序方面,以直系尊亲属为第一顺序人,是当然主婚人,其次是期亲尊长。我们从嫁娶违律的法律中可以看出尊长的主婚权和责任。根据《唐律疏议·户婚律》"嫁娶违律"条的规定,该婚姻如系由直系尊亲属主婚,则只坐主婚人,嫁娶者无罪。主要原因是祖父母、父母有绝对主婚权,子孙不敢违背,所以法律上主婚人独负全责。而期亲尊长,伯叔父母、姑、兄姊,因为是主婚的第二顺序人,期亲以外的尊亲属是主婚的第三顺序人,他们所享有的主婚权相对较小,法律上的责任亦较轻。所以法律上关于嫁娶违律的责任定为"事由主婚,主婚为首,男女为从;事由男女,主婚为从"。

(1) 婚姻成立的禁忌

婚姻关系是古代礼制的一个极其重要的内容,它一直被视为一切社会关系的源头。作为一种特殊的社会关系,婚姻始终受到国家法律的规范。《唐律疏议》依据传统礼仪,对婚姻作了若干限制性规定,控制着唐代婚姻的成立、效力及终止,以保证婚姻关系始终在传统礼仪所认可的范围内。依律根本不能订婚与结婚而仍结婚的,被视为违律为婚。相比较之下,《唐律疏议》对违律为婚即婚姻禁忌的规定比前代更为具体和明确。

第一,禁为婚妄冒

《唐律疏议·户婚律》"为婚妄冒"条规定:"诸为婚而女家妄冒者,徒一年。男家妄冒,加一等。未成者,依本约;已成者,离之。"疏议曰:"为婚之法,必有行媒,男女、嫡庶、长幼,当时理有契约,女家违约妄冒者,徒一年。男家妄冒者,加一等。'未成者依本约',谓依初许婚契约。已成者,离之。违约之中,理有多种,或以尊卑,或以大小之类皆是。"此条规定的意思是,当时唐朝的婚配礼仪是,婚配时必须有做媒的人,订婚的男女双方应当订立婚书。各自应当按约行事,不得欺骗。如果婚嫁中男方或女方故意欺骗,与婚书约定的条件不符,此即妄冒为婚。对此唐律采取了刑事与民事两种手段进行处理。凡妄冒为婚的,对妄冒的一方处以徒刑;民事处理则依婚姻已成和未成来区别对待:未成婚,仍依本约嫁娶;已成婚,则婚姻无效,并离异。

第二,禁有妻更娶

中国古代自周代以后,礼制和法律都将"一夫一妻"作为婚姻结构的模式,这种结构的核心在于确认一个男子只能有一个礼法意义上的妻子,而确立妻的地位的意义在于确立嫡庶之别,以维护嫡长继承的宗法制。《唐律疏议·户婚律》"有妻更娶"条规定:"诸有妻更娶妻者,徒一年;女家,减一等。若欺妄而娶者,徒一年半;女家不坐。各离之。"疏议曰:"依礼,日见于甲,月见于庚,象夫妇之义。一与之齐,中馈斯重。故有妻而更娶者,合徒一年。'女家减一等',为其知情,合杖一百。'若欺妄而娶',谓有妻言无,以其矫诈之故,合徒一年半。女家既不知情,依法不坐。仍各离之。称'各'者,谓女氏知有妻、无妻,皆合离异,故云'各离之'。"

疏议接着以"问答"的形式进一步阐发道:"问曰:有妇而更娶妇,后娶者虽合离异,未离之间,其夫内外亲戚相犯,得同妻法以否? 答曰:一夫一妇,不刊之制。有妻更娶,本不成妻。

详求理法,止同凡人之坐。"按照该条疏议的规定,唐代只承认一个男子娶一个礼法意义上的妻子。如果有妻更娶,对男方及明知对方有妻而嫁之者均处以刑罚,并且不管女方是否知道男方已有妻子,这一婚姻都自始无效,必须予以撤销。在这一婚姻被撤销以前,男女之间的身份关系也等同于普通人。

第三,禁同姓为婚

同姓不婚是中国古代的传统伦理,从周朝时便开始有同姓不婚的禁忌。同姓原本是血缘联系的一种标志,最初同姓的都有血统的关系,古人认为同姓的结合,对于子孙是有害处的。这样的结合,后代不仅不会繁殖,甚至还有灾疾的危险。所以在同姓以内,禁止性关系的发生。

唐代仍然保持同姓为婚的禁忌,在《唐律疏议·户婚律》中"同姓为婚"条规定:"诸同姓为婚者,各徒二年。缌麻以上,以奸论。"按照同条疏议的解释,"同宗共姓,皆不得为婚,违者,各徒二年。"这一规定适用于娶妻与买妾,对违反者的处分是判徒刑二年,缌麻以上亲属间结合便以奸论罪了。

另外,在外亲中有些亲属之间也是不许结婚的。唐律中关于外姻不许为婚者共分为两项:其一是外姻有服属而有尊卑名分者,其二是外姻无服而有尊卑名分者。可以看出,凡是没有尊卑名分的外亲之间是可以为婚的,因而属于平辈的表兄姊妹在唐时是不禁为婚的。故疏议云:"其外姻虽有服,而非尊卑者为婚,不禁。"但是,如果是有尊卑名分的外亲属之间是禁止为婚的,违者以奸论,强制离异。

总的看来,依照《唐律疏议·户婚律》中"同姓为婚"的内容,其所规定的亲属不婚,包括下列几种类型:一是五服内亲不得为婚,即同条疏议所规定的:"若同姓缌麻以上为婚者,各依《杂律》奸条科罪。"这些亲属包括同宗亲或关系更近的亲属。二是外姻有服和外姻无服的亲属,尊卑之间不得为婚。外姻虽有服,但非尊卑为婚,唐律并不禁。三是禁娶同父异母的姊妹和娶妻前夫之女。四是禁娶曾为袒免亲之妻。袒免亲是指五服之外的亲属,包括高祖父的兄弟、曾祖的伯叔兄弟、祖父的隔两代的堂兄弟、父亲的隔三代的堂兄弟、本人的隔四代的堂兄弟。

第四,禁娶亲属妻妾

除了血统关系上的禁忌之外,还有一项血统关系以外的禁忌。中国是一个极端注重伦常的社会,妇女与其夫家亲属之间的性关系是绝对不容许的。在她的丈夫生时而有犯奸的行为固须加重治罪,即便是她的丈夫已死,也只能改嫁外姓,而不能与夫家亲属结婚,否则是要按其夫与后娶者的亲疏关系治罪的,即使已成婚亦要强制离异。

第五,禁良贱为婚

与古代其他封建朝代一样,唐代社会是一个严格的等级社会,人群被划分为良与贱两个对立的群类,这种划分得到法律的确认和保护。良贱之间,具有不同的社会地位和法律地位。奴婢被规定为唐代社会最卑下和最受奴役的一个等级,仅被视为主人的财产。《唐律疏议·名例律》中认为"奴婢贱人,律比畜产"。奴婢完全没有人身自由和权利。其他贱人与其主人也有强烈的依附关系,很少人身自由,法律上也无充分的权利,但他们不完全属于主人所有,仍有一定的独立性。这种社会等级反映在唐代婚姻法律制度中,便是严禁良贱为婚。由于良人的身份等级要高于贱民的身份,所以《户婚律》"奴娶良人为妻"条疏议认为,"人各有耦,色类须同。良贱既殊,何宜配合"。两者的结合被视为有辱良人身份的行为,是被严厉禁止的。良贱不婚主要有以下内容:奴婢与良人的婚禁;杂户、官户、工乐与良人的婚禁。如《唐律疏议·户婚律》规定:

> 与奴娶良人女为妻者,徒一年半;女家,减一等。离之……即妄以奴婢为良人,而与良人为夫妻者,徒二年。(奴婢自妄者,亦同。)各还正之。

(2) 婚姻缔结的效力

婚姻的效力是指婚姻成立以后,法律所确定的夫妻之间、家庭成员之间的权利和义务。这种权利和义务在古代社会不仅涉及亲属关系以及继承关系,尤其是以夫妻之间的权利义务关系为核心。婚姻成立对夫妻产生的后果或约束力表现在身份法、财产法、行政责任和刑事责任等方面。

首先,唐代婚姻关系成立以后,便在身份上产生一定的效力,这可以从女子出嫁后与母家、夫家的关系来观察。

女子在未出嫁时,对本宗的服制完全与男子相同,出嫁后,从形式上看是离开其父母家而入夫家,实质上则是脱离父宗而加入夫宗,于是在服制上与本宗的关系降等,比如对生父由斩衰3年降为期年,对其他亲属也从原服降一等,而对夫及公婆则进为斩衰3年。这一改变意味着女子从父宗家长权的统治下,转到夫宗家长权和夫权的统治之下,夫家成为该女子及其所生育的子女的中心,而其本家则带有客居的意味了。与此同时,女子本家也不再拥有对该女子劳动能力的支配权以及由此带来的收益权。这种劳动能力和收益也连同该女子的出嫁一同转至夫家。当女子离异,回归本宗后,这一切才恢复如前。

女子出嫁后,成为夫家的一员。具体表现为:于本姓之上,冠以夫姓,以示其身份已属夫家;妻的社会地位依夫的身份、地位而定。根据《唐律疏议·名例律》"妇人有官品邑号"条规定,在唐代,妻可因夫之官品等级不同而享有不同的爵位称号,妇人犯罪,各依夫的品级享有议、请、减、赎、官当的特权;女子出嫁入夫宗后,其与夫宗的关系依宗法、服制的亲疏尊卑而定。这种服制不仅确定了出嫁女在夫宗血亲中的地位、身份高下,同时也是处理其与夫宗亲属相犯的法律根据。

其次,由古代社会男女身份上的不平等进而导致了夫妻关系的不平等。在唐律中,这种不平等反映在下列方面:法律确认礼教男尊女卑的原则。唐律律文和疏议中多次出现诸如"夫为妇天,尚无再醮"(《唐律疏议·户婚律》"居父母夫丧嫁娶"条),"妇人从夫,无自专之道"(《唐律疏议·户婚律》"义绝离之"条),"《依礼》:'夫者,妇之天'"(《唐律疏议·名例律》"十恶"条),"夫者,妻之天也"(《唐律疏议·名例律》"十恶"条)之类的文字,因而可以看出,《唐律疏议》在涉及夫妻关系时,确认妻从夫的原则。因此,妻在法律上的地位相当于卑幼,夫在法律上的地位相当于尊长,两者的地位明显悬殊。这在唐律的疏议中说得再明白不过了。如《唐律疏议·斗讼律》"告缌麻以上卑幼"条中的"问答",认为"其妻虽非卑幼,义与期亲卑幼同"。明确地把妻子置于卑幼的地位。

另外,妻对夫负有保有贞操的义务,违反此条规定,夫可以休妻。同时,妻还负有同居的义务。未经夫同意,妻擅自背离夫出走,处徒刑2年;因此而改嫁,则加重二等处罚。《唐律疏议·户婚律》"义绝离之"条的疏议对此有详细的阐释:

> 妇人从夫,无自专之道,虽见兄弟,送迎尚不逾阈。

> 若有心乖唱和，意在分离，背夫擅行，有怀他志，妻妾合徒二年。因擅去而即改嫁者，徒三年，故云"加二等"。室家之敬，亦为难久，帷薄之内，能无忿争，相嗔暂去，不同此罪。

这一条疏议很有意思。前一段讲了妻子（包括妾）应当顺从丈夫，言行举止都要符合规范，不能心怀二志，对丈夫以外的其他男子（包括自己的兄弟）必须保持严格的距离。如果擅自离开丈夫改嫁别人，要判徒刑3年。后一段则承认夫妻之间日久难免会有失和之时，如果因为一时的争吵，妻子暂时离开丈夫，就不能以这一罪名来定罪。

在夫妻相犯的情况下，唐律对夫妻相犯处罚的总的原则是夫犯妻从轻，妻犯夫从重。夫妻之间斗殴，同一罪行，妻殴夫加重其刑，夫殴妻则减轻其刑。如《唐律疏议·斗讼律》"妻殴詈夫"条规定："诸妻殴夫，徒一年；若殴伤重者，加凡斗三等（须夫告，乃坐）；死者，斩。"妻杀夫，属于"十恶"中的"恶逆"，殴夫、告夫，属于"不睦"，闻夫丧而匿不举哀，入"不义"。相反，夫须具有谋杀及卖妻的行为，才入"不睦"。另外，从服丧的期间来看也是不平等的，妻为夫服斩衰3年，而夫为妻只服齐衰杖期（1年）。

从告诉罪来看，此种关系尤为明显。来自伦理和法律的观念认为卑幼告尊长是干犯名义的行为，皆当予以法律的制裁，妻告夫亦为干名犯义，与卑幼告尊长同样治罪。从《唐律疏议·斗讼律》中"告期亲以下缌麻以上尊长"条的规定来看，妻告夫与告期亲尊长同罪，处徒刑2年。

夫告妻是不成立干名犯义之罪的，其责任与尊长告卑幼是同样的。唐律中夫告妻是按照尊长告期亲卑幼的规定来处理的。《唐律疏议·斗讼律》"告缌麻以上卑幼"条疏议中的问答部分说得很明白:"其妻虽非卑幼,义与期亲卑幼同。夫若诬告妻,须减所诬罪二等。"

从夫妻相殴杀的法律中,我们更可以看出夫尊妻卑,地位不平等的情形。法律上完全根据尊卑相犯的原理来处理,分别加重或减轻处罚。唐律规定,"诸妻殴夫,徒一年,若殴伤重者,加凡斗伤三等(须夫告,乃坐)"(《唐律疏议·斗讼律》"妻殴詈夫"条);夫殴妻则减刑,"诸殴伤妻者减凡人二等"(《唐律疏议·斗讼律》"殴伤妻妾"条);但如果夫殴妻至死,则因为人命为重,要按照唐律以殴杀凡人论,处以绞刑。以刃及故杀者斩,不能减刑。(《唐律疏议·斗讼律》"殴伤妻妾"条)夫过失殴杀妻妾,因其没有恶心,各勿论,妻过失杀伤夫较故杀伤减罪二等。

(3) 婚姻的解除

因配偶一方死亡而导致婚姻关系终止,这在中外法律制度中都有所规定。但唐代法律所确认的这一原则有更为丰富和特殊的内容。

第一,妻为夫服丧期间不得再婚。按照《唐律疏议》的解释,这一期间为 27 个月。这一规定首先意味着夫对妻单方面所拥有的权利在夫身后还能延续一定时间,但立法中也包含有使家庭关系不因夫亡而骤然变更,以致引起财产和家庭内部关系及两个姻亲家庭关系不稳定的考虑。况且从生育的角度看,这也给予寡妻留下了生育原夫子女的足够时间,以免在子女血亲的归属上引起纠纷。

第二,寡妻与亡夫的直系尊亲属之间的亲属关系仍然存在。寡妻改嫁后,与亡夫的祖父母、父母相犯,依律仍须承担不同于常人的刑事责任。例如《唐律疏议·斗讼律》"妻妾殴詈故夫父母"条规定:

> 诸妻妾殴、詈故夫之祖父母、父母者,各减殴、詈舅姑二等;折伤者,加役流;死者,斩;过失杀伤者,依凡论。

并且,寡妻改嫁后,与其寡媳之间相犯,唐律仍按亲婆婆身份的法条处断。例如《斗讼律》"妻妾殴詈故夫父母"条讲道:

> 姑虽被弃,或已改醮他人,子孙之妻,孀居守志,虽于夫家义绝,母子终无绝道,子既如母,其妇理亦如姑。姑虽适人,妇仍在室,理依亲姑之法,不得同于旧姑。

由上可以看出,在唐代,因配偶一方死亡而导致婚姻关系的自然消亡,这是就夫妻而言的;就由婚姻所产生的家庭、亲属关系而言,并不因一方死亡而完全消亡。

唐律中规定了详细的离婚制度,按照《唐律疏议》所规定的法定离婚理由来划分,唐代的离婚有出妻、和离和义绝3种类型。

出妻制度是中国古代礼制中最古老、也是最主要的离婚方式。最初,这种制度只是礼制的一项内容,经过礼法结合后,便成为中国封建社会颇具特色的一项离婚制度。历代有将这种离婚方式称为"支"、"弃"或"出妇"。在秦汉以前,法律多称之为"弃",秦汉以后律固定称之为"出"。

因为当妻子有7种法定情形时,丈夫可以单方面解除婚姻关系,因而出妻又被称为"七出"。《唐律疏议》采纳了礼制中的七出制度,将七出作为唐朝最主要的离婚方式。《户婚律》"妻无七出而出之"条疏议阐述道:"七出者,依令:'一无子,二淫佚,三不事舅姑,四口舌,五盗窃,六妒忌,七恶疾。'"

意思是在妻子没有生下儿子、淫荡、不侍养翁姑、为口舌争吵、盗窃财物、生性妒忌、有难以治愈的疾病等7种情况下,丈夫便可以无条件地将婚姻关系解除。

从七出的内容来看,七出制度是礼制在唐律中的反映,它的内容都是为了维护家庭伦理、等级秩序以及家族利益而设置的一项制度。七出是法律赋予男子单方面出妻的权利。这一权利,男子可以行使,也可以放弃,是一种选择性法律规范,它既无强制性,又无需经过官府判决。另外,在中国古代社会,非常强调长幼有序,强调子女对父母的孝和服从,因而在男方家庭中,婚姻的缔结权和解除权都掌握在男方父母手中,儿子完全处于服从的地位,离婚有时并非完全出于男方本人的意愿。

唐律除了规定七出的法定离婚理由,还规定了"三不去"来对七出加以限制。这一定制源于礼的规定,《大戴礼记·本命》曰:"妇有三不去:有所取,无所归不去;与更三年丧不去;前贫贱,后富贵不去。"《唐律疏议·户婚律》"妻无七出而出之"条疏议则称:"'虽犯七出,有三不去',三不去者,谓:一、经持舅姑之丧;二、娶时贱后贵;三、有所受无所归。而出之者,杖一百。并追还合。"它的主要意思是:如果妻子为公婆持服居丧、守孝尽礼,娶进门时夫家贫贱但后来富贵的,在迎娶后岳家因为各种变故已经没有亲人、没有归宿的,哪怕犯有七出,也不得出妻。否则将处以刑罚,并且出妻行为无效,原婚姻仍存续。但同条律文又规定:"若犯恶疾及奸者,不用此律。"也就是说,妻子如果有患恶疾和与人有奸情这两种情况之一的,"虽有三不去,亦在出限",必须断然弃去,即使具备三不去情况的也不例外。而这里所说的恶疾,按照《为政九要》

的解释,主要是指癫痫、体臭等身体表面的疾病,并非指内科疾病。从中可以看出唐律的规定是来源于传统礼制的内容,其内容及精神与礼制一致。设立"三不去"的目的是对男子自由出妻的一种限制,避免因擅自出妻而产生社会问题,自有其积极意义,对于稳定婚姻关系也有一定的作用,体现了儒家仁义的精神,也反映了礼制与法律对人伦的重视。所以妻如果没有犯七出、或虽犯七出而有三不去,便不能去妻,否则要受刑事处罚。

七出之外,离婚的另一条件为"义绝"。这是中国古代颇具特色的一种离婚制度。其意是指夫对妻、妻对夫的一定范围内的亲属,犯有殴、杀、奸罪,经官府认定双方义绝而强制其离婚。《唐律疏议·户婚律》"妻无七出而出之"条疏议解释:

> 义绝,谓"殴妻之祖父母、父母及杀妻外祖父母、伯叔父母、兄弟、姑、姊妹,若夫妻祖父母、父母、外祖父母、伯叔父母、兄弟、姑、姊妹自相杀及妻殴詈夫之祖父母、父母,杀伤夫外祖父母、伯叔父母、兄弟、姑、姊妹及与夫之缌麻以上亲,若妻母奸及欲害夫者,虽会赦,皆为义绝。"

即包括了夫对妻族、妻对夫族的殴杀罪、奸非罪,及妻对夫的谋害罪,夫妻原以义合,恩义断绝,断难相处,所以这些行为皆为离婚的客观条件。

义绝与七出是两种不同的离婚条件。七出可以由夫方单方面提出离婚的要求,离婚与否,其权力在于夫家,而义绝则是当然离婚条件,符合义绝条件的必须强制离异,其权力在于法律。七出是单方面的,义绝是适用于双方的。然而有一点却是相同的,《唐律疏议》规定:"妻虽未入门,亦从此令。"即无论是七出还是义绝,对虽已订婚但未过门的女子都适用。

除了前述的离婚方式之外,在唐代还有"和离"的离婚形式。《唐律疏议》中的规定是现存最早的有关和离的内容。唐律对和离有如下规定:"若夫妻不相安谐而和离者,不坐。"同条疏议进一步解释:"'若夫妻不相安谐',谓彼此情不相得,两愿离者,不坐。"(《户婚律》"义绝离之"条)就法律的规定来看,和离是指男女双方不能安宁和谐相处而自愿离婚,类似于今日的协议离婚。它的一个显著特点,就是要求男女双方在同意离婚这一点上态度一致,并无分歧。在这一离婚形式下,法律将男女双方置于相对同等的法律地位,双方共同决定婚姻归于消灭。

在古代社会,根据礼制的规定,当离婚生效后,不仅夫妻关系归于消灭,而且男女两家的姻亲关系也随之消灭,由此在身份、财产等方面会产生一系列的法律后果。

首先是身份关系发生变化。离婚生效后,夫妻身份关系即归于消灭,基于夫妻身份所产生的权利义务随之消失,双方享有再婚的权利。对妻而言,离婚意味着去夫姓,恢复婚前的姓氏和身份,脱离夫家而回归本宗,其住所亦从夫家转为本家。同时,妻与母家的服制恢复如昔,不再降等。

4. 庄敬的祭祀制度

祭祀制度也是中国古代"礼"的重要内容。在中国人的观念中,从孝道的立场来讲,每一个人都应当慎终追远,在长辈活着的时候要恭敬地加以赡养,在长辈去世以后,应当以同样恭敬的态度进行祭祀,以表示不忘祖先,表达追思之情。因而,有人认为中国社会对长辈死后的"祭祀"制度与生前的"奉养"制度、死亡时的"丧葬"制度一起,构成了子女对父亲长辈"孝"的3种形态。

在中国古代,祭祀有皇族祭祀和家族祭祀两种方式。这两种祭祀方式,其目的都是希望通过祭祀神、星宿以及祖先,以保佑国家、家族的兴旺发达,以达到整个社会的和谐稳定。在古人看来,国之大事,惟祀与戎。上自国君,下至百姓,皆以祭祀祖先为重。因而祭祀向来被视为严肃、庄重并带有国家政治和家族政治色彩的一项活动,有严格的仪式、礼节和程序。

根据祭祀所面对的对象和等级层次的不同,唐代将祭祀分为大祀、中祀、小祀3个种类。根据《唐律疏议》的规定,所谓"大祀"是指对昊天上帝,东、南、西、北、中央五方的上帝,皇地祇,神州,宗庙等方面的祭祀,另外也包括祭神和祭祖。所谓"中祀"是说对土神、谷神、日月及各种星宿、各大山的主山、大海、大川、天子的社等的祭祀。所谓"小祀"是对中台星、上台星、箕星、毕星、五大星、山林、沼泽等一类的祭祀。

大祀是所有祭祀中最隆重和最神圣的,所以它的规模和档次也最高。或者是由皇帝亲自主持,或者由太尉、司徒、司空等三公代行祭事。中祀、小祀的规模和档次就相对要差一些,但对其中违反程序的行为都要按照大祀的规定进行处罚,只不过相应地处罚较轻。在中祀过程中有所违犯的,都比大祀减刑二等;在小祀过程中有所违犯的,再比中祀减刑二等。

唐代对祭祀制度非常重视,对制度的程序和内容进行了严格的规定。在祭祀前为了表示敬意,官员们首先必须举行斋戒。斋戒分为两种,即散斋和致斋。散斋是指主祭和陪祭在正式祭祀前预先分别在宫内进行斋戒,致斋是指在正式祭祀时的斋戒。根据《唐律疏议》的说明，大祀前，要散斋4天，致斋3天；中祀以前，要散斋3天，致斋2天；小祀以前，要散斋2天，致斋1天。

在散斋前20天，作为掌管部门的太卜署就必须预先申报祠部，祠部颁发通告给其他各主管部门。根据《唐律疏议·职制律》"大祀不预申期及不如法"条的规定，"诸大祀不预申期及不颁所司者，杖六十；以故废事者，徒二年。"也就是说，如果太卜署没有提前申报日期，或者没有颁发通告给各主管部门的，对有关衙门的负责人要杖打60大板。即使已经申报日期及颁发通告下达到各主管部门，但如果对整个祭事过程欠缺周密的考虑，布置得不够周到、仔细，同样会因为相同的罪名而受到处罚。如果因此而荒废了祠庙中的祭祀大事的，处罚会更重，对这一事情负有责任的官员将会被判处2年徒刑。应连坐入罪的，各依照因公犯罪的法条，逐级判罪。可见唐代是非常强调祭祀的程序，对其中的礼节是非常重视的。

在散斋的日子，所有需进行斋戒的官员们都被要求在天刚大亮时便到尚书省集合，接受誓词儆戒。散斋期间，官员们可以在白天照往常一样办理事务，但夜间休息时必须就宿于屋中的正寝。如果不宿于正寝中的，每过一夜处笞刑50；再隔一夜就会加刑一等。至于家里没有中堂正寝的房间，而在家里旁屋中的斋房里宿夜的，才不算有罪。但另外又规定，其间不可以参与污秽丑恶的私事。在致斋的3天期间里，官员们是两夜就宿在本部门的官署中，一夜就宿在祭祀的所在。没有本部门的官署及本部门的官署设在皇城以外的，都要求他们在四郊的社中、太庙中斋戒宿夜。这种规定是强制性的，如果不这样宿夜，少宿一夜，处杖刑90，再少宿一夜，加罪一等。

根据礼制的传统,祭祀期间有众多禁忌的内容。除了前述的斋戒的要求外,唐律还要求祭祀期间遵守其他禁忌,包括吊丧、探病等。如《唐律疏议·职制律》"大祀在散斋吊丧问疾"条规定:"诸大祀在散斋而吊丧、问疾、判署刑杀文书及决罚者,笞五十;奏闻者,杖六十。致斋者,各加一等。"该条的疏议解释说:"大祀散斋四日,并不得吊丧,亦不得问疾。刑谓定罪,杀谓杀戮罪人,此等文书不得判署,及不得决罚杖、笞。违者,笞五十。若以此刑杀、决罚事奏闻者,杖六十。若在致斋内犯者,各加一等。中、小祀犯者,各递减二等。"

要求举行大祀前的 4 天散斋期间内,既不可以去吊唁丧家,也不可以去慰问患病者,同时也不可以签署应判定和执行那些触犯死罪的犯人的文书,以及不可以执行杖刑、笞刑这类刑罚。如果有违反规定的禁忌的人,则判处笞刑 50。倘若有把这些判定罪名、杀戮罪犯、判处刑罚等事在散斋期间奏报皇帝的,处杖刑 60。倘若在致斋期间违犯这些规定的,各加刑一等。中祀、小祀过程中违犯这些规定的,又各顺次减刑二等。

唐代对用作祭祀时的祭品也有很高的要求,制定了详细的规则。用作牺牲的牲畜如牛、羊、猪叫做"牲牢";祭祀时用的圆形青石和祭祀地神用的方形黄石,叫做"玉",对东、南、西、北、中五方上帝用的玉则分别按照各方的颜色来确定;用作馈赠的礼物如缯帛叫做"帛";而将黄米、高粱等粮食都包括在内称作"之属"。

根据《唐律疏议·厩库律》关于"大祀牺牲不如法"的规定来看,用来祭祀天地这些大祀应当用牛、羊等畜牲,一般采用小牛,而人间帝王的神主在旁配享时,就须外加羊、猪。对于饲养牺牲也进行了严格的规定:供大祀用的牺牲必须在叫做涤宫的养殖场饲养3个月,供中祀用的牺牲则需1个月,而小祀则需养在涤宫10天。负责饲养的人员必须促使其肥壮,甚至不得加以鞭抽棒打,如果违背了这些规定,因而致使所养的牺牲消瘦减肥的,凡是有一头就处杖60大板,此后每增加1头,便会加刑一等。如果达到了5头,最高刑要达到杖100。如果是因事故而引起死亡的。加罪一等;死亡1头,处杖刑70大板;死亡5头,处徒刑1年。

猪、羊这些牺牲主要是为了配享大祀,不是主要的祭品,所以对用羊、猪的牺牲不如法的惩罚,都和供大祀的规定相同。只是相应地按照其等级进行减等,中祀比照大祀减罪二等,小祀照中祀减罪二等。

如果不依照礼制及《祠令》规定的法度办理,办错了一件事,将会受到惩罚,根据唐律的规定应该处杖刑70;如果是缺少了一件祭祀用物,应该处杖刑100;倘若牲牢、玉帛这些祭品等全未置备,应该判徒刑1年。中祀和小祀的档次和要求比大祀相对较低,但仍然随从大祀的礼制享用祭品,如果有所缺少,各依照相应等级的条例逐级减轻处罚。如果其他各种祭礼中也缺少祭礼用物的,也照相关的法律办理。

另外,中国古代礼制,传统上分为吉礼、凶礼、宾礼、军礼、嘉礼五大类,统称为"五礼"。按照《周礼》的解释,对宗庙的祭祀被认为是属于"吉礼",所谓"五礼莫重于祭",而服丧则被认为是一件不幸的事情,属于"凶礼",因而如果在祭祀典礼的队伍中出现有服缌麻以上丧服的,要禁止其参与祭祀典礼,以防止将不幸带到祭祀这样一种吉事中。只有当祭祀天地与土神、谷神时,这些祭祀典礼才不避忌有凄惨悲伤的事情。对此《唐律疏议》的解释是:"《礼》云'唯祭天地社稷,为越绋而行事',不避有惨,故云'则不禁'。"(《唐律疏议·职制律》"庙享有丧遣充执事"条)

如果负责祭祀的官员明知有人正在缌麻亲的丧服期中,却派遣他充当典礼中的职事人员的,唐律规定对该主管官员处笞刑50。如果不是充当职事人员,而是派遣他充当随从人员,主管的官员处笞刑30。但是,如果主办官员不知道该人是在服丧期的,则不予论罪。

5. 隆重的丧服制度

丧服制度起源于古代西周的服丧礼制,根据亲属与死者亲疏关系的不同而着不同规格、式样及不同期限的丧服。当时的服丧礼制相对来讲比较粗糙,后来经过孔子的系统加工,发明了"三年丧"的内容后,形成了一套严密系统。

前面讲过丧葬制度属于"五礼"之一的"凶礼",《仪礼·丧服》也系统地规定了因死者尊卑亲疏不同而为之服丧的制度,简称"服制"。因而,丧服制度被认为是传统儒家文化的主要标志之一,也是中国古代礼制的一个缩影。魏晋南北朝时期,《晋律》最先将"准五服以制罪"的原则规定进法律,以后历代法律都继承了这一原则。一般认为,《唐律疏议》是第一部将丧服制度全面系统化和法律化的法典。

所谓丧服制度,主要是用丧服的级别来区分亲属关系的亲疏远近,因而丧服制度便是中国古代亲属法的亲等制度,是规定中国古代亲等关系的规范。亲等是中国古代社会计算亲属之间关系亲疏远近的尺度,从而成为亲属之间产生法律上特定的权利、义务关系的依据。

　　传统礼制将丧服分为5个等级,是指将本宗九族内的丧服划分为斩衰、齐衰、大功、小功、缌麻五等,通称"五服"。由于各个亲属与死者关系有亲疏,感情有厚薄,因而悲痛之情也会有深浅的差别。为了表达这种情感上的差异,便通过丧服的差异来体现。由斩衰至缌麻,随着亲等关系越来越疏远,丧服的衣料便由粗劣渐次有所改善,制作也由粗陋渐次变得略微有些讲究,穿着的时间也由长逐渐趋短。

　　如果丧服的制材最粗,说明亲属关系最亲密,哀痛也最甚,所以要求居丧的时间也愈长。如斩衰是丧服中最粗糙的一种,用极粗的生麻布制作,而且不缝边,有如斧斩,所以得名"斩衰"。斩衰居丧3年,适用于臣为君、子为父、妻妾为夫这种关系最为亲密者情况。其余四等直至缌麻,愈往下则丧服制材愈相对改善,居丧时间也愈短,表明亲属关系由近趋远、由亲趋疏,悲痛之情也逐步降低。

　　唐代法律仿照传统丧礼的五服来划分亲等的标准,也将亲等分为五服,只是将所有的直系血亲都从齐衰中分出来称为"期"(读音为"机",1年之义),由此五服一般便称作为斩衰、期、大功、小功、缌麻五等。按照礼制,服斩衰者,主要是妻、子、在室女、儿媳,另外还增加嫡孙为祖等也服斩衰,时间都为3年。服期服为守丧1年,期亲亲属有伯叔父母、姑母、兄弟、姐妹、侄儿女及高祖父、曾祖父等。服大功者,除原来礼制所定的亲属范围之外,唐朝又增加祖父母为庶孙、父母为子妇、己身为兄弟之子妇等亲属为大功亲。服小功者包括祖之兄弟、父之从父兄弟、己身之再从兄弟。服缌麻者包括曾祖兄弟、祖从父兄弟、父再从兄弟、已身之三从兄弟。

另外,按照丧服制度,女子出嫁后,服制也随着发生变化。如原来对父服斩衰3年,降为齐衰1年,对夫及公婆则进为斩衰3年。

丧服制度除了作为规定中国古代亲属之间亲疏关系的规范之外,还作为"准五服以制罪"的依据。唐律继承《晋律》"准五服以制罪"的传统,并加以变通,全面、具体地明确入律。即亲属相犯时如何定罪量刑,必须考察他与对方当事人的亲等关系。"准五服以制罪"主要是按照亲属服制的亲疏而递减或递增罪罚。如果卑幼侵犯尊长则加重处罚,相反,尊犯卑则减轻处罚,夫妻关系也是如此。这两点在前文宗法制度和婚礼制度中已有详细的论述。

亲属间相盗,也从疏至亲递减处罚。《唐律疏议·贼盗律》规定"盗缌麻、小功亲财物者",比盗凡人减轻一等处罚;盗大功的,减二等;盗期亲的,减三等。因而唐律对亲属间的盗窃行为,无论亲疏都要处罚,只是处罚时,关系亲者处罚轻,关系疏者处罚重。

6. 法典化的儒家文化

作为中国传统社会的统治秩序和社会规范的礼制,起源于西周周公所整理的一整套规矩和仪节。周公制礼的目的,是为了确立尊卑贵贱的等级秩序和制度。《礼记》上说,礼是"定亲疏,决嫌疑,别同异,明是非"的,因而,礼的主要功能在于充分承认存在于社会各个阶层的亲疏、尊卑、长幼分异的合理性,确认这种"别尊卑、序贵贱"的制度是一个理想的社会秩序,确定一个"尊尊、亲亲、长长、男女有别"的等级宗法制度。

这种礼的观念形成以后,由于儒家对它的传播和推广而贯穿于整个古代中国社会。中国古代社会从殷商时代起经唐代,直至明、清的几千年的历史中,不论如何改朝换代,礼制和礼仪都一直因袭发展下来,成为中国历史文化的重要内容。礼的内涵十分复杂,范围也很广泛。不论是国家的典章制度,社会的生活习惯,还是人们的行为规则,等等,无不包含在礼中。有关礼的观念和学说一直被认为是中国传统文化的核心内容,它影响到中国社会生活的各个领域,调整着人与人之间的相互关系,成为中国传统社会中的行为准则,决定了人们的道德观念和内心情感。

在唐以前,不少思想家、政治家对礼义道德和法律之间关系的分析,在一定程度上总有对立或割裂的趋向,不能如实地认识它们在社会中的作用。但到了西汉"罢黜百家,独尊儒术"之后,儒家经学得到进一步的发展,加之礼和律的相互渗透,德和刑的相互为用,又使律和经发生密切的联系。后来,又出现了董仲舒将儒家的经义应用于法律实践,从"春秋"经义决狱,从而奠定了礼法结合的基础。此后,以礼入律、礼法结合的趋势日益发展起来。

中国古代社会发展到唐朝,社会经济得到极大发展,社会出现了繁荣景象。一般而言,经济的繁荣往往相应地带来政治和文化的昌盛局面,法律的制定也进入兴盛时期。唐朝的统治者也认识到把礼和法律结合起来的作用,礼和法的关系进一步得到发展和趋于完善。

唐代立法者在制定法律的过程中,常常引经释法,阐述礼教义理,大大丰富了儒家礼法结合的思想,形成了完整的礼主刑辅、礼法结合的思想体系。在唐律及其疏议中,随处可见礼的规范和原则,无论在结构上还是在内容上都已经非常成熟,礼与法的结合也臻于成熟和定型,达到十分完备的程度。可以说一整套体现封建宗法等级思想与制度的礼基本上法律化了,以至于"一准乎礼"成为对唐律的评价。

综观唐律,礼的精神已经完全融化在律文之中了,使儒家的礼教伦理与法律规范融为一体。不仅礼之所载,律亦不禁,礼之所禁,律亦不容,而且"尊卑贵贱,等数不同,刑名轻重,粲然有别",标志着中国古代礼制的法律化已告完成。学者们通常都认为唐律是中国古代礼法结合的典范,剖析唐律有助于鉴古明今。透过唐律可以发现礼与法的内在联系,可以体验礼是怎样融化于法的,可以印证礼是唐律的灵魂。如同《唐律疏议·名例律》中所说的:"德礼为政教之本,刑罚为政教之用,犹昏晓阳秋相须而成者也。"可见唐律及其疏议是礼的法律表现,二者是互补而不可分的关系。

唐律所反映的礼和法的相互渗透与结合的特征,构成了中华法系最本质的特征和特有的中华法文化。连同它对周边国家的影响,成为中华法系赖以确立的重要因素。

综括唐律所表现的礼法关系,最重要的一点是,礼制是唐律制定过程中的指导思想。譬如纲常之礼可以说是礼制的基本精神,而这也是唐律最基本的内容。纲常之礼即是儒家所倡导的"君为臣纲,父为子纲,夫为妻纲",唐律在维护封建等级方面,主要集中在这三纲上。唐律规定的"十恶"大罪之所以"为常赦所不原",主要原因也就在于这些行为触犯了君为臣纲,父为子纲,夫为妻纲三大原则。

唐律除总的方面是在礼的思想指导之下制定的外,还有许多条文本身就是直接或间接地源出于礼,有的甚至是礼的翻版。比如《名例律》中的"八议"是《周礼·秋官·小司寇》"八辟"制度的照搬。《户婚律》中的"七出三不去"则是《大戴礼记·本命》中"七出三不去"的移植。也有的律文是礼的原则的演绎。比如,《名例律》关于"老小及疾有犯"的具体规定是从《周礼·秋官·司刺》中的"三赦之法""一赦曰幼弱,二赦曰老耄,三赦曰蠢愚"和《礼记·曲礼》中的"悼耄不刑"演化而来。除此之外,还有很多条文间接源自礼的法律规定。比如对"不孝"罪的处罚规定,这一规定源自《礼记·曲礼》"父母在,不敢有私财"及《礼记·内则》"孝子之养亲也,乐其心,不违其志,以其饮食而忠养之"。

唐律在审判实践上的定罪量刑往往是"于礼以为出入"的。"于礼以为出入"是被公认的司法道德,也是高于法律条文的司法原则,国家对这样的行为也是积极推崇的。这样导致的后果是司法官在断案时宁可不依律,也不能不遵循礼的规范。如果不依律判罪,所受的责罚也只是由于职务上的疏忽,但是如果因为不循礼而被责罚,则是对其人格上的否定。另外,由于唐代科举取士的主要依据是儒家经典,因此唐代官员明礼者多于明法,以礼断案对他们来说是并不陌生的。所以唐律在实际运作过程中会经常出现以礼断案的情况。

除了唐律在形式上采用传统礼制的规范,调整人们的行为之外,《唐律疏议》在其解释唐律条文的过程中,也在不断阐述律文的礼教价值。《唐律疏议》是礼法结合的重要结晶,它是以礼为理论基础的。律疏在疏解律意时,或是"依礼",或是"援礼",使礼的规范进一步渗透于律文当中。例如《唐律疏议·名例律》"十恶"条的疏议,全面引征儒家的基本道德观念——孝、悌、忠、信、仁、义、礼、智等等,用以解释处罚"十恶"重罪的道德和价值基础,使得唐律的基本思想都是建立在儒家的礼制观念基础之上,从而证明律条的必要性及价值合理性。

　　从总体上看来,唐律"一准乎礼",成为以礼法结合为核心的中华法系的代表,使唐律以鲜明的民族特色而著称于世。唐律实际上是一部礼法互补,以礼为主导,以法为准绳的法典。它不但对于保障和促进唐初社会经济的繁荣发展,巩固唐代封建统治起了重要的作用,对后世的封建法制,也产生了深远的影响。

五 《唐律疏议》与法家文化

《唐律疏议》作为一部封建法典的代表之作,集中了古代法文化的精华内容,当然也会受到法家文化,尤其是其"法治"思想巨大而深远的影响。

1. "刑罚不可弛于国"的用刑观

先秦法家主张"法治",反对"礼治",但实行"法治"的核心思想是以"重刑"制裁犯罪。因此从某种意义上讲,法家的法治观也就是"刑治主义"。先秦法家对刑罚的重要性有深刻的认识,并分别从不同的角度论述了刑罚的作用。管子说:"法者,所以兴功惧暴也;律者,所以定纷止争也;令者,所以令人知事也;法律政命者,吏民规矩绳墨也。"(《管子·七臣七主》)商鞅公开主张"禁奸止过,莫如重刑"(《商君书·赏刑》)。韩非子则明确指出"法"能保障君主的"专制",防止臣下的"专制",认为君主"因法数,审赏罚",便能够"独制四海之内"(《韩非子·有度》)。

落实到具体的论述上,又以商鞅的重刑论最为著名,商鞅重刑论的最主要观点是主张轻罪重罚。他在《商君书·选民》中说:"行刑,重其轻罪,轻者不生,则重者无从至矣。"意谓对轻罪实行重刑,不仅轻罪可以避免,而且重罪也可以防止。反之,"行刑,重其重者,轻其轻者,轻者不止,则重者无从止矣"。意谓对犯重罪实行重刑,轻罪实行轻刑,不仅轻罪不可避免,而且重罪更不会消灭。商鞅认为,前者"行刑"是"治之于其治也",后者"行刑"是"治之于其乱也"。其结论就是:实施轻罪重刑以后,"则刑去事成,国强",反之"则刑至而事生,国削"。重刑论又主张刑治奸人。《商君书·画策》云:"善治者,刑不善而不赏善,故不刑而民善"。意谓"法"就是用刑去"治奸人",而不是"治善人"的。对付奸民,只有用重刑去禁,"刑重"则民自然不敢犯法,就不会做违法之事,如是民性可变善,谓之"不赏善而民善"。重刑论还主张刑主赏辅。《商君书·开塞》曰:"治国者刑多赏少","刑九而赏一",这样才可以"从善治国"。反之,"赏多而刑少","赏九而刑一",会导致"乱国"、"削国"。另外《商君书·壹言》又云:"先刑而后赏","刑者所禁邪也,而赏者所以助禁也"。此指在实施"刑""赏"时,就有"先"与"后"、"主"与"辅"之分。以上运作得当,就可"大邪不生,细过不失"。重刑论强调重刑爱民。《商君书·去强》曰:"重罚轻赏,则上爱民,民死上;重赏轻罚,则上不爱民,民不死上。"意谓刑重赏少可使民不敢违法犯罪,这就是统治者对人民的爱护,人民才会为国君拼命耕战。此外,重刑论还十分强调以刑去刑这一要义。《商君书·靳令》云:"行罚,重其轻者,轻者不至,重者不来,此谓以刑去刑,刑去事成。"意谓在实施刑罚时,对轻罪要重罚,则轻罪可避免,重罪可防止,这就是用刑罚去消灭犯罪,或谓用刑罚去消灭刑罚。《商君书·赏刑》又云:"重刑,连其罪,则民不敢试。民不敢试,故无刑也。""禁奸止过,莫如重刑"。这样,一则"刑去事成",二则"国无刑民"。

唐朝的统治者吸取了隋亡的教训,所谓"动静必思隋氏,以为殷鉴",由此出发制定了"安人宁国"的方针,在法制指导思想上,十分注重"礼"的作用。如刘泊说:"'道之以德,齐之以礼。'义为急。"(《贞观政要·太子诸王定分》)褚遂良说:"道德齐礼,乃为良器。"(《贞观政要·太子诸王定分》)等等。但即便如此,唐朝的统治者仍高度重视刑罚(也即法)的重要性。他们认为,法的作用很重要,治国不能没有它。魏徵把法比做"权衡"和"准绳",说明它的重要性。他说:"法,国之权衡也,时之准绳也。权衡所以定轻重,准绳所以正曲直。"(《贞观政要·公平》)这一认识也载入了《唐律疏议》,上升为国家意志。《唐律疏议·名例律》说:"刑罚不可弛于国。""不立制度,则未之前闻。"需要指出的是,唐代的刑罚已经被赋予了新的时代要求:法要成为维护礼的武器。礼在《唐律疏议》中的重要地位,决定了法要以维护礼为自己的首要任务。它一方面确认各种特权,在国和家中都建立人与人之间不平等的等级关系,另一方面又运用刑罚制裁各种违礼行为,确保礼这一核心秩序的正常运行。

在国的范围内,唐律首先保护皇帝和官僚贵族的特权。如《斗讼律》"邀车驾挝鼓诉事不实"条、《断狱律》"死囚复奏报决"和"闻知恩赦故犯不得赦原"条等通过赋予皇帝直诉受理权、死刑复奏权和恩赦决定权,确立了皇帝的最高司法权;《名例律》"八议者"、"皇太子妃"、"七品以上之官"、"应议请减"和"官当"条通过对议、请、减、赎和官当的规定,维护各级官僚贵族的司法特权,以逃脱犯罪后的受刑之苦。

在家的范围内,法维护的是父权和夫权。从《唐律疏议》的规定来看,家人之间也存在着不平等关系。在家长和子女之间,《唐律疏议》强调父权;在丈夫和妻子之间,《唐律疏议》强调夫权。《唐律疏议·户婚律》"子孙别籍异财"、"卑幼自娶妻"条和《唐律疏议·斗讼律》"子孙违犯教令"条等通过规定父在家拥有的财产、婚姻和教令权,确保父权在家中的绝对地位。《唐律疏议·户婚律》"妻无七出而出之"条和《唐律疏议·斗讼律》"妻殴詈夫"条还通过规定夫拥有离婚主动权和高于妻的地位,确立夫权对妻的统治地位。另外,在有奴婢和部曲的家庭中,奴婢和部曲都是被奴役的对象。在法律关系中,他们不是主体,而是客体,如同物一般。《唐律疏议·名例律》"官户部曲官私奴婢有犯"条疏议说:"奴婢贱人,律比畜产。"总而言之,《唐律疏议》就是用法维护家庭中的不平等关系,来达到礼在家庭中始终不渝得到贯彻的目的。

法不仅确认礼的存在,还用刑严惩各种违礼行为。如《唐律疏议·斗讼律》"流外官以下殴议贵等"和"九品以上殴议贵"条都规定,殴打议贵者要受到刑事制裁,前者"徒二年",后者"徒一年"。《唐律疏议·贼盗律》"谋杀期亲尊长"条规定,凡是谋杀期亲尊长、外祖父母、父、父之祖父母、父母的人,要被处以斩刑。此类条文,举不胜举。

2."同符画一"的立法观

"壹法"是法家法治思想中的重要组成部分。所谓"壹法",包括三个方面:统一立法权,统一法令的内容,统一人们的思想。首先,法家反对政出多门,认为立法权必须全部收归君主。所谓:"国之所以治者三:一曰法,二曰信,三曰权。法者,君臣之所共操也;信者,君臣之所共立也;权者,君之所独制也。人主失守则危。"(《商君书·修权》)只有把立法权牢牢地掌握在最高统治者手里,才能保证"政不二门",法令统一。其次,必须保持法律内部的稳定和协调。韩非说:"法莫如一而固"(《韩非子·五蠹》),"一"是指内容的统一,不能"故新相反,前后相悖",决不允许两种不同质的法令并存。"固"是说保持稳定,反对朝令夕改。认为"治大国而数变法则民苦之","法禁数易"是亡国之道。再次,必须使人民的思想统一到法令上来。法家主张"禁奸于未萌"(《韩非子·心度》),严惩任何反抗的想法或动机,主张"太上禁其心"(《韩非子·说疑》),即镇压思想犯,无论官、民,"皆虚其胸以听于上"(《管子·任法》),"言行而不轨于法令者必禁"(《韩非子·问辩》)。

唐代的统治者重视立法,特别强调法律内容要统一、稳定。他们认为,法律内容须保持一致,避免参差,否则就会损害法制,不利于治国。唐太宗告诫大臣:法律"不可一罪作数种条"。他还指出,法律内容不统一的弊端是会给奸吏以可乘之机,"若欲出罪即引轻条,若欲入罪即引重条",所以,他要求立法者,法律内容"毋使互文"(《贞观政要·敕令》)。魏徵也曾指出法律内容不统一的危害。他说:"宪章不一,稽之王度,实亏君道。"(《贞观政要·刑法》)他们的这一思想也体现在了《唐律疏议》中。《名例律》开篇就说：律疏"譬权衡之知轻重，若规矩之得方圆。迈彼三章，同符画一者矣"。此外，唐代的立法者还对律文做出了统一的解释。《唐律疏议·名例律》的前言说："今之典宪，前圣规模，章程靡失，鸿纤备举，而刑宪之司执行殊异"，如果"不有解释"，就会"触涂睽误"，所以要在律条后附上疏议，把它作为统一法律内容的一种方法。

他们还认为，法律内容还须稳定，一旦制定，不可数变。唐太宗认为，如果法律内容多变而无常定，就会造成两个方面的危害：一个方面会使百姓无所适从，这样违法犯罪行为就会滋生。他说："(法律)若不常定，则人心多惑，奸诈益生。"(《贞观政要·赦令》)另一方面会使官吏难以掌握，以致工作出现差错，甚至使得不法官吏借此行奸。他说："法律不可数变，数变则烦，官长不能尽记，又前后差违，吏得以为奸。"(《资治通鉴》卷194)因此，他指出："数变法者，实不益道理。"(《贞观政要·赦令》)这一思想也影响到《唐律疏议》，《唐律疏议·名例律》说：法律"一成而不可变"。需要指出的是，这种强调法律稳定的思想并不是绝对的，唐代的统治者同时也非常注重对法律灵活变通，认为法律中的某些不合时宜的内容，应该随客观形势的发展而作修改。但为了与要求法律稳定的整体精神相一致，《唐律疏议》规定，修改法律必须按照严格程序进行。《唐律疏议·职制律》"律令式不便辄奏改行"条说："诸称律令式，不便于事者，皆须申尚书省议定奏闻。若不申议，辄奏改行者，徒二年。"此条疏议还作了进一步的说明："称律、令及式条内，有事不便于时者，皆须辨明不便之状，具申尚书省，集京官七品以上，于都座议定，以应改张之议奏闻。"

法家统一立法权的主张受到了先秦以后许多朝代立法者的采纳，而这些朝代的法律实践活动反过来又推动和发展了这一理论，赋予了其新的内涵：皇帝不仅应该独揽国家最高立法权，而且还应该掌握国家最高行政权和司法权。《唐律疏议》中的许多条文就反映这一流变。如《职制律》"律令式不便辄奏改行"条、《断狱律》"辄引制敕断罪"条等，从规定皇帝掌有制定国家法律、修改法律的决定权来确立他的最高立法权。《职制律》"置官过限及不应置而置"和"官人无故不上"条、《诈伪律》"诈伪制书及增减"和"对制上书不以实"条等，从规定皇帝把握国家行政的组织、指挥和决策权来确认他的最高行政权。《斗讼律》"邀车驾挝鼓诉事不实"条、《断狱律》"死囚复奏报决"和"闻知恩赦故犯不得赦原"条等从规定皇帝掌握直诉受理权、死刑复奏权和恩赦决定权来认定他的最高司法权。皇帝具有此法所确认的三大权后，就处在独尊地位，如同《名例律》"十恶"条"谋反"罪的疏议中所言："王者居宸极之至尊。"可以说，法家的"壹法"思想在《唐律疏议》中得到了完美的体现。

3. "法应简约"的法制论

法家一贯强调法律必须"务明易"，即法令一定要明白易行，便于遵守。商鞅认为，"民愚则易治"，法令的对象是愚蠢的民众，如果太"精妙"，连聪明智慧的人都看不懂，怎么能让民众实行呢？因此，"圣人为法，必使明白易知"（《商君书·定分》），使愚昧和聪明的人都了解法律的规定。韩非子还提出了"三易"："易见"，即容易使人看到；"易知"，即容易使人懂得；"易为"，即容易使人执行和遵守。做到了"三易"，就能够确立起君主的信用，发挥出政令的效用，使法令得到贯彻（《韩非子·用人》）。

　　唐代统治者对法家的"务明易"思想深以为然。唐高祖在建国后不久就提出，立法要遵循简约的原则，他说："法应简约，使人易知。"（《旧唐书·刑法志》）唐太宗深知法律内容简约的重要和法律繁琐的危害，多次强调法律内容必须简约。贞观初期，他告言大臣："用法务在宽简"（《贞观政要·刑法》）；贞观中期，他又重申："国家法令，惟须简约。"（《贞观政要·赦令》）同时，还指出法律内容繁琐的害处："官人不能尽记，更生奸诈。"（《贞观政要·赦令》）《唐律疏议》接受了这一思想，并从历史的考证中认为那是前人的良策，《唐律疏议·名例律》说："逮乎唐虞，化行事简，议刑以定其罪，画像以愧其心，所有条贯，良多简略。"另外，《唐律疏议》本身条文的内容也十分简约，凡是可与其他罪同样量刑的，就简言明示，毫无赘言。《诈伪律》"诈欺官私财物"条规定："诸诈欺官私以取财物者，准盗论。知情而取者，坐赃论。"类似条文不胜枚举。此外，唐律的制订、撰修过程也反映了律应简约的思想。《旧唐书·刑法志》载，武德律"大略以开皇为准"。贞观律"比隋代旧律，减大辟者九十二条，减流入徒者七十一条。其当徒之法，唯夺一官，除名之人，仍同士伍"。可以说，变重为轻者不可胜计。是时，唐律即成定制。如果说，唐初立法"务在宽简"的思想，"宽"是来自儒家思想的话，那么，"简"则更多地是来自法家的一贯主张。

4. 宽刑时代的杂音——缘坐

基于血缘的观念,中国古代很早就有了一人犯罪,株连亲属的思想。夏商统治者兴师讨伐异类前发布的"誓"中,经常有"予则孥戮汝"之语,意即将违反法令者连同其亲属一起处罚。此后除周初统治者提出过"罪止一身"的主张是一个罕有的例外之外,古代绝大多数的统治者都是实行连坐的,而法家特别是商鞅则是"株连"思想的最得力的鼓吹者,株连也成了法家有代表性的重要主张。商鞅曾说:"守法守职之吏有不行王法者,罪死不赦,刑及三族。"《商君书·画策》又云:"强国之民,父遗其子,兄遗其弟,妻遗其夫……又曰:'失法离令,若死,我死。乡治之。行间无所逃,迁徙无所入。'行间之治,连以五,辨之以章,束之以令。拙无所处,罢无所生。"也就是说,强国的民众,父亲送自己的儿子去当兵,哥哥送自己的弟弟去打仗,妻子送自己的丈夫上前线时,会说:"不遵守法律,违背了命令,你死,我也得死。乡里会惩治我们。你在军队中没有地方可逃,即使逃回家了,要搬迁也无处落脚。"军队中的管理办法,是把每五个人编成一个队伍实行连坐,用明确的标志来区别他们,用命令来约束他们。从而使得士兵逃走无处安身,失败了无法生存。由此可知,法家是一个极力鼓吹用连坐的方法来管理军队和人民的学派,他们认为人民违反法律(含士兵违反军令),不但要处死本人,还要连坐父母、兄弟、妻子。

应当指出,尽管与前代相比,唐代实行连坐的范围已有收缩,但法家的这一思想和精神在《唐律疏议》中仍得到了具体的体现。《贼盗律》"谋反大逆"条规定,犯谋反及大逆者,犯罪者本人不分首从皆斩,其父亲和16岁以上的儿子均处绞刑,15岁以下的儿子及母女、妻妾(包含儿子和妻妾)、祖孙、兄弟、姊妹,均没官为奴,只有年满80岁或重残疾的男性,年满60岁或残疾的女性能幸免连坐(因连坐者与罪犯皆有亲缘关系,《唐律疏议》称之为"缘坐");叔伯和侄子无论是否同籍,都流3 000里。律文规定,即使是"词理不能动众,威力不足率人"的"谋反"罪,除本人处斩外,父子、母女、妻妾都要流3 000里。"谋叛"条规定,谋叛"已上道"者,本人处斩,妻、子流2 000里;如果带领百人以上叛乱的,父、母、妻、子流3 000里。"杀一家三人支解人"条规定,杀死同一家3个无死罪且非贱民的人,或者杀人后又肢解尸体的,本人处斩,妻、子流2 000里。同律规定,"造畜蛊毒及教令者",本人处斩,同居的家人虽不知情,也要流3 000里。犯这种罪即使遇赦,本人及同居的家人仍要流3 000里。此外,《唐律疏议》规定,处流刑者及杀人移乡之人,家眷要同行。虽然其目的是为了避免服流刑和移乡者返回原地,但这实际上也是一种变相的连坐。

除了基于血缘关系产生的连坐外,《唐律疏议》还规定同职犯公罪也适用连坐。《名例律》"同职犯公坐"条规定,同一官署内共理公务的各级官吏之间,在处理公务时,一个官吏有罪过,其他各环节的官吏都要视情连坐受罚。此外,《唐律疏议》规定在上下级不同官署之间的公职犯罪也适用连坐原则。《户婚律》规定,当出现户籍登记有脱户、漏口及增减年龄及其他情况,基层官吏里正要受到"一口笞四十,三口加一等;过杖一百,十口加一等,罪止徒三年"的处罚。县官对此的罪责是"县内十口笞三十,三十口加一等;过杖一百,五十口加一等";州官的罪责是"随所管县多少,通计为罪","各罪止徒三年"。

《唐律疏议》还规定了一种特殊的连坐制度;奸妇因奸谋害亲夫,奸夫无论知情与否均应连坐。奸夫杀亲夫,奸妇是否有罪,按理应据奸妇是否参与犯罪构成共犯而论,但《唐律疏议》却把奸妇无条件地置于连坐的地位处罚。《贼盗律》规定:"犯奸而奸人杀其夫,所奸妻妾虽不知情,与同罪。"

5. "外儒内法"的法制特点

通过对《唐律疏议》的考察,我们还发现《唐律疏议》所维护的"三纲"思想中也有法家的主张。一般认为,三纲思想是儒家的主张,但是在中国古代思想史上,法家也是较早论述君主与臣下关系、父亲与子女关系和妻子与丈夫关系的学派。韩非曾说:"'臣事君,子事父,妻事夫,三者顺,则天下治,三者逆,则天下乱。'此天下之常道也。"(《韩非子·忠孝》)具体到三纲中的内容,儒、法两家又各不相同。同是主张臣下应服从君主,法家主张臣下应绝对地、无条件地服从君主,比如《韩非子·忠孝》云:"人主虽不肖,臣不敢侵也","忠臣不危其君";儒家则主张臣下相对地、有条件地服从君主,例如孔子说:"君事臣以礼,臣事君以忠。"同样是讲"孝",法家的"孝"是对"父"没有什么要求,单方面要求子女无条件顺从的"孝",《韩非子·忠孝》云:"孝子不非其亲";儒家的"孝"是指与"父慈"相对立的"孝",《礼记》曰:"父慈,子孝。"同样是主张妻子要顺从丈夫,法家只言妻子要顺从丈夫,不提丈夫应尽的义务;儒家所讲的妻子顺从丈夫,是必须以丈夫的"义"为前提的,如《礼记》云:"夫义,妇听。"

《唐律疏议》中并没有对君主作贤君、暴君的区分,也没有规定臣下可以诛杀暴君。与此同时,《唐律疏议》只单方面规定了儿子的义务,没有规定其权利;父母却有教令权、主婚权、财产权等权利,而未曾被规定有义务。同样,《唐律疏议》只规定丈夫对妻子拥有财产权、监护权,而未规定丈夫对妻子应尽的义务。由此可见,如同汉武帝以后形成的封建正统法律思想是以儒家思想为核心、吸收了其他各家学派理论的产物,《唐律疏议》所确立的伦理思想也不可避免地在一定程度上接受了法家的影响。

六　《唐律疏议》与宗教文化

中国古代的传统文化曾被公认为是一种儒、释、道相混合的文化。作为中国封建社会正统思想的儒学，经历了先秦儒学、两汉经学、宋明理学三种基本形态。汉代经学已非儒学的原型，而以儒道互补为特征，为中国传统文化定下基本趋向。宋明理学以儒、释、道互补为格局，最终确立中国文化的传统，历史上即称"三教合一"。

两汉经学自汉武帝起取得一家独尊的地位，后世也只有在佛教输入以后，才能对这种正统思想发生重大影响。佛教自两汉之际传入我国。作为一种外来文化，在相当长一段时期内，它受到汉民族传统文化主体儒学的排斥和抗拒。直到唐代，仍有排佛运动的发生。但是，佛教"专务清静"、"息意去欲"的宗旨，使它能借助于道教这一媒介，逐渐融入儒学思想。道教，习惯上也称之为道家，两者既有联系又有区别。由于汉初统治者推崇黄老之术，老子逐渐被神秘化，再加上各种形式的仙道方术的配合,就产生了道教这一宗教形式。佛教通过对儒学、道教等汉民族传统文化的吸收,变成一种中国化的宗教。隋唐时期,佛教得到最高统治者的认可和提倡,进入了在中国的鼎盛时期。宋明以后,佛教的某些思想随同道教思想渗透到儒家思想的深层,最终形成了三教合一的宋明理学。

再从中国传统宗教的派别来看,应当说是丰富而复杂的,但无论是从宗教发展形态来看,还是从中国文化体系结构来看,佛教和道教都可以说是中国传统宗教的代表。中国古代法律及《唐律疏议》与宗教文化的关系,主要也是围绕着佛教和道教展开的。

1. 唐以前佛、道的传播及其与法律的关系

佛教创立于公元前6~5世纪的古印度。创始人是古北印度迦毗罗卫国净饭王的太子,名悉达多,姓乔达摩。相传他20岁出家,经过6年的苦行生活,最后于菩提树下觉悟,成为"佛陀",简称佛。佛的本义是大智觉悟者。佛教徒尊称他为释迦牟尼,意思是释迦族的圣人。

释迦牟尼作为佛教的创始人,他最关心的是宗教道德的实践问题,也就是人生归宿即人生哲学的问题。他认为人一生下来即充满了痛苦,并处于生死流传不息的轮回之中。人们若要摆脱痛苦,超越生死轮回,取得正果,就只有视物质世界与我为"空",熄灭一切妄想欲念,并通过"戒"、"定"等修行办法,进入"涅槃"境界。"涅槃"境界是指一种超脱了生死轮回,熄灭了一切烦恼,内心空寂不动的境界。这即是原始佛教

宣传和追求的最高境界,也是佛教人生的最终归宿。原始佛教的基本理论主要是四谛说、十二因缘说、业力说、无常说和无我说等。后世佛教各部派基本上都是在这一理论框架上展开的。

佛教哲学蕴藏着极深的智慧,它对宇宙人生的洞察,对人类理性的反省,对概念的分析,有着深刻独到的见解。恩格斯曾称誉佛教处在人类辩证思维的较高发展阶段上。在世界观上,佛教否认有至高无上的"神",认为事物是处在无始无终、无边无际的因果循环之中。在人生观上,佛教强调主体的自觉,并把一己的解脱与拯救人类联系起来。佛教作为一种外来宗教文化形态,大约在两汉之际传入我国,后来经过与我国固有文化的不断交流和融合,成为我国传统文化的一个重要组成部分,对我国思想文化产生了重要的影响。如《法华》、《维摩》、《百喻》诸经启迪了晋、唐小说的创作,《西游记》中的孙悟空形象实际上就是印度史诗《拉马耶那》中哈奴曼的转化。在诗歌方面,陶渊明、王维、白居易、苏轼的诗歌显然受到了《般若》和禅宗思想的影响。敦煌、云冈、龙门等石窟则吸取了键陀罗和印度的特点而发展为具有中国民族风格的造像艺术,成为古代雕刻艺术的宝库而举世闻名。

与佛教相比,道教则是在中国固有文化孕育下土生土长的、具有浓郁中国民族文化特色的宗教。作为最早的宗教形式,道教创立于主荒政谬、忧患侵扰的东汉末年。张陵父子领导的五斗米道和张角兄弟领导的太平道,是早期道教的两大基本教团组织。道教虽创立于东汉末年,但道教之所以产生的社会思想渊源却由来已久。概括来说,道教主要是以先秦老庄道家思想为基础,杂糅了战国以来流行的神仙家关于神仙方术的信仰和传说，以及民间保存下来的原始宗教中的鬼神观念、巫术迷信等因素，并在两汉谶纬神学思想的直接刺激下出现的。就具体的产生形态来说，汉代流行的黄老道、方仙道、巫鬼道应是道教的前身或者说是雏形。

道教的思想信仰的核心或者说它精神追求的最高目标是长生不老、羽化升仙。道教主张我命在我不在天，只要通过一定的修炼养生之术，人就可以长生不死，得道成仙。道教不同于佛教、基督教等其他世界性的宗教，它虽超世但不出世，是极重现实与世俗的宗教。道教也不像佛教那样把人生在世看成苦海无边，要求禁欲，而是极其重生贵乐，是一种追求长生乐身的宗教。另外，道教把老子奉为开教祖师，把老子的《道德经》尊为开教圣典，把神仙生活作为修炼养生的终极目标，把老子提出的"道教"神化为宇宙万物的本原和主宰者，并将其作为道教的根本教理来信仰和崇拜，所以后世称之为道教。

道教是中国传统文化中的一个密切组成部分，在古代文化的发展上有着不可忽视的影响和贡献。如在思想方面，宋初华山道士陈抟通过研究《周易》推衍出的《先天图》，对以后理学的发展产生了极大的影响。在文学方面，道教中的许多人物，如八仙、王母等都是广大民众喜闻乐见的艺术形象。而音乐方面，有名的《楚辞·九歌》，既为文学作品，又能谱入管弦作为迎神送神的宗教曲，汉代发展为道教的步虚曲，成为地方民乐、民歌的一部分。

佛教和道教在中国古代传播的过程中，或多或少都和各个时期的政治与法律制度发生了一些联系，同时受各个时期政治、经济和文化等方面的影响，各时期的宗教政策和涉及宗教的法律也不尽一致。

六 《唐律疏议》与宗教文化

佛教传入中国后,受儒学思想及各时代宗教政策的影响非常明显。由于汉武帝以后几乎历朝都以儒学为立国之本,除了个别皇帝在位期间曾经有过抬高佛教地位的举措外,大部分时间都没有积极扶植佛教的发展,相反,倒是有过不少打击佛教发展的法令。而在开始一段时间佛教受排斥,主要是由于两汉之际儒家学说已定于一尊,被称为道术的黄老之学和神仙方术也正受到统治者的大力推崇。当时的情况是:

> 汉自武帝颇好方术,天下怀协道艺之士,莫不负策抵掌顺风而届焉。后王莽矫用符命,及光武尤信谶言,士之赴趋时宣者,皆驰骋穿凿争谈也。(《后汉书·方术传》)

对以外来文化面目输入中土的佛教,传统思想自然采取了拒斥态度。当时儒、佛两家的思想格格不入,儒家曾把佛教视为与"尧、舜、周、孔之道"相对立的"夷狄之术",认为佛教好谈"生死之事、鬼神之务",不像"圣哲之语",指责佛教徒的行为如弃妻子、剃头发、无跪起之礼"不合孝子之道","违服貌之利,乖缙绅之饰"(《弘明集》,牟子《理惑论》)等等。但因为被称为道术的黄老之学、神仙方术和佛教一样,在表面上都讲"清虚",佛教遂利用这一相通之处,让道术充当了其保护伞。从史书记载来看,当时不少人把佛教当作了黄老之学、神仙方术中的一种,甚至佛教本身对此也不讳言,如牟子《理惑论》说:"道者九十六种,至于尊大,莫尚佛也。"正是利用了这层保护色,佛教在汉以后才逐渐传播开来。(曹琦、彭耀编著:《世界三大宗教在中国》,中国社会科学出版社1986年版,第20~21页)

再以统治者对佛教的实际态度来看,在东汉,桓帝在位时曾经推崇佛教,但东汉末年曹操因为提高儒家的地位,奉儒学为最高准则,于是严禁民间供奉儒家经典所不载的佛像及寺庙等佛教的建筑物。三国时期魏国的文帝和明帝继续采取这一政策,全面推行礼教,颁布了禁止异教的诏令,废毁民间的寺庙,同时禁止宗教职业者的活动。东晋的明帝热衷于佛教,但好景不常,60年后桓玄帝登基,又颁布敕令淘汰众僧,佛教再次受到打击。

  南北朝时期,历朝统治者对宗教也是时兴时废,佛教的命运随之大起大落。中国佛教在历史上遭受的第一次沉重打击发生在北魏,当时魏太武帝废佛教兴道教,于425年在首都兴建天师道场,并在各州镇设置天师道教的礼拜道观,企图将道教国教化。438年,他又下令50岁以下的僧人全部还俗,此次举动是历史上最为有名的几次废佛运动之一。在441年太武帝干脆下令废止民间诸神。公元452年,北魏文成帝发布诏书,宣布复兴佛教,此后一段时间,佛教有了迅速的发展,而且随着国家政策的鼓励和佛教信徒的增多,寺院经济也有很大发展,拥有了相当大的实力,对国家经济造成了一定威胁,最终导致了北周武帝时候的又一次大规模废佛。573年北周武帝发布的废佛令不仅宣布废除佛教,而且是全面废除宗教。(龙敬儒:《宗教法律制度初探》,第118～119页)这一情况直到隋朝才有所改变。

  与佛教相比而言,道教的命运就要好一些。且不说由道教学说逐渐发展成的那些神圣的治疗术、炼丹术、长生术等在很长时间内曾经为统治者所利用,与道家有密切联系的追求"清净无为"的黄老之学还成为汉朝初期的治国指导思想。隋唐后南北天师道合流。唐为李家天下,而道教又尊老子(李耳)为教主,所以唐朝始终尊道教,视道教为李姓宗教,道教的发展道路也就相对平坦得多。

2.《唐律疏议》有关佛、道的规定

唐代是我国封建社会的鼎盛时期,各种宗教亦十分活跃,除佛教、道教外,还出现了景教、祆教、摩尼教等新宗教。佛教宗派纷杂,寺庙林立,谈禅之风遍及帝王公卿、工商百姓,给社会政治、经济生活带来了深刻影响。顺应这种潮流,同时唐代经济繁荣,国力强盛,足以容纳各种宗教,因此,统治者对宗教也采取了非常宽松的政策。虽然唐代统治者真正信奉的是儒家学说,但并未因儒废佛,而是对各种宗教都能宽容、重视。唐代帝王的自信和安全感使当时的人民具有充分的信教自由,法律与宗教的关系进一步加深,主要表现有以下几方面:

首先,为保护宗教的发展,对亵渎宗教尊严的行为处以刑罚。

佛、道神像是佛教、道教存在的象征,是宗教尊严的物化形态,也是人们朝拜的对象。为保护这些神像,《唐律疏议·贼盗律》专设"盗毁天尊佛像"条,规定:

> 诸盗毁天尊像、佛像者,徒三年。即道士、女官盗毁天尊像,僧、尼盗毁佛像者,加役流。真人、菩萨,各减一等。盗而供养者,杖一百。(盗、毁不相须。)

结合疏议的解释,不难发现:第一,《唐律疏议》对盗毁天尊、佛像(包括真人、菩萨像)行为的处罚是十分严厉的。适用处罚这一行为的刑罚有杖100、徒2年半、徒3年和加役流。其中徒3年是徒刑中的最高等级,而加役流是介于死刑与"三流"之间的一种刑罚,一般只适用于那些免死的罪犯。第二,《唐律疏议》针对盗毁天尊、佛像的不同情况,处以不同的刑罚。首先是主体有别。道教徒、佛教徒盗窃、毁坏自己的教主神像受到的处罚要比一般人盗窃或毁坏天尊像或佛祖像严厉。有上述行为的,一般人处以3年徒刑;而教徒处加役流。其次是行为方式有别。律文的注文指出,"盗、毁不相须",即认为盗窃和毁坏是两种独立的犯罪行为。再次是对象有别。盗毁天尊、佛祖像要比盗毁真人、菩萨像处罚严厉,盗毁真人、菩萨像可比照盗毁天尊、佛祖像减罪一等。最后是目的有别。律文指出,"盗而供养者,杖一百"。即犯罪者盗窃佛像的目的如果是为了供奉要比为了贪求私利处罚轻。第三,《唐律疏议》对盗毁宗教偶像行为的规制是系统的。对盗毁天尊、佛祖、真人、菩萨像的行为可依《唐律疏议》的"盗毁天尊佛像"条予以处罚;对盗毁其他的像,诸如坐化的佛门弟子的塑像、神王像等,可依《杂律》"不应得为"条予以从重处治;有赃物入己肥私的,又可依《唐律疏议》中一般的盗窃罪予以治罪。综上所述,从《唐律疏议》"盗毁天尊佛像"条中的刑种的设置、对不同情形的区分以及其他条文的配合上讲,《唐律疏议》对处罚破坏宗教神像的行为的制度设计是卓有成效的。

另外,《唐律疏议》积极打击诬告出家人的行为,维护宗教人员的人格尊严。《名例律》"除免比徒"条规定:"若诬告道士、女官应还俗者,比徒一年;其应苦使者,十日比笞十;官司出入者,罪亦如之。"疏议的解释是:

> 依格:"道士等辄着俗服者,还俗。"假有人告道士等辄着俗服,若实,并须还俗;既虚,反坐比徒一年。"其应苦使者,十日比笞十",依格:"道士等有历门教化者,百日苦使。"若实不教化,枉被诬告,反坐者诬告苦使十日比笞

> 十,百日杖一百。"官司出入者",谓应断还俗及苦使,官
> 司判放;若不应还俗及苦使,官司枉入:各依此反坐徒、杖
> 之法。故云:"亦如之。"失者,各从本法。

也就是说,假如有人诬告道士等穿着俗家人服装,就反坐诬告之罪,比照徒刑1年处理;诬告道士等沿门募化以致被罚苦役供使唤10天,就反坐诬告人的罪,比照笞刑打10小板;诬告道士等沿门募化以致被罚苦役供使唤100天,就反坐诬告人的罪,比照杖刑打一百板;如果应该判决道士等还俗或罚服苦役使唤,官府却判决释放,或不应判决,冤枉地判他人入此罪,仍然比照上述徒刑或杖刑的规则处理。

为了维护僧道人员的尊严,《唐律疏议·名例律》还规定,凡寺院、道观的部曲、奴婢有侵犯寺、观三纲者(唐时寺院有上座、寺主、都维那,道观有上座、观主、监斋,均称为三纲),比照侵犯主人的期亲论罪,只要有殴打行为,就要判处绞刑,詈骂的,处徒刑二年;侵犯其余道士、女官、僧人、女尼者,比照侵犯主人的缌麻亲论罪。

除此之外,佛教和道教都有"八戒"的规定,其中又都有不允许自己教徒邪淫(不邪淫)的内容。僧、尼、道士、女官如果违反这一戒律,不仅要受到本门教规的处罚,还将受到法律的严惩。《唐朝疏议·杂律》"凡奸"规定:"诸奸者,徒一年半",也就是说,互相同意相奸的男女,双方各被判处徒刑1年半。如果有一方是出家人,要按奸罪加重二等处罚。《杂律》"监主于监守内奸"条规定:"诸监临主守,于所监守内奸者,加奸罪一等。""若道士、女官奸者,各又加一等。"即要徒2年半。此条疏议还补充说:"僧、尼同。"亦即同样按此规定适用。

其次,既给予人民信教的自由,给教会和入教者某些经济

利益(如免交赋税),但为保护国家的利益,又对未经允许私入佛门等行为予以处罚。

唐代寺院经济得到了巨大的发展,逐渐达到此两教的全盛期。据《旧唐书·辛替否传》记载:"天下之寺盖无其数,一寺多陛下一宫,壮丽之甚矣,用度过之矣。是十分天下之财,而佛有七八。"应当指出,佛教这一发展盛况的背后是与唐代统治者对其大力的扶持分不开的。李唐政府给予了寺院许多优惠政策。唐代建国后,土地实行均田制。政府在颁布授予农民土地法令的同时,也颁布了对僧尼授田的法令,这是唐以前历代所没有过的现象。根据法令,僧可得到30亩地,尼可得到20亩地;道士、女官与此相同。这样僧尼得到了大片私有土地,基本解决了生活问题。与此同时,唐代政策规定,捐地建寺可免去部分课税,这样又使教会和入教者得到了经济上的实惠,从而推动了寺院的发展。

虽然唐代统治者和法律对佛教等宗教有保护、推动的一面,但一旦佛教等宗教的发展危害到了国家利益,统治者就毫不犹豫地拿起法律武器对其进行规制。

佛教传入中国以后,国家对僧尼的管理一直很混乱。甚至在隋朝末年,隋文帝仍普诏天下,听任民众出家。为改变这种混乱的局面,唐朝统治者设计了僧道度牒制度、户籍制度等予以规范。

根据唐代度牒制度,如果有人欲在佛教和道教中得度,成为公认的免徭役的僧道,需通过"特恩度僧"或"进纳度僧"等方法,经考试获得政府许可。考试有全国各都督同时举行的,有于五岳等特殊寺院举行的,也有各州分别举行的,其内容也因时因地而异。一般来说,一个人要成为僧道,首先必须从师,精勤修行,然后经师推举,方可参加考试,经政府批准才能得度。如果不按照此程序得度,而是私度僧道,就要严加惩处,令其还俗,各回桑梓。僧道还俗或死后,要将度牒归还官府,严禁转让。《唐律疏议》中的"私入道"条就是这一制度的重要组成部分。《户婚律》规定:

> 诸私入道及度之者,杖一百;(若由家长,家长当罪。)已除贯者,徒一年。本贯主司及观寺三纲知情者,与同罪。若犯法合出观寺,经断不还俗者,从私度法。即监临之官,私辄度人者,一人杖一百,二人加一等。罪止流三千里。

也就是说,不经官府给度牒,而私下出家,与私自收度他们出家的人,各杖100。倘若出家是听从家长决定的,由家长承担责任。出家已注销籍贯的,判处徒刑1年;连同收度他们出家的人,也判处徒刑1年。籍贯所在地的主管官员,知情的,都分别按与出家的本人及其家长同等判罪。倘若出家人犯了法必须还俗,应该离开道观、佛寺,当官的已予判决,用公文通知了观、寺,仍旧不还俗的,依照"私度"本法条治罪。出家人经判决还俗后向官府陈述申诉,必须穿上世俗服装;依旧披着僧道法衣的,依照"私度"本法条,处杖一百大板,如有监临责任的主管官员不依照官府的法规,妄自批准他人出家的,妄批一人处杖100大板,妄批二人加罪一等,直到判处流刑发配3 000里为止。倘若州官、县官所批准出家的人免除课税徭役多的,在案件中即使列有罪名,所犯罪行情节严重的,自当从重论罪,并依照"妄增减出入课役"的规定判罪。官员私自批准给牒度人出家,被度出家的人明知是私自批准而受度出家的,依从犯判处。倘若不知道被私自违法批准出家而受度出家的,受度的人没有罪。

唐政府建立专门的僧道户籍,和民户一样,3年一订正,户籍一式3份,分送州县和祠部,以备检查。凡是无籍的僧人,皆被视为伪滥僧,不但有随时被强迫还俗的危险,而且还要受到法律的制裁。唐玄宗曾下《检括僧尼诏》,对非籍僧尼进行检括惩处。他说:

> 僧尼数多,愆滥不少,选经磨勘,欲令真伪区分,仍虑犹有非违,都遣括闻奏,凭此造籍,以为准绳。如闻所由条例非惬,致奸妄转更滋生,因即举推,罪者斯众,宜依开元十六年旧籍为之,更不须造写。(《全唐文》卷四十七)

再次,除儒教以外,佛教和道教对法律的影响有较大的扩大,如在原秋冬行刑的基础上,又增加了在佛教的断屠月和禁杀日不行刑的规定。

受儒家天人感应理论的影响,汉代就有秋冬行刑的规定。即从立春至秋分,除犯恶逆以上及部曲、奴婢杀主外,犯任何罪皆不得行刑,违者处罚。

佛教传入中国后,唐代法律中又出现了断屠月、十斋日不得行刑的规定。按照佛教的规定,居士在一年的正月、五月、九月这3个月的初一到十五日要严守五戒或八戒,不杀生,吃素食,称为"三长斋月",又叫断屠月。除断屠月的初一到十五日外,其他月份的一日、八日、十四日、十五日、十八日、二十三日、二十四日、二十八日、二十九日、三十日,共10天,称"十斋日"或"十直日"。也不得杀生。

由于认为斋日不杀生可以积阴德,唐代统治者开始把断屠月和十斋日的规定引入法律中。较早载有断屠日、十斋日不得行刑的规定的法律文件是唐高祖武德二年诏。该诏规定:"释典微妙,净业始于慈悲……自今以后,每年正月、五月、九月,及每月十斋日,并不得行刑;所在官司,宜禁屠杀。"(《全唐文》卷一《禁行刑屠杀诏》)而作为当时世界上最重要的一部刑法典的《唐律疏议》,专设"立春后秋分前不决死刑"条予以明示:

> 诸立春以后、秋分以前决死刑者,徒一年。其所犯虽不待时,若于断屠月及禁杀日而决者,各杖六十。待时而违者,加二等。

该条前一部分是有关秋冬行刑的规定,后一部分就是断屠月和禁杀日不行刑的专门规定。疏议的解释是:

> 其所犯虽不待时,"若于断屠月",谓正月、五月、九月,"及禁杀日",谓每月十直日,月一日、八日、十四日、十五日、十八日、二十三日、二十四日、二十八日、二十九日、三十日,虽不待时,于此月日,亦不得决死刑,违而决者,各杖六十。

从中我们不难发现,唐代统治者对断屠月、十斋日不得行刑是极为重视的,制裁官吏违反该规定的范围不仅及于"所犯待时而违者"这一情况,而且还及于"所犯不待时而违者"这一状态。

由于唐代法律受宗教的影响加深,中国古代法律受传统文化(以儒、佛、道三教为核心)支配的情况成为定局,并决定了以后法律发展的路径。

七 《唐律疏议》与阴阳五行学说

如果说法家、儒家主要是在法律思想、法律观念层面影响《唐律疏议》的制定及实施,那么阴阳五行学说则是在思维习惯、心理层面发挥着作用。顾颉刚先生曾经指出"五行是中国人的思想律",可以说在中国历史上,阴阳五行这种思想方式无处不在发挥着它的影响。与天上的"五星"相应,行业有五工,行政有五官,兵器有五戎,刑罚分五等,人体有五脏,人伦有五常,动物分五虫,饮食有五味,音乐分五声,文彩有五色……以至于无事无物不与五行发生关系。在现存的五经里,我们时常看见五行的字样和五行的思想,再看历代经学大师的注解,更很少不用五行来解经。而在民间,在天时地利,人事变迁,福祸安危等方面流传的种种宗教观念,也大多可以在阴阳五行那里找到它的思想根源。时至今日,阴阳五行理论的影响还隐约可见。如成书于秦汉时期的医学理论著作《黄帝内经》,运用阴阳五行的学说来说明人体的生理结构和发病原理,达到了相当高的水平。而现代的中医理论仍然受到《黄帝内经》的影响。

1. 中国古代法律与阴阳五行

据史籍记载,阴阳和五行作为人们对自然现象的朴素认识,起源很早。《诗经·大雅》载:"既景乃刚,相其阴阳。"《尚书·禹贡》载:"岷山之阳。""南至于华阴。"与此同时,我国古代的统治者也很早就把阴阳和五行用来为自己的统治服务,使它们与法律联系起来,作为用刑的依据。《尚书·甘誓》载:"有扈氏威侮五行,怠弃三正,天用剿绝其命。"把触犯五行作为受刑的原因。以后的统治者根据阴阳五行化的《礼记·月令》中有关春夏"省囹圄"、"事毋刑"和秋冬"戮有罪,严断刑"及"罪无掩蔽"的规定,实行秋冬行刑制度。

春秋战国时期,阴阳五行思想经过孔子、老子的发挥特别是邹衍的发明,逐渐成为一种理论。邹衍是战国时齐国人,据说他相当博学,尤其擅长天文、地理和历史等方面的知识,被人称为"谈天衍"。邹衍把早期的阴阳和五行学说结合在一起,并加以扩充,构成了一个涵盖天地人间的思想体系,试图说明世界万物的构成和运动原理。邹衍认为,五行(主要指土、木、金、火、水这五种元素)中的任何一个后者总是克胜前者,木胜土、金胜木、火胜金、水胜火、土再胜水,往复无穷。每个朝代都代表五行之一,而且后者总是胜前者,因为新朝的兴起总与旧朝的衰落联系在一起,并为旧朝所无法克胜者。从这一理论出发,每个新建立朝代的各个方面都应与其新代表的五行相一致,包括法律。

秦始皇统一中国以后,邹衍理论的信奉者把这套学说进献给秦始皇。秦始皇欣然接受,并付之实践,其中包括法律内容应符合阴阳五行的要求。从此,阴阳五行说大量侵入法律领域。汉代,随着儒家法律思想的正统化和阴阳五行化,法律内容也进一步阴阳五行化。一些儒生注重用阴阳五行理论解释法律中的一些基本问题,主要代表人物是董仲舒。董仲舒用阴阳五行说来解释刑和德的关系,认为"天道之大者在阴阳。阳为德,阴为刑;刑主杀而德主生"。但是,天"任德不任刑",所以,"为政而任刑,不顺于天"。以此来要求当政者施仁政,讲德而不专刑。此外,董仲舒还利用"春秋决狱"的方式来影响司法。这种方式在董仲舒看来是"以《春秋》灾异之变推阴阳"。除了在理论上积极论证《春秋》决狱的原则外,董仲舒还身体力行,积极参与了《春秋》决狱的实践,直到老病家居以后,汉武帝还常派人到他家"问其得失",他"动以经对",并作《春秋决狱》二百三十二事。从此,阴阳五行开始渗入到人们的法律心理中去,影响中国传统法律文化数千年。

2. 寓意微妙的五刑设计

中国刑制的发展受到了五行学说的深刻影响,从远古时代根据五行观念确立刑制为五开始,流经奴隶制时代、封建制时代,直到新中国的刑法,正刑的定制均为5种,一直相沿未改。

就文献记载而言,早在中国原始社会的末期,有苗氏即制作了"五虐之刑",它包括了劓、刵、椓、黥等肉刑和剥夺生命的"丽"刑("丽"即离,指身首分离的死刑)。此即《尚书·吕刑》

所说:"苗民弗用灵,制以刑,惟作五虐之刑曰法。"后因苗民"杀戮无辜",禹率兵对其讨伐,灭苗后,诋其意而用其法,在援用苗民"五虐之刑"的基础上,发展为夏代"五刑"用以惩治罪犯。这所谓的"五刑",即人们通常所说的大辟、膑(刖)、宫、劓、墨(黥)5种奴隶制刑罚。除"大辟"为死刑而外,其余4种均为肉刑。殷墟甲骨卜辞的发现,证明至迟在殷商时期,"五刑"的刑名已大体具备。西周继承了这一刑制,并加以完善,形成"九刑"。据《汉书·刑法志》云:"周有乱政,而作九刑。"这里的"九刑"是指大辟、膑(刖)、宫、劓、墨(黥)"正刑五"加上流、赎、鞭、扑。其中大辟、膑、宫、劓、墨依旧作为正刑,而流、赎、鞭、扑仅作为五刑的补充。五刑作为正刑即主要的刑罚手段,一直到春秋时期也没有改变。《国语·鲁语》在讲到各种刑罚所用的刑具的时候,仍然将其分为5等:"大刑用甲兵,其次用斧钺;中刑用刀锯,其次用钻笮;薄刑用鞭扑。"

与春秋以前相比,战国时期和秦朝的刑罚体系发生了很大变化。春秋以前作为"正刑"的五刑,在秦律中已与作刑(包括城旦、城旦舂等)、笞刑、迁刑、赀刑等刑种并列,其中的肉刑(包括髡、耐),在大多数情况下,甚至是作为附加刑,与徒刑相互渗透,复合使用。

汉文帝改革刑制,废除肉刑,结束了先秦以来以墨、劓、刖、宫、大辟为主的传统的五刑体系,为隋唐以后以笞、杖、徒、流、死为主干的新的五刑体系的建立创造了条件。汉以后,封建刑制逐渐向新的"五刑"制度过渡。《曹魏律》"更依古义,制为五刑"(《晋书·刑法志》),其具体刑名共有7种,即:死刑、髡刑、完刑、作刑、赎刑、罚金、杂抵罪。但曹魏撇开最后2种刑罚,而把前面5种刑罚仍然称为"五刑"。《晋律》规定的刑罚为：死刑、髡刑（即从5岁到2岁的徒刑，共四等）、赎（用金或绢）、杂抵罪、罚金。北魏律的五刑是死、流、徒、鞭、杖，北齐律的五刑是死、流、耐、鞭、杖。

五刑制度到了北周进一步规范化，《北周律》明确把刑罚分为5种：杖刑五等，10至50；鞭刑五等，60至100；徒刑五等，1年至5年，并按等加施鞭、笞；流刑五等，流2500里至4500里，同样按等加施鞭和笞；死刑五等，为磬、绞、斩、枭首、裂。自隋朝起，将五刑定为死、流、徒、杖、笞。唐律将其最终确定，并在两个地方对隋《开皇律》的规定作了修改。一是将五刑的顺序改为由轻到重排列，以体现"明德慎刑"的思想。二是将流刑的三个等级各增加1000里的路程。以后一直到清律，都是沿用隋唐律的五刑。

在确定刑罚种类这一问题上，唐朝曾引发过一场讨论。唐太宗即位后，为减少死刑的适用，一度曾恢复断趾刑以替代部分绞刑，虽然"应死者多蒙全活"，但房玄龄等几个大臣"以为古者五刑，刖居其一。及肉刑废，制为死、流、徒、杖、笞凡五等，以备五刑。今复设刖足，是为六刑"。他们一方面提出"减死在于宽弘，加刑又加烦峻"（《旧唐书·刑法志》），与减轻刑罚的主旨不合，而骨子里却是认为增加刑种，恢复肉刑之举，变五刑为六刑，五和六，虽一字之差，却违反了五行的指导思想，违背了天意和祖制，直接动摇了封建统治的法律基础，干系重大，所以坚决反对。唐太宗权衡利弊后，采纳了房玄龄等人的建议，将断趾刑改为加役流，唐代的刑罚制度仍然为五刑制。从此以后，五刑制成为中华法系的定制。而且饶有意味的是，20世纪初期沈家本主持清末的修律，在《大清律例》的基础上修订了一部过渡性的法律——《大清现行刑律》，在这部法律中,取消了沿用一千多年的笞、杖、徒、流、死五刑体系,改以死、遣、流、徒、罚金五种刑罚取代之,但其中的遣刑和流刑实为一类,都是将犯人放逐到远处服苦役而已。当初《曹魏律》所定刑罚共有7种,结果掐去最后2种,仍成"五刑"之数,莫不是沈氏是为合"五刑"之数,而故将遣、流分开?

《唐律疏议》中的刑罚制度深受"五行"思想的影响。《名例律》"死刑二"条的疏议开宗明义,"古先哲王,则天垂法"。这里"天人合一"的传统思维已经呼之欲出。"死刑二"条的疏议又说:"斩自轩辕,绞兴周代。二者法阴数也,阴主杀罚"。这里"阴阳"理论已经隐约可见。《名例律》"笞刑五"条疏议公开宣称"圣人制五刑以法五行"。这里"法五行"的立法指导思想已经跃然纸上。汉代时董仲舒曾经论证了"五刑"与"五行"的关系:"刑所以五者何?法五行也。大辟,法水之灭火;宫者,法土之壅水;膑者,法金之刻木;劓者,法木之穿土;墨者,法火之胜金。"(《春秋繁露·五行解》)后面关于两者对应关系的说法,似乎有些勉强。《唐律疏议》则从另一个角度,对"五刑"作了说明。

唐代立法者在《名例律》前五条律条中确立了笞、杖、徒、流、死5种主刑。《疏议》对这5种主刑的内涵和历史渊源都作了详细的说明和论证,进一步将封建五刑制抽象化和体系化了。"笞刑五"条疏议解释了"笞"的定义。唐代的立法者认为"笞"包含"打"的意思,同时也可以解释为"羞耻",合在一起则是指人犯有小过失,按照法律必须加以惩罚时,就用敲打的方式以使之感到羞耻。该条疏议认为笞刑渊源于汉文帝时期对肉刑的改革。汉文帝将原来黥刑应该面涂墨的,改为剃去头发,用铁圈束颈,做守边、筑城的劳役,妇女罚做春米;原为劓刑应割去鼻子的,改为笞打300板。自此以后,笞刑开始作为一个独立的刑种出现并被保存了下来。《名例律》"杖刑五"条疏议则告诉人们杖刑类于鞭扑,其起源已经十分久远了,只有在《尚书》、《孔子家语》等少数典籍中才能看到一些零星的记载。《名例律》"徒刑五"条疏议则把"徒"解释为"奴",就是把罪犯当作奴隶般羞辱的意思。同时根据该条疏议的意思推断,徒刑的历史"盖始于周"。《名例律》"流刑三"条疏议认为设置流刑的初衷是因为不忍心对罪犯加以行刑诛杀,所以宽宥罪犯,用放逐的办法代替刑杀。该条疏议明确认定流刑始于唐尧、虞舜时期。《名例律》"死刑二"条疏议认为"死"是一种形神分离的状态:人的灵魂精气升到天上,他的形体回归了地下,随同万物冥然不觉地化尽。依据《春秋元命包》和《礼记》的记载,疏议推断斩刑开始在黄帝时,绞刑出现在周代初年,即所谓"斩自轩辕,绞兴周代"。

除了刑种之外,《唐律疏议》中刑等的设置也深受"五行"思想的影响。《唐律》中的刑等设置如下:笞刑共有五等,自笞10至笞50十;杖刑也分五等,自杖60至100;徒刑同样分五等,自徒1年至3年;流刑分三等,从2 000里至3 000里;死刑分为绞和斩二等。前面三种刑罚均分为五等,三流、二死合起来亦为五等,也正与"五行"相合。刑分五等并不是一个简单、偶然的现象,而是古人"天人合一"理论指导下的某种历史必然。为了与天上运行的"五星"相互对应,唐代的立法者必须做这样的划分,否则就悖天逆理,统治也就失去了理论上的合法性。另外,"五"为天地之中数,"五刑"的体系,也是传统法律思想中刑罚适中的体现。此外,笞、杖、徒、流四种刑罚的等级或为"五",或为"三",均为奇数,奇数为阳,以表示生刑之意,犯人的生命还不至于被剥夺;死刑(二死)则为偶数,偶数为阴,"二者法阴数也,阴主杀罚,因而则之,即古'大辟'之刑是也。"(《唐律疏议·名例律》"死刑二"条疏议)从这一刑罚的体系,我们可以清楚地看到阴阳五行说对刑罚制度的影响。也许正是因为这一缘故,唐太宗设立加役流的刑罚以后,加役流并未列入流刑作为一个正式的刑等,"三流"仍为"三流",继续保持着流刑这一"生刑"的三个等级。

3. 悄然渗入法条的阴阳观念

隋唐是阴阳五行说的完备时期,《五行大义》在此时完成。同时,阴阳五行说也随着儒家思想一起与法结合为一体,代表作正是《唐律疏议》。《唐律疏议》中直接或间接地反映了阴阳五行观点的内容。

首先,《唐律疏议》用《周易》经句来解释律中内容。《周易》是我国第一部系统阐述阴阳关系的著作,其内容充满阴阳观点和阐发阴阳的理论。《唐律疏议》引用《周易》经句来说明制定《唐律疏议》的依据。《唐律疏议·名例律》前言说:"《易》曰:'理财正辟,禁人为非曰义。'故铨量轻重,依义制律。"它告诉人们,《唐律疏议》的制定者是依据义来确定《唐律疏议》的内容。这里有个很重要的阴阳观点。该观点认为,任何事物都有阴阳两个方面,尽管表现不同,最终的归宿都是阴阳,仁和义也表现为阴和阳。前者注重教化,后者侧重用刑。《唐律疏议》是一部刑法典,以义作为依据,正好与阴阳观点吻合。《唐律疏议》还引用《周易》经句来论证规定内容的合理性。《职制律》"私有玄象器物"条疏议援引《周易》中"玄象著明,莫大于日月,故天垂象,圣人则之"之句,来说明自然界的最大阴阳现象是日月,而且只有最高统治者才能掌握这一现象。所以,此条规定,有关观察天文气象的用具和书籍,包括玄象器物、天文、图书、兵书、太一和雷公式等,"私家不得有",违者要被"徒二年"。

其次,《唐律疏议》中的一些内容体现了阴阳五行的精神和原则。在唐代,阴阳五行说的内容已与法律融合在了一起,因此尽管《唐律疏议》没有明指是阴阳五行,但其很多内容却体现了阴阳五行的精神和原则。根据阴阳五行的精神,妻与夫的关系就是一种阴阳关系,而且天是亲阳而疏阴的,所以夫的地位自然高于妻。汉代的阴阳大师董仲舒在《春秋繁露·基义》中说:"夫妇之义"是"取诸阴阳之道","夫为阳,妻为阴。""阳为夫而生之,阴为妇而助之。"但是,"天之亲阳而疏阴"。由此为出发点,原来就存在的男女、夫妻不平等被披上了阴阳五行的外衣,有了一种新的理论依据。《唐律疏议》中大量维护夫权的规定亦是这种理论的一个表现。《唐律疏议·断狱律》"立春后秋分前不决死刑"条规定的秋冬行刑制度也是阴阳五行说的表现。阴阳五行说认为,从阴阳可以延伸到五行,即土、木、金、火、水,而且许多自然现象都可以从五行中得到解释。《左传·昭公二十五年》中有一段郑国子大叔与晋国赵简子的对话,其中说:"吉也闻诸先大夫子户曰:天地之经,而民实则之……用其五行,气为五味,发为五色,章为五声……"至于一年四季,也有五行。梁启超在《阴阳五行说之来历》一文中根据阴阳五行的原则,揭示了一年四季与五行的关系,说:"一年四季分配五行:春木,夏火,秋金,冬水,所余之土无所归,则于夏秋交界时为拓一位置。"每个季节所能做的事在《礼记·月令》中做了具体规定,其中就有只能在秋冬行刑的限制。据此,《唐律疏议》确立了秋冬行刑的限制,《断狱律》"立春后秋分前不决死刑"条规定:"诸立春以后、秋分以前决死刑者,徒一年。"而其处罚依据则是唐代《狱官令》的规定:"从立春至秋分,不得奏决死刑。"只有在犯了"十恶"中"恶逆"以上的重罪以及在奴婢、部曲杀死主人的情况下,才可以不受这一法令的限制。

八 《唐律疏议》与诉讼文化

早在先秦时期,我国的诉讼审判制度就已经逐步建立,诉讼文化也开始日益发达起来。比如远在西周,在诉讼时就有了狱、讼之别,以罪名相告的为狱,即刑事诉讼,以财货相告的为讼,即民事诉讼。以后在长期的诉讼活动中,诉讼文化的内容不断充实和发展,《唐律疏议》则可以说是集中国古代诉讼文化之大成的一部小型百科全书。

1. 依礼理讼,刑期无刑

任何一个文明社会,都有争财之事,会有纠纷和诉讼,对这一现象,每一个民族、国家都有各自不同的态度。在中国,从孔夫子到明、清时代的皇帝,长达两千多年,那种面对诉讼所持的"必也使无讼"的态度,那种在实施刑罚时至少在表面上反映出来的对"无刑"目标的追求却未见任何改变,可谓是

"一以贯之"。因为他们的共同愿望,都是实现社会和谐,保证统治的长久稳定。

"无讼"观念最早始于春秋时期。作为一代文化巨人的孔子,从实现"和谐社会"的目标出发,登高一呼:"听讼,吾犹人也。必也使无讼乎。"在孔子看来,讼争意味着对和谐秩序的背叛,统治者治理国家的最终价值目标是实现"无讼"的社会。东汉陈宠在一次上疏中列举了当时西州地方的三大腐败现象而要求治理,即:"西州豪右并兼,吏多奸贪,诉讼日百数",这里明确地把诉讼数量多视为腐败现象。宋儒朱熹在其《劝谕榜》中又鼓吹:"劝谕士民乡党族姻所宜亲睦,或有小忿,宜起深思,更且委曲调和,未可容易论诉。盖得理亦须伤财废业,况无理不免坐罪遭刑,终必有凶,切当痛戒。"朱熹认为,诉讼没有赢家,小者要伤财废业,大者则要坐罪遭刑。所以争吵双方应尽量委曲求全,避免诉讼。陆游更是以"纷然争讼"为"门户之羞"或"门户之辱"。明人吕介儒说:"两家词讼……是大损阴骘事",因为诉讼就不免要"仰人鼻息,看人面孔,候人词气,与穿心只箭何异"?他认为,参与诉讼就像做贼一样羞耻,所以有损阴德。清大诗人袁枚为知县时,有兄弟三人在父死刚满七天就投状县衙,争夺遗产。袁枚见状大怒,挥毫批道:"父尸未寒,挥戈涉讼,何颜以对父祖于地下,何颜以对宗族于人间?"并立即治此三兄弟以"不孝罪"。袁枚所为之震怒的,不是此三兄弟中竟有人想独占或多占遗产的不道德或不法行为,而是"涉讼"行为本身。在他看来,诉讼本来就不光彩,而父丧之际提起诉讼犹为可耻。

《唐律疏议》对"无讼"观念的支持主要体现在其对告诉的严格限制。《唐律疏议》严格限制亲属间的告诉。根据"同居相为隐"的原则,除了犯有谋反、谋大逆和谋叛等严重犯罪,禁止亲属间互相告诉,特别是禁止卑幼控告尊长。如果卑幼控告尊长,都要依《唐律疏议》追究刑事责任。《唐律疏议·斗讼律》"告祖父母父母绞"条规定:"诸告祖父母、父母者,绞。"唐代立法者认为,倘若子、孙故意告发父、祖谋反、谋大逆和谋叛等以外的犯罪,告发人的父、祖可按同自首条文的规定处理,而告他的子、孙,应处绞刑。"告期亲以下缌麻以上尊长"条规定:

> 诸告期亲尊长、外祖父母、夫、夫之祖父母,虽得实,徒二年;其告事重者,减所告罪一等;即诬告重者,加所诬罪三等。告大功尊长,各减一等;小功、缌麻,减二等;诬告重者,各加所诬罪一等。

在唐代立法者的眼中,告发自己的期亲尊长的行为本身就违反"亲亲相为隐"的原则,即使告发的是事实,告发者也应该被判处二年徒刑。以此精神观念类推,《唐律疏议》对奴告主、囚徒告诉等做了较为严格的限制。

此外,《唐律疏议》还对告诉的程序做了严格的规制。《唐律疏议》禁止以投匿名书这一方式告诉他人。《唐律疏议·斗讼律》"投匿名书告人罪"条规定:"诸投匿名书告人罪者,流二千里。"唐统治者认为,凡有隐匿自己姓名,或者假冒别人的姓氏名字,暗中私投他人所犯事状,告发他人犯罪的,不问他所告罪是轻是重,对投告者即应处以流刑。而那些诸如把匿名文书丢弃在街道上,或者放在官府衙门中,或者用物件附书挂在牌坊匾额上等行为都在"投匿名书告人罪"规制的范围内。此外,《唐律疏议》严格制止越诉行为。《斗讼律》"越诉"条规定:"诸越诉及受者,各笞四十……"唐代统治者认为,各种词牒诉状,都应自下级官府开始,越过县级官府而直接向上一级官府甚至最高司法机构呈诉的,连同受理的官吏,都应受笞打四十的处罚。从以上规定中,可见唐代立法者对提起诉讼的谨慎态度。

2. 听狱断案,必以"五听"

在审理案件的过程中,准确地认定案件事实是评判是非曲直的关键。认定事实就必须收集和运用证据。中国古代一直认为口供是罪犯"口服心服"的重要表现,反映了被告道德上的"内心自觉",进而能为罪犯将来服法改过奠定主观基础。与此同时,口供可使司法判决在道德正当性和法律合理性方面"功德圆满",自然消解道德与法律之间的内在紧张。因此,中国古代断案极为重视被告人的口供,被告的口供被认为是最好的证据,称之为"证据之王"。日本研究中国法律史的著名学者滋贺秀三曾指出,中国古代法律规定"断罪原则上以口供为据,仅仅例外地才根据证据来断罪"。又说:"只要没有获得这样的罪行自供状,就不能认定犯罪事实和问罪。"(滋贺秀三:《中国法文化的考察》,载《比较法研究》1988年第3期)

如何取得被告的"口辞"呢?其操作方法主要就是著名的"五听"断狱。所谓以五听断狱,是指法官用察言观色的方法了解当事人的心态,然后对当事人提供的证据做出主观判断。包括辞听、色听、气听、耳听、目听。即"以五声听狱讼,求民情:一曰辞听(观其出言,不直则烦);二曰色听(观其颜色,不直则赧然);三曰气听(观其气息,不直则喘);四曰耳听(观其听聆,不直则惑);五曰目听(观其眸子,不直则眊然)。"(《周礼·秋官·小司寇》,括弧中为郑玄注)

五听断狱理论是心理学知识和中国古代司法审判实践经验相结合后的产物,是中国传统法律文化中的宝贵财富,对后世产生了重大的影响。后人在周代的基础上,继续完善和发展五听断狱理论,逐渐形成了具有中国传统法律文化特色的"五听"文化。三国时诸葛亮提出审讯时要观察犯人举止和心理的主张。他说:

> 明君治狱案刑,问其情辞,如不虚不匿,不枉不弊,观其往来,察其进退。听其声响,瞻其看视。形惧声哀,来疾去迟,还顾吁嗟,此怨结之情不得伸也。下瞻盗视,见怯退还,喘息却听,沉吟腹计,语言失度,来迟去速不敢反顾,此罪人欲自免也。(《诸葛亮集·便宜十六策·察疑》)

晋人张斐继承前人的思想,并加以发展,他以心理学理论作为理论根据,进而使这种理论的内容更丰富、更具体,提出了"本其心,审其情,精其事"这一审判原则,对封建法律的正确贯彻执行起到了积极作用。张斐从人的心理活动和外在行为之间的关系入手,论述了"本其心,审其情,精其事"的方法。他认为:"喜怒忧欢,貌在声色;奸真猛弱,候在视息。"也就是说,人的内心情感可以通过行为显示出来,而行为(包括口供的真假)也可以通过人的情绪状态来辨别。张斐对人的行为和心理活动之间的某些联系进行了总结:"是故奸人心愧而面赤,内怖而色夺……仰手似乞,俯手似夺,捧手似谢,拟手似诉,供臂似自首,攘臂似格斗,矜庄似威,怡悦似福。"(《晋书·刑法志》)

"五听"这种相当艺术化、运用起来也非常个别化的司法技术为唐朝统治者所重视,将其纳入了《唐律疏议》,指导唐代各级司法官吏相对合理地审判案件。《唐律疏议·断狱律》"讯囚察辞理"条疏议引用《狱官令》的规定说："察狱之官,先备五听,又验诸证信,事状疑似,犹不首实者,然后拷掠。"在唐代的立法者看来,审察刑狱的法官,必须首先具备五种听察,即:当事人供词情实或情虚,神色平常或紧张,气息松缓或急促,两耳倾听他的回话,两眼注视他的表情动作。在此基础之上,再勘验各种书证物证。如果这样做还不能查清犯罪事实,罪犯自己又不肯招认实情的,才能加以责打拷问。由此可知,在我国唐代,五听是官方认可的证据搜集程序中的必要步骤。司法官员要查清案件事实,首先必须运用五听的方法。如果司法官员跳过五听这一步骤,直接刑讯拷问罪犯,就是严重违反法律的行为,将受到法律的制裁。《唐律疏议·断狱律》"讯囚察辞理"条规定:"诸应讯囚者,必先以情,审察辞理,反复参验……违者,杖六十。"

唐代的立法者将五听纳入《唐律疏议》,一方面说明唐代立法者具有较强的"程序"意识,比较注重运用法定的程序性规定保护当事人尤其是被告人的合法权益,不允许司法官吏任意刑讯犯人。《唐律疏议》的制定者当中,有许多人都从事过司法实践活动,如唐临任过刑部尚书,王怀恪做过刑部郎中,段玄宝曾为大理寺卿,曹惠来任职过大理评事。(高绍先:《〈唐律疏议〉与中国古代法律文化》,载《现代法学》1997年第2期)这些人深知唐代的国情民俗和司法实践中的弊端,因此都试图通过订立一些程序上的限制来减少司法弊端。

另一方面,五听入律也说明唐代的司法活动已经成为一项专门化、技术化的工作。在唐代,"察狱之官,先备五听"逐渐成为考评司法官吏的重要标准,司法官吏只有具备了一定的司法技能,才能从事司法工作。更为重要的是,五听入律为中国的"五听"文化提供了制度依据。从此,"五听"文化成为一种制度文明长期被纳入中华法系,长久地影响后世和中国的周边地区。如《宋刑统·断狱律》就附有《狱官令》五听之制。另据著名中国法制史学家杨鸿烈先生考证,高丽的《刑法·职制》记载有:"诸察狱之官先备五听,又验诸证事状,疑似不首实,然后拷掠。"这与《唐律疏议·断狱律》中的条文几无二致。(杨鸿烈:《中国法律对东亚诸国的影响》,第40页)

3. 慎用刑讯,泛而不滥

我国的刑讯文化有着十分悠久的历史。古代又称刑讯为"拷讯"、"掠治"等,它是指在审讯过程中,法官对审问对象用暴力手段逼取口供,作为定罪量刑的依据。我国自古以来就在审讯时注重口供和实行拷讯制度,问案必须问到被告"供认不讳"为止,否则就用刑。在通常情况下,光有物证仍不能定案,非有口供不可,而被告又不会轻易承认自己犯罪,于是法官就只有靠刑讯来逼供了。

我国的奴隶社会就已经实行拷讯制度,但具体情况已无法说清。秦朝时,法律对刑讯已有了比较明确的规定。当时的审判原则,可见《云梦秦简》的《封诊式》中的规定:"治狱,能以书从迹其言,毋笞掠而得人情为上;笞掠为下;有恐为败。"其意为:能根据供辞盘问到底,不经拷掠而获得真情的是上策;经拷掠而获知真情的是下策;因为恐吓而搞不清案情的,则是审讯的失败。作为这条审判原则的具体化,秦简律文又进一步规定:

> 凡讯狱,必先尽听其言而书之,各展其辞……诘之极而数诒(欺骗之意),更言不服,其律当笞掠者,乃笞掠。
>
> 笞掠之必书曰:爰书:以某数更言,毋解辞,笞讯某。

这一规定走出了中国刑讯制度化的第一步。其意思是说,审判时必先听供辞并作笔录,让原被告充分陈述。如有疑点也不马上质问,等他们说完再有针对性地发问,对其回答再作笔录,有不能自圆其说之处可继续盘诘。几次三番责问,犹自以欺诈言语相蒙混,拒不服罪者,按法律规定该用刑的就用刑。笞掠后须在笔录上写明:当事人某某数次改变口供,经笞讯,再没有辩解了,笞讯人签字。说明当时虽对刑讯有某些限制,但还是承认刑讯的合法性,在审判活动中更是广泛使用榜掠刑讯,例如,秦二世和赵高在制造李斯反叛的假案中就使用刑讯逼供,"榜笞千余,不胜痛,自诬服"。

中华刑讯文化发达史也留下过汉朝贤王能吏的印记。如景帝时制订的《箠令》,就对笞扑拷掠所用的刑具作了明文规定。当然这一制度化的尝试并不能制止汉代司法官吏苛酷拷囚的做法,严刑讯囚,冤狱层出仍然是汉朝刑讯的真实写照,野蛮掠拷罪犯以取供定罪,及由此造成冤案的例子亦史不绝书,当时有关刑讯的法律既不完善,也未规范化,因此野蛮性和残酷性也尤其突出。

魏晋南北朝的刑讯制度又有进一步的发展。当时司法审判实践中普遍实行刑讯逼供的办法,具体的手段包括北魏"重枷",北周的"霹雳车"等。但是这些方法过于野蛮,奸吏们借此机会更是大发淫威,"吏持之以为能",从而导致冤假错案层出不穷,"囚率不堪,因以诬服"(《魏书·刑罚志》)。为了能对刑讯有所控制,各朝统治者开始制定法律,对刑具、刑讯的办法和程序作出具体的规定,刑事审讯也由此逐步步入制度化、规范化的轨道。其中,较有创意的是南梁的"测囚之法"和南陈的"立测法"。

整体而言,南梁已经形成了较为完善的断狱制度。梁武帝曾下诏规定刑讯的时间,并着重强调了"务在确实"的刑讯要旨。如《梁书·武帝本纪》记载:"天监二年正月诏曰:'……可申勅诸州,月一临讯,博询择善,务在确实。'"与此同时,为了制约司法官吏滥用刑讯权,梁代还制定了"三官共录狱"制度。据《隋书·刑法志》记载,丹阳府尹曾命令其下级官吏在每月初一审讯疑犯时,必须"令三官参共录狱,察断枉直"。更值得一提的是,梁代已经使用专门的刑具审讯疑犯。后代史官记载梁代官吏审讯犯人时只能使用"熟靼鞭小杖"(《隋书·刑法志》)。

南梁最著名的刑讯制度是"测囚之法"。"测囚之法"适用的前提条件是"击狱不即答款",这也就是说,《梁律》规定当疑犯不马上招供时,主管官吏就可以实施"测囚之法"。司法官吏具体操作"测囚之法"时,首先必须"参议牒启",然后才能命令将疑犯断食3天。3天后如果疑犯还没有招供,家人可以喂食其2升粥。此后再断食3天,家人再喂食……如此反复,直到满10日为止。如果疑犯此时还不招供,那么就应该宣布其无罪释放。为照顾到妇女和老人小孩的承受能力,《梁律》还特别规定妇女和老人小孩的断食期限为一天半,"女及老小,一百五十刻乃与粥,满千刻而止"(《隋书·刑法志》)。

"测囚之法"是南梁立法者改革、规范其刑讯手法的一次有益的尝试。其实质是企图通过使疑犯饥饿的方法来逼取口供。作为一种在"有罪推定"思维指导下的衍生物,其历史局限性在所难免。但它较之先前一味严刑逼供的刑讯方法而言,无疑又具有一定的历史进步意义。

当历史的脚步停留在南陈的站点上时,有识之士发出了改革和完善"测囚之法"的呼声。在南陈司法界那场旨在改良"测囚之法"的著名论战中,都官尚书周弘正顺应民间的呼声,大声指出:"起自晡鼓,迄于二更,岂是常人所能堪忍?"舍人盛权则认为因为"旧制深峻"的缘故,疑犯们最终能成功通过"测囚之法"而得以免罪的"百中不款者一",即最后能挺过拷讯的几率仅为百分之一。(《陈书·沈洙传》)此外沈洙、范泉等人也极力呼吁改革旧制。在南陈司法界人士的推动下,陈高宗终于下令删定旧律,改革旧的测囚法。

据《隋书·刑法志》记载,南陈讯囚法(也就是"立测法")的具体内容是:

> 立测者,以土为埭,高一尺,上圆,劣容囚两足立。鞭二十,笞三十迄,著两械及杻,上埭。一上测七刻。日再上。三七日上测,七日一行鞭。凡经杖合一百五十,得度不承者,免死。

意思是说,用土垒成高为1尺,上面呈圆形,面积仅能容纳双足的墩子。执行时,将疑犯鞭20下,打30板,手脚戴上刑具,然后命令疑犯站在土墩上。每上一次近2小时,当天罚站两次,后每逢3日和7日再上测,隔7日再鞭打。等到打满150下,仍然不招供者,免死。

相较于南梁的测囚法,南陈的立测法给疑犯在两次刑讯之间留有一定的考虑时间,而且明文规定了刑具的使用方法,进一步规范了刑讯的操作程序,从而使得刑事审讯有法可依,在一定程度上制约了狱官滥用权力。而且实施的效果也比较明显,用当时舍人盛权的话来说就是"新制宽优,十中不款者九"(《陈书·沈洙传》)。

到了唐代,为了贯彻"德主刑辅"的指导思想,立法者制定了"不合拷讯"制度。《唐律疏议·断狱律》"议请减老小疾不合拷讯"条规定:"诸应议、请、减,若年七十以上,十五以下及废疾者,并不合拷讯,皆据众证定罪。"唐代立法者认为,对《名例律》中规定的八种犯罪应议的人,应奏请八议的期服以上亲属以及孙子和官爵在五品以上的人,七品以上的官员和五品以上官员的祖父母、父母、兄弟、姊妹、妻子、子孙等人,以及依照《户令》规定的"一肢残废、腰脊折损、痴哑人、侏儒"等各种人,一概不应该拷打审讯。那么又如何来判断这些人是否犯罪呢?《唐律疏议》规定,必须要有三人以上证明这些人的犯罪情事,才能判定他们的罪。此外,唐代立法者认为罪犯还可以因为"事已经赦"的缘故不受刑事拷讯(《断狱律》"讯囚察辞理"条)。

为了保障该制度能得以实施,《断狱律》"议请减老小疾不合拷讯"条还规定,如果法官不应用刑拷问却故意用刑拷问,以致定罪畸轻畸重有所出入的,将按照故意出入人罪或过失出入人罪的法律规定论处。倘若对定罪虽没有畸轻畸重有所出入,但是枉屈拷打的,就要依照对上面各种不合捶打拷问的法律规定,以斗殴杀人、伤人罪判刑。

唐代立法者力图通过这些制度性规定倡导一种信念:一名优秀的法官应该尽可能使用司法技术来判断案情,只有在万不得已的情况下才能拷讯疑犯。这也就是律条所谓的"诸应讯囚者,必先以情,审察辞理,反复参验;犹不能决,事须讯问者……然后拷讯"。此外《断狱律》"讯囚察辞理"条还规定,司法官员拷讯疑犯时，必须经过"立案同判"这一程序。即司法官员只有在说明意见、签订文案并经过所在衙门主管长官同意的情况下，才能讯问疑犯。如果违反这一程序性规定，对司法官员要"杖六十"。（《断狱律》"拷囚不得过三度"条律注）

在如何构建刑讯制度核心内容的问题上，唐代立法者也是穷尽心力，做出了超越前代的设计。在斟酌再三、权衡利弊之后，他们把"拷囚不得过三度"条和"拷囚限满不首"条规定编入《断狱律》，厘为定制。这一做法在继承前代刑讯制度及其实践经验精华的基础上又有了新的突破。

相较于以"宽优"著称的南陈"立测法"，唐代的拷讯制度显得更为文明。唐代拷讯囚犯的次数明显少于南陈。南陈立测的次数为18次，《唐律疏议·断狱律》规定"诸拷囚不得过三度"，即拷讯的次数最多只有三次。该条疏议进一步指出，拷讯囚犯，即使审讯尚未完毕，由于某种原因移解到别的主管衙门，仍然必须拷问的，就要统算以前拷讯的次数，以此来补足依法拷讯的次数。

唐代拷讯囚犯的间隔期限也明显长于南陈。南陈的立测法是"七日一行鞭"，《唐律疏议》则规定"每讯相去二十日"，即两次审讯的中间要相隔20天。

相较于"经杖合一百五十"的立测法，"拷囚不得过三度"条"总数不得过二百"的一般性规定略显严峻。但细加分析之后，仍不难印证唐代的拷讯制度显得更为文明的观点。立测法无视拷讯对象之间的差别，一律规定只有在符合"经杖合一百五十"的条件下，坚不招供的疑犯才能免死。而唐律则不同，"总数不得过二百"只是一项一般性规定，如果罪犯所犯罪行的性质只在杖罪以下，那么就"不得过所犯之数"。即使以杖刑中的最高刑等"杖一百"为基点比较,唐代犯杖罪以下的罪犯所受的拷讯数量也要明显少于南陈时期。此外,唐律统一用"杖"责打囚犯,而立测法则交替使用"鞭"和"杖",因此李唐时期拷囚实际所受的痛苦也比南陈时要轻。

更为重要的是,立测法虽然在当时的官吏看来比较宽优,但其立法主旨仍然是指向审问的对象,而综观唐代的刑讯制度,立法者虽然也没有忘记"牧民"的使命,但其法律之剑的另一端也明显对准了酷吏。反映在律条中,就是大量地出现了惩治违反刑讯制度的司法官员的规定。《唐律疏议》规定,如果司法官吏拷讯囚犯超过三次,或者在规定的杖刑以外,用别的方法拷打囚犯,要被判处"杖一百"。如果司法官吏杖打囚犯超过规定次数,要"反坐所剩",也就是说,比如某囚犯被控犯了该处杖刑一百的罪,但法官在实际拷讯时却打了200大板,这时候,法官就要被判处多打疑犯100大板的所剩罪。如果司法官吏因为上述的原因导致囚犯身死的,就要"徒二年"。如果囚犯身上有创伤或疾病,法官不等待囚犯伤好病愈就拷讯的,要判处"杖一百";如果因此而导致囚犯死亡的,司法官员就要"徒一年半"(以上见《唐律疏议·断狱律》"拷囚不得过三度"条律文及疏议)。

此外,《唐律疏议》还规定,如果被告在被打完规定的杖数后仍然不招供的,要将该杖数反过去拷打告发者,假如后者坚持自己没有控告错的话,就应该将双方取保释放。但对"被杀、被盗家人及亲属告者,不反拷"。如果司法官员违反这一规定,就"以故失论"(《唐律疏议·断狱律》"拷囚限满不首"条)。

4. 立制设范,依法断狱

先秦时期,法家注意到了"法之不行,自上犯之"的历史教训,除了主张民众必须守法外,还特别强调了作为统治阶级的君主和官员应该按照法律的规定行事。他们认为只有执法者遵守法令,才能保证法令的贯彻,只有"置法以自治,立仪以自正"的君主才是"有道之君"。从此出发,他们要求君主"先民服",即带头守法;主张各级官员必须守法,否则将被治以重罪。此外,法家还极力提倡"刑无等级"的观念,商鞅认为,"刑无等级,自卿相将军以至大夫庶人,有不从王令,犯国禁,犯上制者,罪死不赦"。这一观念体现了法家执法的坚决和在适用法律上的平等要求。

唐代统治者高度重视"从法"思想。太宗要求官吏"守文定罪",而自己从谏如流,对法律的修订与废止尽量按一定程序办理。在个人意志与法律相冲突时,太宗认为"敕者,出一时之喜怒。法者,国家所以布大信于天下也"。"忍小忿,而存大信"是其为政的准则。在最高统治者的积极倡导和配合下,法家的"从法"思想与唐代的社会现实需要进一步结合,逐渐形成了"依法断狱"的诉讼精神。在司法领域中也逐步形成了"有司断狱,多据律令,虽情有可矜而不敢违法"的封建法制局面。

《唐律疏议》根据案件的性质、犯罪行为的轻重,明确规定了各级审判机关的审决权限:凡属笞刑、杖刑范围以内的犯罪行为,县级有判决执行权,其余向上级申报;凡属徒刑范围的犯罪行为,州和府有判决执行权;应处流刑、死刑的案件,须经地方机关向上级申报,由大理寺判决,各级司法机关不得逾越权限。如果不遵守这一规定,对于应该"言上"和"待报"的案件擅自判决的,"各减故失三等"论处。附带说一下,唐律还规定,如果一个案件涉及两个地方,一般是把犯人移送到先犯案的地方,但要服从"轻从重;轻重等,少从多;多少等,后从先"的原则,即案情轻的服从重的;轻重相等则视犯人多少,少的服从多的,多少相等的,后发案的移送先发案的。两地相距百里以上,不致走漏消息的,"各从事发处断之"。违者杖 100。

关于诉讼的程序,历代均严格规定,普通诉讼必须首先向最低一级审判机关提出。对该级审判机关的判决不服,才准许逐级向上控诉。如果违反这一诉讼程序,谓之越诉。越诉者以及接受越诉案件的官吏都要受到处罚。《唐律疏议·斗讼律》规定:"诸越诉及受者,各笞四十。若应合为受,推抑而不受者,笞五十。"对越诉者和接受越诉的官员要处罚,对人们依照程序进行诉讼,司法官应受理而故意推抑不受理的也要处罚。

唐律一面禁止越诉,一面又完善了直诉这一特殊的司法救济程序。直诉,即不经一定的审判机关和诉讼程序,直接向朝廷申诉冤屈,它是在案情较重,冤抑无处申诉时采用的特别上诉方式,俗称"告御状"。

直诉起源于《周礼》所载的路鼓和肺石制度。所谓路鼓,是在宫殿内设立路鼓;如有冤屈欲诉无门者和有紧急事的人要上达于王,可来击鼓,掌鼓官吏闻声前来了解情况,然后向王报告。所谓肺石,是用设置肺石(赤色的石头)来使有冤之人的冤情上达。无论地方远近,凡是没有兄弟、子孙及老幼者,有冤上诉于王而其长官不予置理的,可在肺石上站立 3

天,然后由士听取其辞,报告于王,并将不上达的长官治罪。但此制已难考实。汉时允许向皇帝直诉则是可信的,汉文帝时,淳于意的小女儿缇萦上书天子,欲以己身赎父罪,就是例证。

直诉作为一项正式的上诉制度,确立于魏晋南北朝,而完备于唐。此后,直诉制度主要采用三种形式:第一,敲登闻鼓。即于朝堂外悬鼓,有欲申冤者,可击鼓上闻。据目前所知,将直诉所击之鼓称为登闻鼓,始于晋朝,此后历代相承,成为定制。北魏时,宫阙左面"悬登闻鼓,人有穷冤,则挝鼓,公车上奏其表"。唐朝时候,在东(洛阳)西(长安)两京城门外设登闻鼓,任凭申冤者敲挝,以求皇帝得知其事。宋代设置有登闻鼓院,专门受理击登闻鼓申诉的案件。第二,上表,即直接向朝廷上表章,披陈冤情。唐代武则天掌政时,为收受吏民投书申诉冤屈,检举官吏犯法以及进谏等,设铜匦四个于朝堂,名之曰"匦"。其中西面那个涂白色的称"伸冤匦",受纳诉状,并有专人处理。后四匦合为一匦,作用未变。这是上表的一种方式。第三,邀车驾。即遇皇帝出巡时,准许在路旁迎驾喊冤申诉。唐以后都有邀车驾。

直诉制度确立以后,一些封建统治者为通达下情,平反冤狱,防止官吏枉法,有时对之还相当重视。《唐律疏议》为避免各种直诉为主司不予受理的情况发生,规定:"即邀车驾及挝登闻鼓,若上表诉,而主司不即受者,加罪一等。"同时,承认受冤枉者的亲属有代诉权。

然而,历代对直诉又都有种种限制。《唐律疏议·斗讼律》规定:"诸邀车驾与挝登闻鼓,若上表,以身事自理诉,而不实者,杖八十(即故增减情状,有所隐避诈妄者,从上书诈不实论)。""其邀车驾诉,而入部伍内,杖六十(部伍,谓入导驾仪仗中者)。"

唐代统治者认为,虽有律、令、格、式等法律形式,但只有律才是断狱的直接依据,所以司法官断狱必须依律文,不可擅自引用其他条文。《唐律疏议·名例律》"称日年及众谋"条疏议说:"令为课役生文,律以定刑立制……刑名事重,止可依据籍书。律、令文殊,不可破律从令。"

"断狱必依律文"的思想甚至认为皇帝的敕令,也不可普遍适用。《唐律疏议·断狱律》"辄引制敕断罪"条规定:"诸制敕断罪,临时处分,不为永格者,不得引为后比。若辄引,致罪有出入者,以故失论。"唐代立法者认为,皇帝的制书和敕令,只是依据当时的实际情况而变通处理,不能作为永久性的定规,因而也就不能援引当作以后比照处理的准则。

唐代统治者十分重视依法量刑,将其作为依法断狱的一个重要组成部分。《唐律疏议·名例律》"称加减"条规定:

> 诸称"加"者,就重次;称"减"者,就轻次。惟二死、三流,各同为一减。加者、数满乃坐,又不得加至于死;本条加入死者,依本条。其罪止有半年徒,若应加杖者,杖一百;应减者,以杖九十为次。

《唐律疏议》规定的五刑共有二十等,但加、减刑时因具体情况不同而有所不同。加刑时按照刑等等加,减刑时笞、杖、徒刑按照刑等等减,而死、流刑以刑名的等级等减。比如有人犯杖刑 100 的罪,应该加重一等的,就判处徒刑 1 年;应该减轻一等的,就判处杖刑 90。而假使有人犯流刑发配 3 000 里的罪,应该减轻的,就应按照刑名的等级判处徒刑 3 年,而不是按照刑等的等级判处流刑 2 500 里。此条规定确立了《唐律疏议》

依法加减刑罚的基础。

此外,《唐律疏议》还对疑罪的量刑作了规定。唐代的立法者认为,疑中可能会有冤、假、错案,所以不可以擅自独断专行,应该另做议论。《唐律疏议》的最后一条律文"疑罪"条律注规定,疑罪包括:"虚实之证等,是非之理均;或事涉疑似,傍无证见;或傍有闻证,是非疑似之类。"这里"虚实之证等"是说八品以下的官员和平民犯的罪,一人证明是假,一人证明是真,二人以上真假的坐证,人数又相等;或者七品以上的官员,各根据众人证明来定罪,众人证据真假和作证人数也相等的情况。"是非之理均"主要指论断有对的地方,也有错的地方,双方的理由也相等,难分高下的情形。"或事涉疑似,傍无证见"是说贪赃、盗窃财物的情节,似假似真,旁边又没有见证人的情况。"或傍有闻证,是非疑似"则是指旁边有听到、看到的人,但那件事又完全不是没有可疑类似的地方。"之类"则泛指诸如有的从行迹上看起来是对的,但从事状验证却是不对的情形,或者有的是从听到的见证人的说法是一致的,但从情理来推断却是不对的情形等。"疑罪"条同时规定了处理办法:"诸疑罪,各依所犯,以赎论。即疑狱,法官执见不同者,得为异议,议不得过三。"如果司法官违反以上规定,都要依"出入人罪"受罚。

违法必究也是唐代"依法断狱"思想的题中之义。唐代统治者认为,依法断狱是司法的主要内容,违法断狱行为会对法制甚至国家造成危害,因此必须严究这类犯罪者的法律责任。根据这类犯罪的特点,《唐律疏议》以反坐为原则严惩犯罪人。《唐律疏议·断狱律》"官司出入人罪"条规定:

> 诸官司入人罪者,若入全罪,以全罪论;从轻入重,以

所剩论；刑名易者，从笞入杖、从徒入流亦以所剩论，从笞杖入徒流、从徒流入死罪亦以全罪论。其出罪者，各如之。即断罪失于入者，各减三等；失于出者，各减五等。若未决放及放而还获，若囚自死，各听减一等。即别使推事，通状失情者，各又减二等；所司已承误断讫，即从失出入法。虽有出入，与决罚不异者，勿论。

这里"官司入人罪"是说主管审判的官员或者假立证据，或者任意捏造别的事端，抛弃法律，专用私情，罗织罪名陷人于罪的行为。包括故意增多或减少犯罪的情节，能够改变案件事实的；或者听到国家将进行赐恩行赦，故意提前处决罪犯；以及暗示诱导、教唆指使，使罪犯的口供、情状前后背离等情况。主管审判的官员犯有此罪，以全罪论处。也就是说，被告本来没有罪状，却被诬陷构成罪名，则主管审判的官员依照此捏造的罪名处罚。如果法官判案时将轻罪错判为重罪，主管审判的官员将按照两罪相差的部分论处。诸如原本按罪应判处笞刑十下的，现在被枉判为笞刑30下，则该主管审判的官员将被判处这多出的笞刑20下。如果由于法官的错误导致罪犯所处的刑名改变的，像原来应判笞刑却被判处了杖刑，则主管审判的官员也将按照剩下多判枉入杖刑的罪论处。官司出人罪的情形也大致相同。

九 《唐律疏议》的立法技术和语言风格

应该说,《唐律疏议》的成书,是自汉迄唐几代律学家智慧的结晶。两汉律学为适应大一统的需要,以引经注律为主要特征,由此研究儒家经典的章句之学被运用于注律,这是两汉注律方法上的新创造。魏晋律学更是得到了空前的发展,其中曹魏律、晋律是律学家带有总结性的产物,而北齐律更是隋唐律的蓝本。经过唐初几次修订法律的磨炼,《永徽律》已相当成熟,《唐律疏议》作为官方律注,不仅使科举明法有了"凭准",而且为司法官提供了"引疏分析"的依据。在内容上,它既有对法律精神、法律原则与名词术语的规范性解释,也有对实际操作中可能发生的问题的预见和处理。从法典的编撰水平来看,《唐律疏议》不愧代表了中国律学的最高成就。

1. 章程靡失，鸿纤备举

唐朝立法充分吸取前代经验，技术相当完善。律、令、格、式四种法律形式各有分工，又相互联系，并行不悖，相得益彰，体现了立法技术上的高度成就。《唐律疏议》以《名例律》为纲，其余 11 篇为目，篇章结构井然有序，将人们各个方面不利于封建统治的种种行为，甚至设想到的可能发生的行为，尽量纳入法典。正如《名例律》篇首疏议所说：唐律"章程靡失，鸿（大）纤（小）备举"，而律文只有 500 条，实现了唐太宗所要求的"简约"原则。

《名例律》篇与其他各篇之间的律文互相呼应，纲举目张，在同一篇中各条之间，以及同一条中各项之间，彼此关照，全部律文紧密相扣，可以说基本上是"滴水不漏"。鉴于人们的行为千差万别，而律文毕竟有限，为了尽可能不放过任何犯罪，又使司法实际工作不致因无法可循而发生疑虑和处断失当，《唐律疏议》通过在《名例律》篇中设置关于"本条别有制"、"轻重相明"，以及《杂律》篇中关于"坐赃"、"违令式"、"不应得为"等规定，从制度设计上消解这一问题。在当时条件下，设想能如此周密，实属不易。

从《唐律疏议》各条律文及其解释的文字来看，也极有特色。比如律文的规定，长的可说是条分缕析，一波三折，短的则如玉珠落盘，干脆利落。

唐律条文，长的如《名例律》"除免官当叙法"条，不算律注和疏议，光律文就有一百八十多字，其中详细说明了各级官吏犯罪以后被除名的，免除其官职和爵位的具体办法和程序，包括免官后课役如何征,妇人因其所得的封号如何处理,重新任官的年限,免官后又犯罪的怎样处理,等等。如果算上疏议的话,则《名例律》的"十恶"条,在刘俊文的《唐律疏议》(中华书局1983年版)中,从第6页到16页,占了11页的篇幅。它通过"律文"、"注"、"议"及"问答",对"十恶"罪各种罪状的构成作了详细的解释,为分则中各篇进一步具体的定罪量刑规定提供了依据。

短的律文如《贼盗律》"公取窃取皆为盗"条:

  诸盗,公取、窃取皆为盗。

整条律文竟只有短短9个字!而且该条文是唐律分则中很少见的没有规定具体犯罪及其刑罚的条文,但该条律文和疏议却通过简洁的文字说明了"盗"罪的分类、定义以及确定盗罪的具体要求。该条律注说:

  器物之属须移徙,阑圈、系闭之属须绝离常处,放逸飞走之属须专制,乃成盗。若畜产伴类随之,不并计。即将入己及盗其母而子随者,皆并计之。

该条疏议进一步说明:

  "公取",谓行盗之人,公然而取;"窃取",谓方便私窃其财:皆名为盗。注云"器物之属须移徙"者,谓器物、钱帛之类,须移徙离于本处。珠玉、宝货之类,据入手隐藏,纵未将行,亦是;其木石重器,非人力所胜,应须驮载者,虽移本处,未驮载间,犹未成盗。但物有巨细,难以备论,略举纲目,各准临时取断。"阑圈系闭之属须绝离常处",谓马牛驼骡之类,须出阑圈及绝离系闭之处。"放逸飞走之属",谓鹰犬之类,须专制在己,不得自由,乃成为盗。"若畜产伴类随之",假有盗马一匹,别有马随,不合并计为罪。即因逐伴而来,逐将入己,及盗其母而子随之者,皆并计为罪。

该条律文和疏议首先指出,公然劫夺他人财物和私下窃取他人财物均属于盗罪。然后进一步说明,如果财物内容是器物、钱币、布帛等物,必须是转移搬迁离开了作案的原处;而如果是珠玉、珍宝之类的东西,只要已藏匿于手中,即使没有带走同样构成盗取。如果是木质、石制的笨重器物,光靠人力无法搬动,必须用畜力驮载的,只要东西未载上牲畜,就不构成盗罪。其他器物的情况,则要视情灵活比照断案。如果是公取、窃取马、牛、骆驼、骡等牲畜,必须牵出栏、圈,离开拴系禁闭的地方;老鹰和狗等禽兽必须将其控制在手,不让其自由离去,这样才构成盗罪。最后还特地注明:如果有人盗取了一匹马,另外有马跟随而去,不能合并计算作为本罪。而假如顺手将逐伴而来的牲畜占为己有,以及盗取母畜,幼畜跟随在后的,就都要合并计赃判罪了。

《唐律疏议·杂律》"库藏仓燃火"条是全书中律条和疏议全部加在一起字数最少的一条。该条律文为:"诸库藏及仓内,皆不得燃火。违者,徒一年。"疏议曰:"凡官库藏及敖仓内,有舍者,皆不得燃火。违者,徒一年。"即使连"疏议曰"四个字计算在内,总共也不过40个字。它以简洁的语言规定:凡公家府库和国家粮仓里面,有房舍的,都不准烧火。违犯的,处徒刑1年。

2. 一字褒贬,力透纸背

不仅如此,《唐律疏议》还形成了一种独特的语言风格。

有学者将这种风格概括为"文字简练,句式完整,诠释确切,褒贬分明"(高绍先:《〈唐律疏议〉与中国古代法律文化》,载《现代法学》1997年第2期)。

《唐律疏议》不仅汇总了许多前代刑典已经使用的名词,而且还创造了许多中华法系的专有名词。这些专有名词用词精当,且能传神,如《唐律疏议·斗讼律》"保辜"条所使用的"保辜"一词。保辜是指伤人后,按法定期限,视受害人的伤势结果对犯罪者定罪量刑的一种制度。《疏议》的解释是:"保,养也;辜,罪也……保人之伤,正所以保己之罪也。"这样的规定可以促使犯罪者在期限内积极为伤者延医治疗,探视慰问,有利于化干戈为玉帛,稳定社会关系。《名例律》"称监临主守"条对唐律中经常用到的"监临"、"主守"的含义作了说明:

> 诸称"监临"者,统摄案验为监临。(谓州、县、镇、戍、折冲府等,判官以上,各于所部之内,总为监临。自余,唯据临统本司及有所案验者。即临统其身而不管家口者,奸及取财亦同监临之例。)称"主守"者,恭亲保典为主守。虽职非统典,临时监主亦是。

同条疏议又进一步解释说,称统摄的,是指京内京外各主管衙门统领掌管所属各部门的长官。案验,是指各衙门中的判官,其职掌为签判案件处断公事。主守,是指保管本单位案牍的橡吏,专门主管执掌施行出纳文案的,以及主管仓库、狱囚、杂物等一类的人。本职上虽不是管领部门的官员,临时被派遣监临主守的人也是。经过这么一解释,现在看来陌生,但在唐律处理职务犯罪时经常使用的"监临"、"主守"等词所指的范围也就很容易明白了。

又如"势要"一词,是指虽非主要负责官吏,但有特殊的背景或关系而形成权威的人,类似今日所谓之"实权派"。疏议说:"谓除监临以外,但是官人,不限阶品之高下,唯据主司畏惧,不敢乖违者,虽官卑亦同。"对这种特殊官员,《唐律疏议》规定要和监临官一样加重其刑。名为"势要",可谓精彩。

除此之外,《唐律疏议》文字简练,用语确切,许多条文诚不能增损一字。如《贼盗》"夜无故入人家"条。"夜",说明犯罪的特定时间;"无故",说明行为人的主观认识;"入",说明行为特征;"人家"说明犯罪行为侵犯的对象。仅用6个字,就将此种犯罪的时间、地点、主观、客观等特征说得清清楚楚。

又如"谋反",虽是"十恶"之首,但仍有不同情节。《唐律疏议》对几种不同情节的叙述很有分寸。一种情节表述为"虽即谋反,词理不能动众,威力不足率人者(谓结谋真实,不能为害者)";一种表述为"口陈欲反之言,心无真实之计,而无状可寻者";另一种表述为"自述休征,假托灵异,妄称兵马,虚说反由,传惑众人,而无真状可验者"。三种情节区别的关键在于是否"真反"。第一种是"真反","结谋真实",但缺乏实力,不能对政权构成威胁。第二种是有造反的言辞,但无造反的思想。或发抒愤激,或宣泄怨恨,或故作豪言,一吐为快,说说而已。"无状可寻",即无"真反之状"可寻。第三种则是借此行骗敛财,并无造反之意。无状可验,指无"假托之状"可验。三者情节不同,处罚自然也不同。第一种本人虽定处斩,但父母子女妻妾不受绞刑,而是流3 000里。第二种因并非真反,处罚略轻,本人流2 000里,且不株连亲属。第三种根本不入十恶,只按"造妖书妖言"条处罚,连定罪也不同了。这样,《唐律疏议》用较为简易的语言,原则上区别这几种不同情节,界定清楚,判明轻重,显示出了相当高超的立法技术。

另外,《唐律疏议》的用词极富感情色彩,有"一字之褒,重于华衮;一字之贬,严于斧钺"的功力。如对"八议"的"议贤",用"贤人君子,言行可为法则"等语;对"议能",用"能整军旅,莅政事,盐梅帝道,师范人伦"等语;对"议功",用"斩将搴旗,摧锋万里,或率众归化,宁济一时,匡救时艰,铭功太常"等语;对"议勤",用"恪居官次,夙夜在公,若远使绝域,经涉险阻"等语。语句之间多注重排比,朗朗上口,极有气势,历史上那些良将贤相,忠臣清官的形象一一跃然纸上。与此形成鲜明对比的,是对十恶大罪的诛语。什么"包藏祸心,将起逆心,规反天常,悖逆人理",什么"枭獍其心,爱敬同尽,五服至亲,自相屠戮,穷恶尽逆,绝弃人理",什么"禽兽其行,朋淫于家,紊乱礼经",如此等等,将乱臣贼子的丑恶嘴脸揭露无遗,语词背后的道德谴责意味十分浓重!

3. 以疏释律,尽显律意

如上所述,《唐律疏议》的立法成就,至少有一半在其用以解释律义的疏议。唐律中的法律规定凭借这些解释的文字,渗透到了那些普通律文难以照顾的方面和难以描画的深处。根据钱大群教授的研究,和现代法理上的分类一样,唐律中的解释,在性质上也有立法解释、司法解释及学理解释的区别,而且这三种解释都是有权解释。

唐律有权解释是由皇帝授权的结果。在《永徽律》颁布之后,"律疏"的编写是由皇帝下诏"委托"进行,完成后又奏请皇帝颁行的。当时负责撰写律疏的长孙无忌等人"捴金匮之故事,采石室之逸书,捐彼凝脂,敦兹简要,网罗训诰,研覈丘坟"

(长孙无忌:《进律疏表》),用力不可谓不勤。疏文连同律文一起颁行后,全国的审判官都引用它剖析审判案件。所以,律的"义疏"是不折不扣的立法解释兼司法解释。

同现代刑法中的情形一样,唐律中有些律文本身就是解释性的律文。如《名例律》"称期亲祖父母等"条规定说:

> 诸称"期亲"及"祖父母"者,曾、高同,称"孙"者,曾、玄同。嫡孙承祖,与父母同。(缘坐者,各从祖孙本法。)其嫡、继、慈母,若养者,与亲同。称"子"者,男女同。(缘坐者,女不同。)称"袒免以上亲"者,各依本服论,不以尊压及出降。义服同正服。

说明了凡律条中出现有关各种亲属的名称所指的亲属范围,如律条中提到"期亲"、"祖父母"的场合,曾祖父母、高祖父母也在内;提到"孙"的,曾孙、玄孙也在内。嫡母、继母、慈母或养母,则等同于亲生母的服制。称"子"的,包括儿子和女儿。称"袒免以上亲"的,都以血亲的原来服制算。拟制血亲的服制和血亲的服制一样对待。通过这些解释,庶免在执法时产生歧义。又如《名例律》"除免比徒"条规定:"诸除名者,比徒三年;免官者,比徒二年;免所居官者,比徒一年。"也就是说,官吏附加之官爵撤免的刑罚"除名"、"免官"及"免所居官",分别相当于徒刑3年、2年及1年。实际上,这一条律文完全是解释性条文,是适用于诬告官吏,致使官吏可能要受到除名、免官、免所居官处罚的诬告犯,对其反坐时要按3年、2年及1年徒刑反坐,否则普通老百姓无"名"可除,反坐其"除名"之罪,岂不是要落空了。

唐律中的立法解释,还表现在注文对律文中的有关概念进行的解释或补充。如《贼盗律》"强盗"条的律条在"强盗"一词下注文的解释是:"谓以威若力而取其财,先强后盗、先盗后强等。若与人药酒及食,使狂乱取财,亦是。即得阑遗之物,殴击财主而不还;及窃盗发觉,弃财逃走,财主追捕,因相拒捍:如此之类,事有因缘者,非强盗。"这里注文先对"强盗"的概念作了肯定性的解释,并举例予以说明,然后再通过否定举例,使人从区别中更精确地理解其正确含义。再如上引《名例律》"称期亲祖父母等"条的注,说明了遇到亲属缘坐时应当如何处理的情况。比如嫡孙承祖,遇反逆应缘坐时,仍按祖孙关系处理,没而不死,而不是按照"父子年十六以上皆绞"的规定处死刑;一般情况下凡称"子"的,都包括儿子及女儿,但在缘坐时,除非本条明确缘坐及女者,都不缘坐至女儿。

此外,疏文中关于律文修改的说明,也有典型的立法解释的内容。如《名例律》"十恶"条对"六曰大不敬"的注文"指斥乘舆,情理切害"的解释,疏文介绍了注文在立法过程中的变易修改情况,说明修改的原因,使用法者正确地依律义贯彻执行。

不仅如此,疏文在进行立法解释的过程中,通过列举同惩罚性律文相对的作正面规定的《令》、《式》的内容,以供用法者正反对照。《卫禁律》"烽候不警"条在关于"放烽已讫,而前烽不举,不即往告"的犯罪下,疏文先引用《职方式》"放烽讫而前烽不举者,即差脚力往告之"的法规要求,之后在"不应举烽燧而举"下,疏文又列举《式》关于"望见烟尘,即举烽燧"的制度内容。这些解释从正反对比中让人正确理解律文的规定和精神。又如《名例律》"流配人在道会赦"条规定,流配人在发配路上遇皇帝发布赦令,如果计算行程已超过了规定限期的(如流2000里,规定步行只能40日,而超过40日的),就不得赦原。疏文在解释"行程"时,引《令》文关于马1天算70里,驴及步行算50里,车算30里的规定,以便在计算行程时有直接的法律依据。

除了立法解释外,唐律中的司法解释同样也是关于审判过程中如何应用法律的内容,这些内容对各级审判机关具有普遍的效力。唐律中的司法解释在疏文、注文及律文本身都有体现。

在律疏中,运用了自秦朝以来在上下级司法机关中一起使用的"法律答问"形式,进行假设性的解释,以解决司法实践中会遇到的带有典型性的某类问题,如《户婚律》"妻无七出而出之"条规定了非法以"七出"理由休妻的犯罪,而疏文对其中"无子"出妻的年龄要求这样解释:"问曰:妻无子者,听出。未知几年无子,即合出之?答曰:律云:'妻年五十以上无子,听立庶以长。'即是四十九以下无子,未合出之。"

注文常常对律文有关情况的法律适用起指示作用,具有典型的司法解释性质。例如《捕亡律》"被殴击奸盗捕法"条规定:"诸被人殴击折伤以上,若盗及强奸,虽傍人皆得捕系,以送官司。"注文紧接着解释:"捕格法,准上条。即奸同籍内,虽和,听从捕格法。"在这里,注文明确指出,如在本条捕系情况下,遇有"上条"所说的"持仗拒捍",抗拒捕系的,就应依照"上条"(即"罪人持仗拒捕"条)中之"捕格法"处理,指示了法律使用时适用其他法条的有关情况。

律文本身常常也以类推比附的方法进行司法解释,从而指示律文处罚的类比运用。如《诈伪律》"诈除去死免官户奴婢"条关于主司匿脱罪犯的处罚问题,律条采用比附、解释说明"主司不觉匿脱者,依里正不觉脱漏法",即应依《户婚律》

"里正不觉脱漏增减"条规定的犯罪处罚。

现代刑法的律文内一般没有学理解释,但在《唐律疏议》内,除了立法解释和司法解释外,还包含有学理解释。《唐律疏议》中的学理解释主要包含在疏文部分。唐代编写《唐律疏议》的最初目的,是提供科举制下"明法"科考试的依据。仅从这方面看,"律疏"就有学理解释的作用。而且,唐律的疏文中确实有很多内容在现代刑法理论上属于学理解释。唐律的疏文中有一部分内容引用古代的礼书来解释律文的精神和立法的用意,这部分解释虽然对定罪判刑非为直接的指令,但却是对用法者重要的思想指导。这些内容基本上是维护封建伦常纲纪和实行等级统治的礼教原则。例如《名例律》"十恶"中,疏文对"谋反"的解释引用了《春秋》公羊传中"君亲无将,将而必诛",《左传》中"天反时为灾,人反德为乱",来解释谋反的性质和危害。疏文探求制度的由来,并对事物作考证,以示制度的庄严正统,如在唐律12篇每篇篇名后疏文都专列有考证各篇历史沿革的文段。又如《名例律》"八议"条的疏文,引用《周礼》的记载,企图通过说明"八议"制度源于西周的"八辟"古制,从而证明"刑不上大夫"古已有之,天经地义。在"十恶"条"六曰大不敬"的注文"造御膳,误犯食禁"下,疏文引用《周礼》关于"食医掌五王之八珍"的记载,说明"造御膳"制度的悠久和严肃。但是同现代刑法的解释不同,唐律疏文中的学理解释内容并不分离在法律之外,而是存在于法典之中。这些解释虽然是考证性的,同定罪量刑无直接的关系,但是它们往往在立法和用法的指导思想上有重要意见,所以其性质仍是有权解释,是刑律的组成部分。

再以解释方法的不同来区分,唐律中的解释也有文理解释和论理解释两种，它们也都是有权解释。

唐律的文理解释表现在许多方面。律条本身有专门的文理解释，如《名例律》"称日年及众谋"条："诸称'日'者，以百刻。计功庸者，从朝至暮。"注文也有专门的文理解释，如前所述，《贼盗律》"强盗"条下有"谓以威若力而取其财，先强后盗等"的解释。疏文中同样也有专门的文理解释，例如《名例律》"以理去官"条的律文规定"诸以理去官，与见任同。"疏文解释说："谓不因犯罪而解者，若致仕、得替、省员、废州县之类，应入议、请、减、赎及荫亲属者，并与见任同。"这些解释都是典型的文理解释。

《唐律疏议》中的论理解释是依据律文进行的逻辑推理性解释。它也有扩张解释和限制解释之分。

《唐律疏议》中的扩张解释首先大多表现为注文对律文的适用范围进行扩大解释。如《杂律》"博戏赌财物"条的规定："诸博戏赌财物者，各杖一百；（举博为例，余戏皆是。）赃重者，各依己分，准盗论。（输者，亦依己分为从坐。）"这里，前一条注文，将该律文的适用范围从"博戏"扩大到了"余戏"；后一注文则进一步扩大解释，指出该律规定的处罚，不仅适用于赌博的赢方，而且也适用于输方。

疏文同样有扩张解释的作用。《擅兴律》"非法兴造"条规定："诸非法兴造及杂徭役，十庸以上，坐赃论。"疏文解释说："'非法兴造'，谓法令无文；虽则有文，非时兴造亦是。"这里疏文对律文的"非法兴造"从"法令无文"解释到"非时兴造"，即属于扩张的论理解释。

《唐律疏议》中的限制解释表现在注文对律条的适用范围进行限制解释。如《贼盗律》"憎恶造厌魅"条关于厌魅杀人的适用范围,律文规定"诸有所憎恶,而造厌魅及造符书咒诅,欲以杀人者,各以谋杀论减二等",注文说,"于期亲尊长及外祖父母、夫,夫之祖父母、父母,各不减"。注文明确对造厌魅及符书杀人罪以谋杀论"减二等"的处罚原则仅适用于常人之间,对侵犯上述亲属者不予适用。(钱大群:《唐律研究》,第47~52页)

4. 严丝合缝,前后呼应

在《唐律疏议》中,关于十恶、八议和其他一些规定,向被视为我国古代刑法特点和本质的集中体现。其中源于西汉、形成于北齐、完备于隋唐的十恶之目,更可说明古代刑法的打击重点,为了巩固封建统治的需要,它甚至可以使八议、故意过失的区分、同居相为隐、自首减免等根本原则失灵或无效。而《唐律疏议》对"十恶"罪条和刑罚的规定也是运用了非常复杂的立法技术和相当弹性的方法。

《唐律疏议·名例律》在规定了五刑之后,紧接着就标示了十恶条目,并用注分别规定了十恶罪的内容。然而,对十恶各具体罪名及其处刑的规定,则散见于《名例律》以外的其他各篇之中。

我们将与十恶有关的条文稍作归类,可以发现有关十恶罪条的规定,大致分为以下几种情况:

第一,一事类由一条目加以规定。如谋叛即由《贼盗律》"谋叛"条加以规定,分为始谋未行和已上道两种情况。另外,亡命山泽,不从追唤者,亦以谋叛论。

第二,数事类规定于一条目中。如《贼盗律》"谋反大逆"

条就包括了谋反和谋大逆。其中谋反不必有结果,只要有犯意表示或预备行为即足以构成此罪。而谋大逆则分为已行与未行。

并且,由于犯罪对象、方法或目的的不同,可以使同类的犯罪行为具有不同性质或程度的危害,这样就可能使同一条目中的规定分别归属于十恶中的不同事类,这是数事类同属于一条目的比较常见的情况。例如《贼盗律》"谋杀期亲尊长"条:"谋杀期亲尊长、外祖父母、夫,夫之祖父母、父母"(外祖父母以下须杀讫),是为恶逆;而同条"谋杀缌麻以上尊长"及"尊长谋杀卑幼者",则入不睦。同样,"憎恶造厌魅"条包括了不道、大不敬和不孝;《斗讼律》"妻殴詈夫"、"殴缌麻兄姊等"和"殴兄姊等"诸条又都包括了恶逆和不睦,等等。

第三,一事类为规定于几个条目中的数罪名之总称。这是十恶罪条的规定中最为普通的一种情况,自恶逆以下皆属此。如恶逆的具体内容可见于《贼盗律》和《斗讼律》中的5个条目,大不敬可见于《职制律》、《贼盗律》、《诈伪律》、《杂律》4篇9个条目,而不孝则涉及了《职制律》、《户婚律》、《贼盗律》、《斗讼律》和《诈伪律》5篇8条。余下的不道、不睦、不义和内乱也都是几个罪名的总称。

十恶罪名的规定,一般说来,是比较规则的。《名例律》"十恶"条的内容在各篇大都可以找到相应的条文,但偶尔也有特殊的情况。

首先由于法律条文不可能将各种复杂的现象概括无遗,长孙无忌等人合撰的律疏就起了拾遗补阙、解释发挥的作用,这样也使一些有关十恶的内容淹没和混杂于其他条文之中。

经过《唐律疏议》的解释,在十恶罪中,有的行为作了加重处理。《名例律》"大不敬"条疏议解释：合和御药不如本方或封题不符，造御膳犯食禁及御幸舟船不牢固，"如其故为，即从'谋反'科罪"。又《贼盗律》"憎恶造厌魅"条疏议，直求爱媚而厌咒，"若涉乘舆者，罪无首从，皆合处斩。直求爱媚，便得极刑，重于'盗服御之物'，准例亦入十恶（按：为大不敬）"。

有些罪条经过类比和疏议的解释扩大了范围。《名例律》"十恶"条疏议对"大不敬"行为之一"盗大祀神御物"解释说："神御之物者，谓神祇所御之物。本条注云：'谓供神御者，帷帐几杖亦同。'造成未供而盗，亦是。酒醴馔具及笾、豆、簠、簋之属，在神前而盗者，亦入'大不敬'。"这样便使"盗大祀神御之物"的实际内容扩大了。

同条疏议又称，合和御药，误不如本方及封题误；若造御膳，误犯食禁；御幸舟船，误不牢固"三事，皆为因误得罪，设未进御，亦同十恶"。同样是将"大不敬"的适用范围扩大了。

再有，《杂律》"弃毁亡失神御之物"条："诸弃毁大祀神御之物，若御宝、乘舆服御物及非服而御者，各以盗论。"疏议说："称'以盗论'者，与真盗同，入十恶。"再如《职制律》"府号官称犯父祖名"条："祖父母、父母及夫犯死罪，被囚禁，而作乐者，徒一年半。"疏议说："祖父母、父母及夫犯死罪，被囚禁，而子孙及妻妾作乐者，以其不孝不义，亏斁（音渡，意为败坏）特深，故各徒一年半。"

又据《贼盗律》"憎恶造厌魅"条问答，咒诅大功以上尊长、小功尊属，欲令疾苦，同于谋殴，不入十恶，但"如其已疾苦，理同殴法，便当'不睦'之条"。"残害死尸"条疏议说：恶意残害大功以上尊长及小功尊属的死尸，仍入"不睦"。即子孙于祖父母、父母，并同斗杀之罪，合入"恶逆"，决不待时。同篇"恐喝取人财物"条疏议说:"别居期亲以下卑幼,于尊长家行强盗者,虽同于凡人家强盗得罪,若有杀伤,应入十恶者,仍入十恶。"同居卑幼,带领外人共盗己家财物,若有杀伤者,依本杀伤法。他人杀伤,即使卑幼不知情,仍从本杀伤法坐之,须入恶逆(《唐律疏议·贼盗律》"卑幼将人盗己家财"条疏议)。

也有一些罪条经过疏议的解释缩小了十恶的适应范围。如《名例律》"十恶"条疏议对"供养有阙"解释说:"《礼》云:'孝子之养亲也,乐其心,不违其志,以其饮食而忠养之。'其有堪供而阙者,祖父母、父母告乃坐。"《斗讼律》"子孙违犯教令"条规定:"诸子孙违犯教令及供养有阙者,徒二年。"律注亦说:"谓可从而违,堪供而阙者。须祖父母、父母告,乃坐。"明确了"供养有阙"一罪成立的两个前提条件,即一是确有能力供养而非"家实贫窭,无由取给",二是须有祖父母、父母的举告。

又《名例律》"十恶"条疏议说:"'居父母丧,身自嫁娶',皆谓首从得罪者。若其独坐主婚,男女即非'不孝'。所以称'身自嫁娶',以明主婚不同十恶故也。其男夫居丧娶妾,合免所居之一官;女子居丧为妾,得减妻罪三等:并不入'不孝'。"同样,夫丧,其妻改嫁为妾者,亦不构成"不义"。(《唐律疏议·名例律》"十恶"条疏议对"不义"的说明)但从疏议解释十恶的实际情况来看,作扩大解释的要明显多于限制解释,而且限制解释一般都局限于违犯家庭伦理的犯罪,而扩大解释则多为侵犯封建统治秩序和封建皇权的犯罪。

另一种情况是根据"举轻以明重"的原则,无需明文规定的。如恶逆罪名之一为"杀伯叔父母、姑、兄姊、外祖父母、夫,夫之祖父母、父母",此"杀"当包括谋杀、故杀及斗殴杀,但是都必须已经把人杀死。谋杀夫之祖父母、父母,已见《贼盗律》

"谋杀期亲尊长"条,而故、斗杀伤夫之祖父母、父母,查律无文,但《斗讼律》"妻妾殴詈夫父母"条规定:"诸妻妾詈夫之祖父母、父母者,徒三年;殴者,绞;伤者,皆斩。"殴伤已定"皆斩",故、斗杀不言自明,故律不载。

十恶罪条的规定如是,而实际定罪科刑时,仍不可避免地发生随意轻重的现象。宋代王溥《唐会要》中记载了这样一个案例:

> (贞观)十八年九月,茂州童子张仲文,忽自称天下,口署其流辈数人为官司。大理以为指斥乘舆,虽会赦犹斩。太常卿摄刑部尚书韦挺奏:"仲文所犯,止当妖言,今既会赦,准法免死。"上怒挺曰:"去十五年,怀州人吴法至浪人先置钩陈,口称天子,大理刑部,皆言指斥乘舆,咸断处斩。今仲文称妖,乃同罪异罚。卿乃作福于下,而归虐于上耶?"挺拜谢趋退。自是宪司不敢以闻。数日,刑部尚书张亮复奏,仲文请依前以妖言论。上谓亮曰:"韦挺不识刑典,以重为轻,当时怪其所执,不为处断,卿今日复为执奏,不过欲自取删正之名耳!屈法要名,朕所不尚。"亮默然就列。上谓之曰:"尔无恨色,而我有猜心,夫人君含容,屈在于我,可申君所请,屈我所见,其仲文宜处以妖言。"(《唐会要》卷三十九《议刑轻重》)

定指斥乘舆,便入大不敬,虽会赦犹斩,而定妖言则不入十恶之条,会赦得免。最后虽将张仲文以妖言论断,然一死一生,实不在法律条文本身。贤明如唐太宗,有时亦不免轻重其刑。

需要说明的是,唐代对十恶范围的划定一般应见诸《唐律疏议》,但有时也不尽然。社会的发展,民俗的演化,甚至个别帝王的好恶都可能使十恶的范围发生一些变化。武则天延载元年(694年)敕:"盗公私尊像,入大逆条。盗佛殿内物,同乘舆物。"(《唐会要》卷四十一《杂记》)分别扩大了谋大逆和大不敬的范围,这是武则天提倡佛教、大建寺庙的政策在法律上的反映,而其源则可上溯到隋文帝开皇二十年十二月的诏令:"敢有毁坏偷盗佛及天尊像、岳镇海渎神形者,以不道论。沙门坏佛像,道士坏天尊者,以恶逆论。"(《隋书·高祖本纪》)武则天不过是由隋文帝的兼崇佛道改为专尚佛教罢了。

反过来,由于各种原因,法律中十恶的某些规定有时也会成为具文。在《永徽律》颁布10年以后,高宗龙溯二年(662年)三月颁布的"不许临丧嫁娶及上墓欢乐诏"中就指出:"如闻父母初亡,临丧嫁娶,积习日久,遂以为恒。亦有送葬之时,共为宴饮,递相酬劝,酣醉始归……既点风猷,并宜禁断,仍令州县捉搦,勿使更然。"(《唐大诏令集》卷八十《丧制》)我们从这篇诏书中可以看出,有关居父母丧嫁娶的律文在当时并没有得到切实执行,是否作为"十恶"罪加重处理就更成问题了。

十恶罪直接危害了封建专制制度的核心——君权、父权、神权和夫权,唐律把它列为打击的重点,对其处罚相当严厉。但因十恶罪所侵犯的社会关系各不相同,故处罚也轻重有差。大略言之,十恶罪中,对谋反、谋大逆、谋叛和恶逆的处罚尤重,均处以极刑;对大不敬的处罚次之,从流2500里到斩;对不道、不孝、不睦、不义和内乱的处罚稍轻,量刑幅度也较大,从徒到死不等。并且,对谋叛以上的"前三恶"和不道还实行连坐。

和明清律比较,唐律对十恶罪适用刑种的范围相对要窄一些,但也并非一概处以重刑。一般说来,是在徒、流、死三刑之间,而且有几条罪名是判处徒刑的最低限徒1年,如:有所憎恶而造厌魅欲以疾苦人、闻祖父母丧匿不举哀、妻殴夫等，皆处徒1年。同时，我们也不能排除对十恶罪科处杖刑的可能性。试举一例：

《唐律疏议·名例律》"十恶"条不孝有注："闻祖父母父母丧，匿不举哀"，疏议曰："依《礼》：'闻亲丧，以哭答使者，尽哀而问故。'父母之丧，创巨尤切，闻即崩殒，擗踊号天。今乃匿不举哀，或拣择时日者，并是。"

查《职制律》中规定："诸闻父母若夫之丧，匿不举哀者，流二千里。"疏议曰："父母之恩，昊天莫报，荼毒之极，岂若闻丧。……闻丧即须哭泣，岂得择日待时。若匿而不即举哀者，流二千里。"同条并有问答解释对择日待时的处罚："期亲以上，不即举哀，后虽举讫，不可无罪。期以上从'不应得为重'；大功从'不应得为轻'；小功以下，哀容可也，不合科罪。若未举事发者，各从'不举'之坐。"

而《杂律》"不应得为"条规定："诸不应得为而为之者，笞四十；（谓律、令无条，理不可为者。）事理重者，杖八十。"据此得知，如闻祖父母、父母及夫之丧，不即举哀，于后择日举讫者，杖八十（分别减三等和减八等）；而拣择时日，不待举讫已事发者，仍按匿不举哀分别处以徒1年和流2000里之刑。

问题是，闻祖父母、父母及夫之丧，不即举哀，但是于后择日举讫者，是否仍入"不孝"和"不义"？答案应是肯定的，理由是：

第一，从以上所引疏议和问答中可以看出，闻丧不举哀罪名的成立，对时间是非常强调的。遇父母之丧，须"闻即崩殒，擗踊号天"，故疏议称："闻丧即须哭泣，岂得择日待时？"如"不即举哀"，便构成此罪。

第二，从封建孝道的要求来看，匿不举哀与未举事发在不孝的结果上并无多大差别，所以处罚也相同。而"不孝"条疏议所谓"或拣择时日者，并是"一语，在律义上实应包括事后举讫和未及举讫已事发两种情况，两者都违反了封建道德有关忠孝之道的要求，只是由于程度的不同而科以轻重不等的刑罚。否则，只需根据"匿而不即举哀"就可对未举事发科刑，不必另作"拣择时日"的规定，因为如此细分已属多余。

此外，在唐律的实际执行中，对十恶罪是否有科处徒以下刑罚的情况，也可研究。例如，若以厌魅欲令人疾苦者，《唐律疏议·贼盗律》规定，依谋杀罪减四等，即由徒3年减到徒1年。此系就厌魅凡人而言，子孙于祖父母、父母，部曲奴婢于主，直求爱媚而厌咒者，各不减，前者并入不孝。假设尊长造厌魅以疾苦卑幼，科刑显然应在徒1年以下，如此情况，是否仍入"不道"？

当然，即使以上的分析能够成立，唐律对十恶罪处杖刑的情况也是个别的、特殊的，可是这种事例到了明清却俯拾即是，无怪乎薛允升要感叹："唐律于此等（指有关郊祀庙享、婚姻家庭等案件）俱严其罚，明律悉改而从轻，甚至明明载在'十恶'，唐律载明应拟绞流者，亦俱改为杖罪"了。

在《唐律疏议》对十恶罪处罚的规定中，还可注意的是，对有些涉及家庭关系的罪名实行了"亲告乃受"的原则：

《斗讼律》"妻殴詈夫"条："诸妻殴夫，徒一年；若殴伤重者，加凡斗伤三等。"此罪原应入"不睦"，但注曰："须夫告，乃坐。"疏议说："要须夫告，然可论罪。"

又同上"子孙违犯教令"条："诸子孙违犯教令及供养有阙者，徒二年。"后者原入"不孝"，但注曰："谓可从而违，堪供而阙者。须祖父母、父母告,乃坐。"

以上是虽犯十恶罪但可能不受法律追究的特例,说明统治者有时为了维护封建纲常而宁肯搁置某些原为维护封建纲常而订立的法律条文,这和告祖父母、父母绞,同时知其谋反逆不告者又绞的规定实有异曲同工之妙。

如同前面多次提到的,根据唐律的规定,犯有十恶大罪者不得适用法律中赦免刑罚的一些规定,包括不能享有议、请、减等特权。但"十恶不赦",并不意味着犯十恶罪者非得依法量决,毫无松动余地。除上述"亲告乃受"的规定外,犯十恶者至少可因下列原因减免或延缓执行刑罚:

犯十恶狱成者,虽会赦,犹除名,但狱若未成,即从赦免。(《唐律疏议·名例律》"除名"条疏议)

犯流罪者,虽是五流及十恶,亦得权留养亲。会赦犹流者,不在权留之例。其权留者,省司判听,不需上请。(《唐律疏议·名例律》"犯死罪应侍家无期亲成丁"条疏议)

对"十恶"之条,虽然一般不准赎,但年70以上、15以下及废疾,犯流罪以下亦可收赎。(《唐律疏议·名例律》"老小及疾有犯"条律文及疏议)

年80以上、10岁以下及笃疾,犯反逆杀人,应死者,上请。90以上、7岁以下,虽有死罪不加刑。(同上)

常赦所不免者,只是就除名部分而言,主刑部分只有恶逆仍处死,余如反逆造畜蛊毒等均可改流。(《唐律疏议·断狱律》"赦前断罪不当"条疏议)

此外,在唐代某些时期执行法律的过程中,也是根据实际情况,随时轻重的。开元二十年(733年)二月,玄宗颁"以春令减降天下囚徒敕",宣布"天下囚徒,罪至死者,特宽宥配隶岭南远恶处,其犯十恶及伪造头首,量决一百,长流远恶处"(《唐大诏令集》卷八三《恩宥》一)。安史之乱后,代宗广德元年(763年),"得史朝义将士妻子四百余人,皆赦之"。不久,仆固怀恩反,也"免其家不缘坐"。(《新唐书·刑法志》)此皆是对十恶罪的赦免之例。当然,整个来看,还是以严刑重罚为主。

十 《唐律疏议》与中华法系

唐律是我国封建社会鼎盛时期的产物,具有封建法典的典型性。唐律"集众律之大成"(薛允升:《唐明律合编》),成为中华法系的代表作,它的规范完备周详,涉及经济基础和上层建筑领域的各方面。它总结了秦汉以来立法和司法的经验,并做了重大发展,既有封建法典的共性,又有自身发展完善的特性。是我国封建法典高度成熟的表现。

1. 立法高峰,后世楷模

由于印刷术是在中国宋代发明的,所以完整保存至今的唐以前的中国古代法典,《唐律疏议》即便不是硕果仅存的话,那也是非常稀罕的了。而唐以后历代的法典,除了五代之外,却大都尚存。这一情况的出现,主要原因即在于《唐律疏议》所具有的足以为后人范的完备的法律内容和高超的立法技术。也正因为如此,唐以后历代封建王朝都把唐律作为创法立制的楷模,各个朝代的立法,虽然各具其时代特点,但不管是立法精神、条例繁简,还是法律的原则和内容,均没有脱离唐律的轨道。

五代各朝沿用唐律,如《大梁新定格式律令》103卷,包括"律并目录一十三卷,律疏三十卷",卷帙与篇目和《唐律疏议》完全相同。(《五代会要》卷九)其中律这一部分不过是从《唐律疏议》中"删改事条,或重财货轻人人命;或自徇枉过,潜加刑罚"(《旧五代史·刑法志》)而已。后唐颁布的《同光刑律统类》13卷,史称也是定州王都从唐朝的律令格式中撷取汇集后交由刑部纂订而成。(《玉海》卷六六)其他如后晋的《天福杂敕》、后周的《大周刑统》等,也都受到过唐律的影响。

宋朝立法有与其他朝代不一样的地方,是新君即位都要编订一次法典,而且以后还要进行一次或多次修订,因此宋代法令众多,远超过前朝。据统计,在宋朝统治的319年(从公元960年至1279年)中,一共纂修了五十多部法典。这些法典大部分都已失传,但其基本法典《宋刑统》完整地保存了下来,这部法律几乎完全抄袭唐律,只是对律文内容作了个别地方的改动和补充,以致清季中叶,海宁藏书家吴骞得到一本宋刻本的唐律,以其每卷书名不署大名,只署小名之故,不知究属何书,而误以为是宋律,后有几人亦重犯了他的错误。《宋刑统》几乎是唐律的翻版已是人之共识,如《宋史·刑法志》说,宋代"法制因唐律、令、格、式,而随时损益";近代学者程树德认为:"《刑统》今其书尚存,质言之,即《唐律》也。"(《国故谈苑》下册,卷五《中国法系论》上)

此外如辽代的两部成文法典《重熙新定条例》和《咸雍重

修条例》,是在以唐律为母法的基础上,参合唐律和契丹旧制而成。金代熙宗时编订《皇统制》颁行国内,亦是"以本朝旧制,兼采隋、唐之制,参辽、宋之法,类以成书"(《金史》卷四五《刑》)的。后来编定的《泰和律义》"实《唐律》也",其12篇篇目与《唐律》相同,元朝《至元新格》的不少内容是出自唐律,在司法实践中,也"每引(唐律)以为据"(《四库全书总目·政书类》)。

明初制定《大明律》时,"丞相李善长等言:历代之律,皆以九章为宗,至唐始集其成,今制宜遵唐旧"。太祖从其言,在修律过程中,曾令大臣"日进二十条(唐律)"(《明史·刑法志》),逐一讲解。至洪武六年(1373年)诏定《大明律》,次年修成,"篇目皆准于唐","采用已颁旧律二百八十八条,续律一百二十八条,旧令改律三十六条,因事制律三十一条,掇《唐律》以补遗一百二十三条,合六百有六,分为三十卷"(邱濬:《大学衍义补》)。据此,这部法律沿用唐律的法条超过了律文总数的20%。

此后明太祖朱元璋在洪武二十二年(1389年)和洪武三十年(1397年)又两次修颁《大明律》,这两部法律对体例作了较大的改动,以《名例律》为首篇,下分吏、户、礼、兵、刑、工六律,非复唐律面目。即便如此,隋唐时形成的刑律篇目和刑名,影响还是不可低估的。比如《大明律》和《唐律疏议》一样,刑名仍为五刑,不相同处是用赎时唐律用铜,论斤数,而《大明律》则用铜钱,如笞刑10用铜钱600文来赎,笞刑20用铜钱1贯200文赎,这是因为明代一般等价物为铜钱。

由于体例的变化,相近内容的法条《大明律》和《唐律疏议》的规定也有些不同。如《唐律疏议·职制律》中"官有员数"、"贡举非其人"等23条,明律也都有,但却不是规定在一篇,而是分散到了好几篇。其中官有员数、贡举非其人、刺史县令私出界、在官应直不直、官人无故不上、之官限满、漏泄大事、稽缓制书、被制书施行有违、受制忘误等10条,明律属于《吏律》;官人从驾稽违条属于《兵律》;大祀不预申期、大祀散斋吊丧、祭祀有事于园陵、庙享有丧4条属于《礼律》祭祀目;合和御药、造御膳犯食禁、御幸舟船、乘舆服御物、主司借服御物、监当主食有犯、百官外膳、玄象器物8条属于《礼律》仪制目,这些是唐律和明律皆有但在明律中分属于各篇者。

还须特别提到的是,唐朝没有的刑罚,明朝却在不少条文中出现。《唐明律合编》卷一说到:

> 唐律无凌迟及刺字之法,故不载于五刑律中。明律内言凌迟、刺字者指不胜屈,而名例律并未言及,未知其故。

如明《刑律》一《盗贼》下"谋反大逆"条说:"凡谋反及大逆,但共谋者,不分首从,皆凌迟处死"。明《刑律》二《人命》下"谋杀祖父母父母"条说:"凡谋杀祖父母、父母及期亲尊长外祖父母……已杀者皆凌迟处死。"又明《刑律》规定:"盗关防印记者,皆杖一百,刺字";"凡监临主守自盗仓库钱粮等物,不分首从,并赃论罪,并于右臂膊上刺盗官(钱、粮、物)三字"。

为什么明律表面上沿用唐律的五刑,而在不少律文中却有凌迟、刺字等刑?有学者认为:凌迟酷刑、刺字陋法,明代皆沿用宋元之法而来,特别是沿用元法。但为何不于《名例律》中明白写出呢?《宋刑统》成于建隆四年(963年)八月,当时未用凌迟之刑,《宋刑统》自可不载;但元朝《大元通制》已明白列入《名例律》中,明律既沿用元律关于凌迟的条文,何故不于

《名例律》中也明白写出呢？

推其原因，或则隋唐以来，五刑之名早定，死唯绞、斩，亦各代律所相同，明太祖朱元璋大概是想遵此成规，不拟列入凌迟酷刑，蒙受非议。再则朱元璋是推翻元朝者，他经常惩元朝之失，又何能守《大元通制》之法，将凌迟明白写入《名例》中呢？可是，实质上朱元璋经常以严法驭下，内心不愿放弃已有的严刑酷法，于是，取其实而舍其名，在《名例》中不列凌迟、刺字等残酷之刑，在具体条文上却又采用元朝等前代以来的苛法。其用心良苦，而其迹亦终究掩盖不住。（韩国磐：《中国古代法制史研究》，人民出版社1993年版，第326～327页）

由于《大清律例》在很大程度上袭用了《大明律》的内容，因此其受唐律的影响也同样十分明显。王友谅《书唐律后》云："《唐律》具存，计篇十二，计卷三十，而国朝定制，参稽旧文，损益以归于大中，其所资者，亦以《唐律》为多"（《清经世文编》卷九）。张玉书《刑书纂要序》也说："尝考《唐律》所载律条，与今异者，八十有奇。其大同者，四百一十有余，即今之律令，其与《唐律》合者，亦十居三四。"（《清经世文编》卷九十）由此可见，《唐律疏议》对中国封建社会最后一部法典仍然产生着影响。

2. 精神独具，引领千年

从上文可以看出，唐律的发展和《唐律疏议》的制定，不仅标志着中华法系的最终形成，而且使中国古代法律的精神得到了最充分的体现。这种法律传统与精神经过唐以前历朝的积累沉淀,已经牢牢地凝聚于《唐律疏议》中,并深刻地影响着此后法律的面貌。

(1) 制定法与判例法的结合

和其他以法典为主要法律渊源的国家一样,再完备的成文法,其规定的内容总是有限的,而人们的行为却是无尽的,以有限的律文无以调整无尽的行为,而且现行的成文法典往往不适合于已经变化了的统治阶级的政策和法律意识,因而在司法实践中比附断案遂不可免。在法律的渊源方面,中华法系既重视国家制定法,以法典为基本的法律渊源,同时又长期适用判例断案,以作为制定法的补充。也就是说,在中国古代法律的体系中,律虽然居于主导地位,但不是惟一的形式。律的作用和效力,经常受到包括判例在内的其他法律形式的补充和制约,这种制定法和判例法相互补充及结合为用的特点在唐以前各个时期的法律中都有所体现,而唐律则将其以新的形式表现了出来。

关于中国古代的制定法,如前面谈到的,至少从战国时期李悝的《法经》开始,历朝历代制定法典的活动就没有停止过,而且许多开国之君或者王朝初期的统治者都对立法表现出了相当程度的重视。唐朝自618年唐高祖灭隋建唐,颁布《武德格》,经过几代皇帝的相继努力,到651年唐高宗颁布《永徽律》,共历时33年之久。明代开国皇帝朱元璋也把制定法典看成是建国的头等大事,早在统一全国的前一年,他就令人根据唐律编写"令"145条,"律"285条;洪武六年(1373年)再命刘惟谦、宋濂等根据唐律篇目制定明律,次年完成,共30卷,606条;洪武二十二年(1389年)又对《大明律》作了一次比较大的修改,到洪武三十年(1397年)最后完成《大明律》的定本时,朱元璋对这部历经30年编制成的法律十分重视,下诏命令子孙世代遵守之,"群臣有稍议更改,即坐以变乱祖制之罪"(《明史·刑法志》)。清朝修律的时间更长,1644年入关后即开始制定法律,顺治三年(1646年)依据明律制定了《大清律集解附例》,经过康熙、雍正两朝的修订,至乾隆五年(1740年)修成《大清律例》,此时距清朝开国已近100年。

而差不多与此同时,判例法也在悄悄地萌生,相伴着制定法在成长,这从1975年湖北云梦出土秦简中就有"廷行事"(可以作为以后案件审判根据的判例)的记载便可得到证明。到了汉代,由于汉承秦制,致使法律实践领域仍多少体现了法家精神,这与上升为统治思想的儒家精神往往不相容,故而出现了旷日持久的"春秋决狱"的做法,这是在法律之外另寻判案蹊径的变通办法。"春秋决狱"之风绵延至魏晋南北朝而不绝,并且此时以"比"作为断案依据也成为确定的制度,已决案件经皇帝批准后即为判例。由于这类判例数量众多,汉代还对可作比附定罪的判例分类进行汇编,编制了大量决事比。如《汉书·刑法志》载:"孝武招进张汤、赵禹之属,条定法令,死罪决事比万三千四百七十二事";陈宠为"鲍昱撰《辞讼比》七卷,决事科条皆以事类相从。昱奏上之,其后公府奉以为法"。两汉魏初比皆为国家正规制度,甚至可以破律。此后很长一段时间比仍然存在。

及至唐代,《唐律疏议》这一封建社会最完备的代表性法典终于面世,它不仅是成文法立法技术高度发展的标志,也是判例长期积累并发展日臻成熟的必然结果和判例的理性归宿。至此,儒家经义已基本法典化,"春秋决狱"之风渐息。且唐律详备并适于时宜,比附的作用便也受到抑制,于是判例的创制适用相对削弱,走向低迷。但是由于社会关系的复杂性和社会状况的变易性,制定法不可能包罗无遗、尽善尽美,随着社会生活的演进,新判例便悄然诞生,并不断发展。"例"就是这一新的表现形式,其意义与比相似,所不同的只是比可以比附律文,而例则以已有成事为主。作为判例意义的例自唐开始萌芽,"高宗之际,详刑少卿赵仁本撰《法例》三卷,引以断狱;时议亦为折衷",后虽为高宗所废,"但例之为事,则亦自唐而起……实即明清两代例之先遣者"(陈顾远:《中国法制史》,中国书店1988年影印本,第134页)。

北宋敕渐为刑书之首,南宋例的地位上升,引例断狱之风盛行。至元代,判例成为国家法律的重要组成部分,从《至元新格》到《大元通制》、《至正条格》,无不系加入判例或成例汇编而成。有明一代,律例并行,例以辅律。由于明太祖在颁布《大明律》时留下"祖训",命子孙守之,一字不得更改,所以后代帝王为适应社会变化,便通过颁布条例以补充律之不足。明代编例也因之盛行,例越来越繁多,《问刑条例》就是明代断案判例的汇编;《明大诰》则可谓是御制判例集。清仍明旧,不仅律、例并行,而且采取合编的形式,在《大清律例》中,律条后分别附以奏准的"条例"。由于封建社会进入末期,社会关系异常复杂,社会矛盾日益尖锐,例这种灵活多变的法律形式便成为社会关系的主要调控器。乾隆十一年确定:"条例五年一小修,十年一大修",以后遂成定制。(《新修律例统纂集成·序》)以致清代"有例则不用律","律多成虚文,而例遂愈繁碎"(《清史稿·刑法志》)。清末修律中,主持修律的沈家本等人效法日本接受了大陆法系的影响,但民国时期判例解释例在法制的运行中仍然扮演着重要的角色,由此可以看出传统法系遗留的痕迹。

(2) 求公正与等级制的协调

中国古代法律表现出强烈的等级性,在各个时期,这种法律的等级性由于社会阶级所反映的等级形式的变化,而有不同的表现。如在秦国,就分成地主贵族、有爵者和百姓、士伍等不同的等级,其中的地主阶级大部分为军功地主,它与爵位密切联系,军功大者爵位高,爵位高者土地广。按照秦的"军爵律",其军爵从最低的"公士"到最高的"彻侯",总共分为20等。多数地主地位的高低都与爵位的高低相一致,部分无爵位的地主则主要是宗室贵族。一般的百姓无爵位者称作"士伍"。秦律规定不同身份的人其法律地位也不一样,对有爵者与无爵者、高爵者与低爵者均实行同罪异罚,对官吏则授予各项特权,而包括"隶臣"、"隶妾"、"臣"、"妾"、"奴"、"婢"在内的官私奴隶则处于社会最低层,任由其主人奴役和处分。这种情况直到封建社会初期的西汉都未得到根本改变。

从东汉、魏、晋至唐是中国封建社会各阶级、等级趋于确定、凝固化的时期。唐以后直到封建社会结束,虽然各阶级的人员具体构成有所变化,各等级的称谓也有所不同,但基本内容和法律上的地位,并无实质性变化。

在唐代,除了官和民的区别外,在"民"里面又有"良"、"贱"之分,而且从现存的法律史资料来看,唐律最早对此作了法律上的明确规定。《唐律疏议》说:"人各有耦,色类须同,良贱既殊,何宜配合。"贱民又分成官贱和私贱,各有不同名目。

为了维护等级制,唐律对良、贱之间的伤害行为采取了分别处理的原则。良犯贱，其量刑较常人相犯为轻；贱犯良，则较常人相犯量刑为重。如《唐律疏议·斗讼律》规定，部曲、官户殴伤良人者，要加凡人一等治罪，而且突破常规，可加重至死刑；奴婢殴伤良人者，要加凡人二等。按照这一精神，到了明、清，法律仍然规定：凡奴婢殴良人者，皆加凡人一等；而良人殴伤他人奴婢者，则可以较殴凡人减一等或二等治罪。对奸非罪也是按照这个原则处理，《唐律疏议·杂律》规定，部曲、杂户、官户等贱人奸良人者，较常人相奸加一等治罪，判徒刑2年或2年半；强奸者加一等，因奸折伤加斗伤罪一等。"奴强奸良人者，徒二年半；强者，流；折伤者，绞。"而良人奸他人部曲、杂户、官户妇女，仅处杖一百，奸官私婢者仅处杖九十。如果良、贱之间有隶属关系的话，即成为"主"和"奴"，在刑法上的地位差距就更大了。唐律中反映中国社会特点的这些规定在以后各朝代的立法中也基本得到了延续，宋、明、清等朝的法律均作了类似的规定，元律还直接明确："诸主奸奴妻者，不坐。"(《元史·刑法志》)清朝乾隆时，有一主人企图强奸仆妇，该女拒奸并割伤主人阴茎，结果司法官根据法律判该仆妇以殴家长罪拟处流刑，而不问其为何割主人阴茎(《刑案汇览》卷63)。另一例是因公公欲强奸儿媳而引起的案例："林国亨搂住其媳林谢氏颈项，意图强奸，并拉开自己下衣，露出阴茎，说定要奸成。谢氏挣拒不脱，恰有剃刀在旁，便取刀将林国亨生殖器割落，因伤身死。"陕西巡抚审讯后认为"林国亨乱伦强奸子媳，林谢氏情急与无故逞凶者不同，奏请定夺"，最后经朝廷审议，才由"凌迟"罪改为斩监候。(《刑案汇览》卷53)

良贱差别是中国长期存在的不平等现象，直到《大清现行刑律》斗殴条仍规定:"凡雇工人殴家长及家长期亲,若外祖父母者,徒三年;伤者,流三千里;折伤者,绞;死者,亦绞;故杀者,斩。过失杀伤者,各减本杀伤罪二等。""若家长及家长之期亲,若外祖父母殴雇工人,非折伤,勿论。至折伤以上,减凡人罪三等。因而致死者,徒三年。故杀者,绞。过失杀者,勿论。"中国最后一个封建王朝覆灭时,仍然遗留下来各种"贱民",如闽粤之"疍户",浙江之"惰民",河南之"丐户",发给功臣暨披甲家为奴的义民,以及薙发者与优娼隶卒等,他们不仅毫无政治权利,而且过着非人的生活。南京临时政府成立后,依据资产阶级"天赋人权,胥属平等"的思想,于1912年3月中旬发布了《大总统通令开放疍户惰民等许其一体享有公权私权文》,规定"凡以上所述各种人民,对于国家社会之一切权利,公权若选举、参政等,私权若居住、言论、出版、集会、信教之自由等,均许一体享有,毋稍歧异,以重人权而彰公理"(《临时政府公报》第41号),最终在法律上解除了"贱民"身份。

　　需要说明的是,在维护等级制的同时,古代法律在发展过程中也逐渐注重法的公平原则,就像先秦时管子所说:"尺寸也、绳墨也、规矩也、衡石也、斗斛也、角量也,谓之法"(《管子·七法》);西汉张释之所说:"法者,天子所与天下公共也。"(《汉书·张释之传》)唐初君臣非常强调法的公平性。唐太宗李世民表示:"法者,非朕一人之法,乃天下之法。"(《贞观政要·公平》)魏徵强调:"刑赏之本,在乎劝善而惩恶,帝王之所以与天下为画一,不以贵贱亲疏而轻重者也。"(《贞观政要·刑法》)即在维护等级制的法律确定以后,要求公正地执行法律,包括统治阶级内部成员,其行为也不得逾越法定权力的限度,以此来确保社会稳定。

从上面涉及的内容我们可以看出,在唐代有关司法制度的设计中,有不少内容都是体现了维护公正原则的。另外,为了防止司法官在审案时出入人罪,审判回避制在唐代也已经制度化,《唐六典·刑部》规定,"凡鞫狱官与被鞫人有亲属仇嫌者,皆听更之"。唐以后,各朝法律中有关这方面的规定更为具体,如《大清律·听讼回避》规定:"凡官吏于诉讼人内关有朋亲及婚姻之家,若受业师(或旧为上司与本籍官长有司)及素有仇隙之人,并听移文回避。违者(虽罪无增减)笞四十。若罪有增减者,以故出入人罪论。"《唐律疏议·诈伪律》还规定:"诸证不言情……致罪有出入者,证人减二等。"对证人作伪证的要予以处罚,这一规定在以后的法律中也得到了延续。

法律公平的原则在民事法律规范中表现得可能更为充分。中国古代不存在像罗马法那样发达的私法,但有关调整民事法律关系的规范也在不断发展中。在过去的基础上,唐律中有关的规定有了较明显的丰富和充实,并立足于诚信的原则来处理民事关系。比如为了保证市场交易的公平进行,规定了一套相当严格的法规。商业所用的度量衡器,每年8月由官府"平校,并印署",然后才能使用。如果"校勘不平者,杖七十。监校官司不觉,减校者罪一等,合杖六十;知情,与同罪"(《唐律疏议·杂律》"校斟斗秤度不平"条疏议)。同时规定:

> 诸私作斛斗秤度不平,而在市执用者,笞五十;因有增减者,计所增减,准盗论。即用斛斗秤度出入官物而不平,令有增减者,坐赃论;入己者,以盗论。其在市用斛斗秤度虽平,而不经官司印者,笞四十。(《唐律疏议·杂律》)

把度量衡器在使用中可能出现的问题都作了周密的规定,令人叹服。

唐代还设立了专门的市场主管机构——"市司",由其评定市场物价,并且明确其法律责任,如果"评物价不平者,计所贵贱,坐赃论;入己者,以盗论。其为罪人评赃不实,致罪有出入者,以出入人罪论。"在受寄财物时,则对保管者的责任作了规定:"受人寄付财物,而辄费用者,坐赃论减一等","诈言死失者,以诈欺取财物论减一等"。但如果是被强盗抢走,或保管者已尽到责任而受托牲畜死亡的,不负赔偿责任。在买卖契约中,唐律强调卖方的担保责任,规定凡买卖奴婢、马、牛、驼、骡、驴等,在立卷之后,买主发现"有旧病者,三日内听悔,无病欺者,市如法,违者笞四十"(《唐律疏议·杂律》)。

《唐律疏议》确立的这些原则对唐以后各朝的法律有很大的影响。比如宋代对违背诚信规定的重复典当行为规定说:

> 应有将物业重叠倚当者,本主、牙人、邻人并契上署名人,各计所欺入己钱数,并准盗论。不分受钱者,减三等,仍征钱还被欺之人。如业主填纳罄尽不足者,勒同署契牙保、邻人等,同共陪填,其物业归初倚当之主。(《宋刑统》卷十三"典卖指当论竞物业"条之"臣等参详")

在《庆元条法事类》中,则对"违契不偿"的行为规定:"诸负债违契不偿,官为理索。欠者逃亡,保人代偿,各不得留禁。"这些规定,都表明了古代统治者依靠法律维护社会经济秩序的愿望。

(3) 法制与伦理并重

中国法律文明的历史源远流长,历代统治者皆视"刑德"

为治国之"二柄",法律制度作为文物典章的重要组成部分,自然为统治者重视。夏、商、周三代法制的发展,为古代法制定下了基调,尤其是西周的礼乐刑罚制度,更为封建法制的形成奠定了基础。战国中期李悝的《法经》,创封建法典之体制与模式,秦进一步宏大其规模,汉唐诸代君臣并巨儒则又熔礼义刑德于一炉,使中国封建法制成为所谓"国法、天理、人情"的融合体。唐朝建立以后,适应封建政治经济关系的发展,对前代法律制度、特别是隋朝法制作了重大改革,使中国封建法制进入了定型化与完备化的阶段,中华法系也发展到成熟时期。清代学者孙星衍在《重刊故唐律疏议序》中说:"不读《唐律》,不能知先秦历代律令因革之宜。"《唐律疏议》可以说是古代立法制以治邦国思想的集中体现。

但是,《唐律疏议》不仅仅是单纯的法律,它也是古代伦理思想的体现,或者说,是法律与伦理的完美结合。

中国古代的伦理思想主要反映在儒家学说当中。随着西汉汉武帝将儒家思想确立为国家的统治思想,便逐渐开始了儒家经典法律化和封建法律儒家化的交融发展过程。儒家学说不仅是指导法制建设的理论基础,也是封建法典的主要内容。由于儒家的纲常名教是封建道德的集中体现,因此形成了中国特有的法律与道德密切结合的伦理法。有的学者认为,最能反映中华法系要素的就是伦理法特征。任何民族的法律传统都是该民族传统伦理的体现,所以也可以说世界各大民族的法律传统都是伦理法,但以唐律为代表的中华法系映现的是建立在家族法基础上的亲情伦理,这与欧美法系背后的市民伦理、印度法系和伊斯兰法系背后的宗教伦理相比,特征是很明显的。同时,这种伦理精神不仅体现在法律条文里，而且还体现在司法实践中。

比如唐律非常重视用法律来维护家族关系，在家族中，也是严格按照尊卑确定等级关系。上文已经谈到，亲属之间相奸，要比凡人相奸加重治罪；亲属相殴，以卑犯尊要加重处罚，以尊犯卑则减轻处罚。而有另一种犯罪却与此相反，即亲属间的盗窃罪不同于凡人相盗，其罪名轻重是与亲等成反比的，关系愈亲则罪刑愈轻，关系愈疏则罪刑愈重。如《唐律疏议·贼盗律》规定："诸盗缌麻、小功亲财物者，减凡人一等；大功，减二等；期亲，减三等。"而且是无论"尊长于卑幼家窃盗若强盗"，还是"卑幼于尊长家行窃盗"，都按照这一原则处理。另外有意思的是，该条适用于不在一起居住的亲属之间相盗的情况。如果是同居卑幼带领外人盗窃自己家中的财物，唐律也作了规定："诸同居卑幼（谓共居子孙、弟侄之类），将人盗己家财物者，以私辄用财物论加二等；他人，减常盗罪一等。"按《户婚律》规定："同居卑幼，私辄用财者，十匹笞十，十匹加一等，罪至杖一百。"因此，卑幼将人盗物再多，最重也是判徒一年半，他人也减常盗罪一等。而对普通的盗窃罪，"不得财者笞五十；一尺杖六十，一匹加一等；五匹徒一年；五匹加一等，五十匹加役流"。量刑之差别是很明显的。

为什么唐律对一般亲属相犯均较凡人相犯分别加重或减轻，独于亲属相盗则不论尊卑长幼都比凡人减轻处罚？瞿同祖解释说：

> 目的都在维护家族的和睦和亲爱，两者的目的殊途而同归，并不冲突。亲属本以亲爱和睦为主，所以禁亲属间的斗殴。从经济的观点来看，凡属同宗亲属，不论亲疏远近，道义上都有患难相助的义务，理当周济。法律上虽

无绝对的义务,也就对于因贫穷而偷窃财物的穷本家加以宽恕,认为与窃盗本无相恤义务的凡人不同,越是亲属关系亲近,则不容坐视,愈有赒急的义务,古大功同财,所以大功以上盗罪更轻。(瞿同祖:《中国法律与中国社会》,中华书局1981年版,第52~53页)

而在审判实践中,唐代以礼折狱、弃律从礼的案例也经常可以看到。如唐太宗年间,一个叫卫无忌的女子杀死了杀父仇人,"巡察使褚遂良以闻,太宗免其罪",且赐田宅,"州县以礼嫁之"(《新唐书·列女传·卫孝女无忌》)。这些都表明以礼为本位的礼法结合的治理国家的模式以法典的形式固定了下来,并在司法实践中得到了贯彻执行。

唐代既立法制,又重伦理,这一精神对宋、元、明、清产生了深刻影响,在法制建设的指导思想上各朝仍是以礼为纲,礼刑相辅,法律和伦理密切结合。如朱元璋在立法中"仿古为治,明礼以导民,定律以绳顽",将"八礼图"与"二刑图"置于《大明律》卷首。直至清末的宣统元年(1909年),统治者仍"下谕"声称"三纲五常","实为数千年相传之国粹,立法之大本"(《新刑律修正案汇录》)。在具体的法律规定上,唐以后各朝都继续在法律中贯彻伦理思想,有些规定比唐律还有所发展。

《唐律疏议·名例律》规定:

> 诸犯死罪非十恶,而祖父母、父母老疾应侍,家无期亲成丁者,上请。

疏议补充解释说:

> 谓非"谋反"以下、"内乱"以上死罪,而祖父母、父母,通曾、高祖以来,年八十以上及笃疾,据令应侍,户内无期

亲年二十一以上、五十九以下者,皆申刑部,具状上请,听敕处分。

犯流罪者,虽是五流及十恶,亦得权留养亲。会赦犹流者,不在权留之例。

明清律中都有"犯罪存留养亲"的律文,《大清律例》规定:"凡犯死罪,非常赦所不原者,而祖父母(高、曾同)、父母老(七十以上)、疾(笃、废)应侍(或老或疾),家无以次成丁(十六以上)者,(即与独子无异,有司推问明白),开具所犯罪名(并应侍缘由),奏闻,取自上裁。若犯徒流(而祖父母、父母老疾,无人侍养)者,止杖一百,余罪收赎,存留养亲(军犯准此)。"在这里,对老的年龄、残疾的程度等的规定和唐代相比都放宽了。

再如,明清律沿袭唐律,对"祖父母、父母在,子孙别立户籍、分异财产者"进行处罚,只是量刑由徒3年减轻为杖100。但在顺治初年于该律文后又添加小注:"或奉遗命,不在此律。"即如系父母遗命许令其别籍异财,便不受此律文所限。到雍正三年(1725年)修律时又增加了一条例文:"祖父母、父母在,子孙不许分财异居,其父母许令分析者,听。"使法律准许在祖父母、父母还在世时,经父母许令子孙可分立财产的意图更为明确,这显然是在社会发展的大背景下,更加体恤人情、重视伦常的表现。

而在司法实践中,为了夸张统治者的德化仁政,提高伦理的凝聚力,同时为了增强法律适应社会变化的能力,历代封建王朝一方面要求官吏援法定罪,另一方面也不排除"法顺人情",甚至"舍法用情",以致"执法原情"成为司法的最高境界。下到基层的"七品芝麻官",上到皇帝本人,在执法时兼顾伦理亲情,力求法情并重而不两失,在实在无法两全时甚至不惜曲法用情的例子(譬如在处理复仇的案子时)都不鲜见。

就这样,在古代中国,长期以来伦理道德几乎成为法律的化身。道德规范对法律世界的介入如此之广泛,以至于人们很难将道德与法律的界限划分开来。不仅道德上的要求与法律的设定的精神是相契合的,而且在通常情况下,触犯法律的行为必然是不道德的,而有悖伦理的行为也是非法的,甚至是犯罪的行为。"德主刑辅"原则的确立和不断强化,充分反映了中国古代法制中道德教化的永恒价值。因为按照孔子的观点,"道之以政,齐之以刑,民免而无耻。道之以德,齐之以礼,有耻且格"(《论语·为政》)。道德教化的效力要超过法律政刑,所以古代中国十分崇尚德治,道德是社会调整的主要手段,法律只是道德的辅助手段;刑罚的适用必须建立在德教的基础之上,而实施刑罚的目的则是实现道德教化的要求。在这种思想的指导下,国法以纲常为指导原则而制定,纲常又不断具体化为国法的基本内容,这就是古代法律被称为伦理法的根本原因。只要不触犯统治者的根本利益,国法都会向伦理纲常倾斜,或者法内允协,或者法外开禁,以最大限度地发挥国法和伦常共同维护社会秩序与政治秩序的职能。

3. 中华文明,泽被域外

《唐律疏议》的影响所及,不仅限于中国境内,它对东亚邻国古代的立法也有重要的示范作用,其中对日本的影响尤其明显。因为在隋唐时期,为了学习中国的制度和文化,日本和中国的友好往来及文化交流已十分频繁,日本派到中国来的"遣隋使"、"遣唐使"或留学生、学问僧源源不断。到唐代,仰慕盛唐的富庶与繁华,仅从贞观五年(651年)到开成三年(838年)就派出"遣唐使"12次,另有派到唐的"迎入唐使"和"送客唐使"共4次。派来的使团人数也从200人逐渐增加到500人以上,乃至上千人,有的人多次往返,甚至在中国居留几十年。这些来到中国的使者、留学生和学问僧主要目的是学习中国的文化和制度,公元645年(贞观十九年)日本实行"大化革新"后,更是热衷于学习、模仿中国的政治法律制度,因此,唐律很快便传入了日本。例如,日本文武天皇于大宝元年(701年)制定了《大宝律令》,参与撰写的人当中,伊吉博德曾参加过遣唐使团,他对制定《大宝律令》发挥了很大作用。该书现已散佚,但律令的不少内容在其他古籍中仍可寻觅,从日本学者复原的部分分析,该律令除了律的本文和注外,还有疏文;从其篇目来看,不论是篇数、序还是篇名,都与《唐律疏议》极为相似,而《大宝律令》在日本影响深远,为日本封建立法的典范。

  日本元正天皇在位时,又在养老二年(718年)以《大宝律令》和唐代法律为基础,修撰了《养老律令》,律、令各为10卷。在修撰者中,吉备真备是日本灵龟三年(717年)第8次遣唐使团的成员,他在建筑、历法、刑律等方面都有不同程度的建树,是努力吸收唐文化而促进日本发展的一代遣唐学生中的优秀代表。这一时期日本的法律大体沿用唐律而略有损益,如养老律不仅立法思想与唐律相同,而且篇章和顺序与唐律完全一样,只是条文较唐律为少,内容上也基本相近。例如,养老律与唐律一样都规定了笞、杖、徒、流、死五刑,具体等级也大体相同,惟流刑三等没有明确标出里数,而是按远、中、近划分,原因在于日本国土狭小,无法按照唐律规定得有2 000

里至3 000里那么远。除了五刑之外,有关赎刑使用的范围和赎金的数量,养老律也只是对唐律的规定略作修改便加以继承。上述两部日本法律还在唐律的基础上,改"八议"为"六议",将"议功"和"议勤"合并为"议功",删去了"议宾",其他均予以保留;又将"十恶"改为"八虐",删去"不睦"和"内乱",其原因是日本固有的习俗与唐不同,如"不睦"中的近亲买卖,在大宝律施行前的日本历史上还不曾见过;而"内乱"中的近亲相奸、同姓不婚原则也不适合日本习俗,因为在日本近亲结婚甚多。但是,"不睦"和"内乱"中一些可以适用的条文,则被单独抽出或略作修改后,成为"殴告及谋杀伯叔父、姑、兄姐、外祖父母、夫、夫之父母,杀四等以上尊长及妻","奸父祖妾"等规定,分别归入了"不道"和"不孝"之内。(史彤彪:《中国法律文化对西方的影响》,第212~224页)在司法机构的设置、诉讼和行刑制度等方面,日本奈良王朝的规定在总体上也都延续了唐代的做法。

在学习唐律的过程中,如果编制的日本法典在颁行后出现问题时,日本天皇还不惜派人远涉重洋到中国来请教,如嵯峨朝的明法博士额田今足就曾欲随"遣唐使"到中国向唐朝的律令学者请教日本刑律中的数十个问题。通过这种学习、模仿以及根据自己的国情进行适当的改变,日本法律接受唐律的影响一直延续了上千年。日本学者三浦一志将日本法律发展史分为4个时期,并把其中的第二期称为"模仿唐时代",他对古代中日法律文化的交流作了这样的描述:

> 就法律文化来说,中国对日本的影响最明显的也是在唐代。唐朝处于中国封建社会的上升时期,在当时世界上是先进、文明的国家,其封建法制为各国统治者所美

慕。唐代的长安城也因此成了国际性的大都市。唐代的法律,被称为中国封建法典之楷模,曾随着络绎不绝的使者和留学生传播四方,日本也不例外。(三浦一志:《源远流长的日中文化交流》,载《儒学与法律文化》,复旦大学出版社1992年版,第20页)

在朝鲜,我们同样看到了这种情况。朝鲜半岛在公元前1世纪以后分裂为新罗、高句丽、百济三个国家。到唐初,这三个国家都遣使与唐朝发生往来,还派大批留学生到中国来学习。至675年三国一度为新罗所统一,与唐朝的关系也开始密切起来,有时仅在唐朝长安就居住着新罗留学生二百六十余人。10世纪时王建重新统一全国,建立了名为高丽的新国家,并且模仿唐朝法制制定了法典,叫做《高丽刑律》,共71条。在内容上,其"狱官令"二条系摘取唐《狱官令》而成;而从"名例"到"断狱"的12篇体例又同唐律毫无二致;有关罪名、刑名也是从唐律撷取而成。前人对它的评价是:"高丽一代之制,大抵皆仿于唐,至于刑法,亦采唐律,参酌时宜而用之。"(郑麟趾:《高丽史·刑法志》)

在越南,唐初曾置安南都护府于交州(今河内)。在今越南地区中部,唐时立国的是林邑,两地往来也相当频繁。林邑国的典章制度包括法律都模仿唐律。岛田正郎《东洋法史》说:"安南隶属唐代版图时,概施行唐律令。"日本学者牧野巽说:"安南者,形成中国法系之南端者也……安南于秦、汉时即接受中国文化……直至唐末犹然,故此时代安南所行之法律,恐即以唐之律令为主也。"(《安南黎朝刑律中之家族制度》,载《日法文化杂志》新第6期)潘辉注《历朝宪章志类·刑律志》也认为,越南到李氏、陈氏王朝统治时期,当时"校定律格……

遵用唐宋之制。但其宽严之间,时加斟酌",可见从公元1042年李太尊颁布《刑书》起,几百年间,仍然大体遵用"隋唐"或"唐宋"之制。

有的研究者指出,在日本、朝鲜和越南继受中华法系的过程中,汉语为其提供了传播媒介和语言文化条件。这些国家开始都没有自己的文字,使用的是汉字。后来它们以汉字为基础创制了本民族的文字,但在长时期内汉字仍处主导地位。日本5世纪初才开始出现"假名",7世纪出现"万叶假名",9世纪留学生吉备真备创"片假名",留学僧空海创"平假名"。朝鲜直到1443年才公布"训民正音"。1446年李世宗才发布法令,规定朝鲜文为官方用文。越南人长期使用汉字,政府曾明文规定汉字为全国通用文字,政府一切公文全用古汉文。13世纪和14世纪越南的"字喃"未能普及,17世纪才使用拉丁文。在这种语言环境下,汉字作为中国法律文化的载体,在三个国家移植中国封建制法律的过程中功不可没。汉字的通用消除了语言障碍,便于法律的学习研究和传播。在中华法系的继受国没有自己文字的历史条件下,汉字的通用是中华法系以成文法为主要法律渊源这一特征形成的先决条件,用汉字表述法律,记载司法判决一度也是普遍现象。作为传播媒介,汉语不仅加快了古代东亚地区法律文化交流的过程,而且防止了法律移植中的"走样",这同后来英美法系形成过程中的英语所起的作用相似。(参见杨振洪:《论中华法系的形成和发展条件》,载《法学研究》第19卷第4期)

除了上述三国外,在琉球和西域的古代法典中,也可以找出与唐律的渊源关系。正是在以唐律为代表的中国法律对外扩展影响的基础上,形成了中华法系。

日本研究中国法制史的著名学者仁井田陞曾说过：

耶陵谓罗马曾三次征服世界。中国于东方古代之亚洲亦曾一度以武力支配之，一度以儒教支配之，一度以法律支配之……（《关于唐令之复旧》，转引自林剑鸣：《法与中国社会》，第168页）

唐律是我国法律发展史上的光辉成就之一，它反映了同唐王朝时我国古代文明取得光彩夺目的成就，政治、经济、文化等方面都居于世界先列一样，我国古代法制水平在当时也居于世界最前列。唐律对国内外的广泛影响，不仅表现了它的典型价值，而且标志着它居于当时法制发展的最高水平，说明了它在中外法制发展史上具有重要的历史地位。

4. 卓尔不群，独树一帜

著名法律史学家陈顾远先生在他的著作中，曾对构成"法系"的基本理由作过这样一个说明："夫一法系之所以成立，必有其一帜独树之特质，与卓尔不群之精神，虽彼此或有相类之点，但彼此绝无尽同之事。例如印度法系之特色，在以阶级制度为其背景；回回法系之特色，在以'可兰经'为其依附；欧陆法系之特色，在以'罗马法'为其基础，而重视法典编纂，与创作性；英国法系之特色，在以习惯法为其法源，而重视前例解释，与保守性。"（陈顾远：《中国法制史》，中国书店1988年影印本，第52～53页）尽管有人认为，陈顾远先生并没有明确回答有些法系"卓尔不群之精神"到底为何，而且对几个法系之间的划分他也没有采用统一的标准，但我们仍然可以相当自信地指出以唐律为代表的中华法系所具有的卓尔不群、独树一帜的品质。

首先,在世界五大法系中,东方就占了三席,除中华法系外,还有印度法系和伊斯兰法系。印度法系和伊斯兰法系都属于宗教类型。在这些国家的法律形成时宗教的力量已经很强大,人们普遍信仰宗教,将宗教学说奉为行为规范。进入阶级社会以后,有些宗教学说的内容得到国家认可,从而成为法律,并随着宗教的传播,形成了独立的法系。

印度法系的形成比伊斯兰法系早得多,是世界上最古老的法系之一。根据考古资料和文献记载,远在公元前2 000年代中叶,雅利安人从中亚侵入印度并建立国家以后,至后期吠陀·梵书时代,印度河和恒河一带的奴隶制国家便借助于宗教和习惯法进行统治。公元前4世纪左右,印度大量编纂各种法经或法律汇编。《乔达摩法经》是法经中最古老的一种,形成很早。《阿帕斯檀跋法经》形成于公元前4世纪至前3世纪。以后根据婆罗门教戒和流行的习惯法,统治者又编制了著名的《摩奴法典》,并在此基础上形成了印度法系。

印度的宗教最为复杂、繁多,与宗教密切相关的法律,其结构、体系异常复杂,法的渊源众多。如进入阶级社会,最先兴起的婆罗门教,是以《梨俱吠陀》等"四吠陀"为其最高经典,2至3世纪编纂的《摩奴法典》正是集婆罗门法的大成,也是古代印度法律的主要渊源之一。以后出现的佛教主要以《三藏》(《律藏》、《经藏》、《论藏》)为基本经典,吸收了婆罗门教的一些思想、观念加以改造、发挥,形成了更为系统完整的教义。形成较晚的印度教是由婆罗门教、佛教、耆那教的某些教义,加上民间的一些信仰演化而成,主要经典有《奥义书》、《往世书》、《摩诃婆罗多》和《罗摩衍那》等,基本教义与婆罗门教有许多地方相同。

印度法的渊源众多,既体现在各个历史时期出现的重要法典,如摩奴、那罗陀、耆那等,同时也反映在印度法的各种学派对法典所作的论述和解释上,甚至包括历史上不同宗教所制定的许多法经。

伊斯兰法系,亦称阿拉伯法系、穆斯林法系,是公元7世纪初随着伊斯兰教的创立和哈里发帝国的形成,由阿拉伯半岛传播到其他信奉伊斯兰教的各个国家和地区,最后流行于以阿拉伯半岛为核心的辽阔地区,影响极为广泛,其主要特点之一就是具有严格的宗教性质。伊斯兰法从它产生时开始,就以浓厚的宗教色彩为其明显特征,它与伊斯兰教有着直接联系。在伊斯兰教形成的过程中,伊斯兰的法权范围就逐步确立。伊斯兰教的创始人穆罕默德于公元610年开始进行伊斯兰教教义宣传的时候,就提出了伊斯兰教宗教法规的第一信条——独信真主。这实质上是用一神教战胜多神崇拜,实现阿拉伯统一的政治号召。伊斯兰法学家,也一直把宗教法规列为伊斯兰法的首要法权规范。

伊斯兰教的《古兰经》、《圣训》,本身就是伊斯兰教国家的"最高法典"。伊斯兰教的法学家,把伊斯兰法称为"天启的律例",真主和真主的使者穆罕默德是惟一的立法者,把神权和现实的行为规则始终套在一起,把世俗法规都用神的意志来予以装饰,穆罕默德几乎每说一段话,每解决一个问题,每提出一条立法,都要说这是真主要他这样说的,要他这样做的,不厌其烦地反复强调这是神的意志。伊斯兰教的经典《古兰经》,既是穆罕默德宗教活动的记录,又是他处理政治、经济、军事、司法问题的立场、观点、方法的反映,同时也是立法的记载和判例的汇编。《古兰经》不但是穆斯林宗教活动的指南，一切行为的最高准则，而且又是伊斯兰国家立法的依据。《古兰经》中的最早部分（麦加各章），多半是颂扬安拉、宣扬天堂幸福、火狱痛苦和末日审判的说教，后来的部分（麦地那各章）主要阐述教徒应尽的义务以及许多规章、制度和禁令。有些学者曾对《古兰经》进行专门研究，粗略统计，有关法律方面的规定，多半集中在2、4、5章，共有五百多节，约占《古兰经》的十分之一。（[法]昂里·马塞：《伊斯兰教简史》，商务印书馆，第82页）《圣训》也是穆罕默德宗教活动和立法、司法、行政活动的记录，其中还包括圣门弟子的一些言行，不过没有用真主启示的形式，在穆罕默德在世时就汇集起来，而是在穆罕默德死后，由于哈里发帝国形成和不断向外扩张，特别是对已经走向崩溃的高度发展的奴隶制国家巴勒斯坦、叙利亚、埃及和伊拉克的征服，新的法律关系不断出现，伊斯兰教上层为了巩固统治，解决现实问题，大量传述穆罕默德的言行，作为《古兰经》的补充和具体化，从而成为伊斯兰法的另一主要渊源。《圣训》多达六千余种，仅列为逊尼派圣训权威的布哈里等6人就收集《圣训》上百万段。公元9世纪出现的研究教法的"教法学"，以及在此基础上编纂的法律汇编，也是因为疆土进一步扩张和社会结构发生新的变化后，对政教合一的哈里发帝国已经建立起来的社会制度、生活方式，加以法律形式上肯定的具体表现。随着伊斯兰"圣战"的不断进行，《古兰经》的广泛传播，以及"圣训"和伊斯兰教法学的整理和发展，伊斯兰教发展成为世界性的宗教，伊斯兰法也成为广泛地区的行为规则，并且渗透到生活的各个角落，使其成为影响深远的法系。（参见彭诚：《试论伊斯兰法的本质和特征》，载《外国法制

史汇刊》第一集,武汉大学出版社1984年版,第82~84页)

比较以上两个同样形成于东方的法系,中华法系尽管也受到过道教、佛教和有些国家所称的"儒教"的影响,但总体上却是一个世俗的法系。如果说,在印度法系和伊斯兰法系国家是法律产生于宗教,那么,在中华法系国家则是宗教为法律服务。中国最早的法律内容有一部分就来自于与宗教祭祀有关的礼,这种由祭祀仪式不断向其他方面扩展的行为规范对法律产生了很大影响,伦理规范与法的紧密联系,遂成为中华法系的一大特点。

另外,过去通行的观点认为,中华法系的特点是"以刑为主,诸法合体"。虽然"诸法合体"的说法在近年遭到了部分学者的质疑,但"以刑为主"、重刑轻民,或者说法律的刑法化的特点还是得到了大多数人的认同。传统的中国法律是刑法化的法律,这一传统是从《法经》开始的。《法经》共6篇,内容虽然不同,"然皆罪名之制也"(《晋书·刑法志》),此后各代具有代表性的法典也基本上是刑法典。在中国,各朝各代的律令确实有调整婚姻、家庭、收养及契约等我们今天看来是属于民事活动的法律,但是其规定的处罚方法都是刑罚。如《唐律疏议·户婚律》中规定:"诸养子,所养父母无子而舍去者,徒二年……即养异姓男者,徒一年;与者,笞五十。"相比较而言,古代罗马法律却更加重视用民法方法来处理一些明显属于刑事的纠纷。如罗马《十二表法》规定,折断自由人一骨的,处300亚士的罚金。

应当说,古代各个法系对部门法的划分都不像现在这么明晰,因此,各种法律内容的混合编纂也可以说是古代中外各民族法律编纂的共同特征,只是中华法系有关民事法律的内容相对要弱一些。比如与《法经》大致同时的罗马《十二表法》是以私法为主要内容,民事法律规范居多,刑法相对不发达。在十二表中,一至三表为程序法;四至七表为民事法律,包括债务法、父权法、监护法、获得物权法、占有权法、房屋与土地权利法;八至九表为刑法,包括伤害法和公共法;第十表为宗教法;后两表为各项补充条例。而且,随着社会文明的进步,最迟至公元 6 世纪东罗马帝国查士丁尼统治时期,罗马已出现了独立的部门法法典。(参见张晋藩:《中国法律的传统与近代转型》,第 141 页)查士丁尼(527～565 年在位)时期,进行了系统的法典编纂,先后编成《查士丁尼法典》、《学说汇纂》、《法学阶梯》,查士丁尼死后又编成一部《新律》。到 12 世纪"罗马法复兴"时,这些法律被总称为《查士丁尼民法大全》(或称《国法大全》),虽然在法律史研究者的眼中,《唐律疏议》与 6 世纪前期东罗马帝国查士丁尼时所编纂的《罗马法大全》是东西遥相辉映,成为人类文明进步的重要标志,在世界文明史上均占有相当重要的地位,但不同的风格还是存在的。即使在伊斯兰法系的《古兰经》中,有关法律方面的规定也大体是婚姻、家庭及继承方面的内容最多,也比较发达;所有权范围规定得较少;刑法规范最为落后。(徐尚清:《世界主要法系探讨》,载《外国法制史汇刊》第一集,武汉大学出版社 1984 年版,第 10～11 页)而在中国,如果撇开《唐六典》之类的组织法或官制法,直到清末修律时引进西方法律范式后,才开始编纂近代意义上的各种部门法。

和其他法系相比,中华法系还有封闭性的特点。从起源上看,它是在中华文明的孕育中独立成长起来的,不具有古希腊或古罗马的法律的复杂性和多元性,也不像伊斯兰法和印度法相互之间有过交流,对外表现为它是独立存在的,没有与外域法律文化产生过实质性的冲突和交流。

从法律体系内部来看,在内容和体例两个方面都存在形成中华法系封闭性的原因。在内容上,中华法系历代法典的精神实质以及法律思想存在着单纯化的特点。春秋战国时期一度呈现过的百家争鸣繁荣景象随着秦封建法制的形成便告沉寂下来,汉以后儒家思想逐步成为维持和强化大一统的政治体制的正统法律思想,并确立了其2 000年的垄断地位。按照世界文化发展的通则,文化愈单一化,愈具有排异性,在单纯的法律思想氛围中发展起来的中华法系也始终排斥任何非正统法律思想的侵袭,并在保持其精神实质一致的前提下成就其大业。

从形式渊源和体例结构上来讲,中华法系具有形式渊源单一而结构严谨的特点。中国古代的法律渊源主要有律、令、科、比、格、式、敕、例。尽管名称各异,但来源和本质都大体相同,最终也都是由皇帝审核、认可或发布的。这也是帝国大一统和封闭性在法律上的必然体现。在体例结构上,中国古代法典从《吕刑》、《法经》到《唐律疏议》、《大清律例》,一个庞大的法律体系由典、篇、卷、门、条这几个框架支撑,各自独立又相互关联,在律文后面再附有解释性的疏议和同类内容的敕、令、例。这个完整的体例是在长期的相互继承的基础上逐渐形成的。中华法系这种富有特色的内容排序上的逻辑性在《唐律疏议》中达到了它那种文化所能达到的最高境地。在世界范围内,中世纪任何一部法典在这方面都不能和它相媲美。

在中华法系这一法统的起源阶段,一直处于内向而稳定的环境中,在历史渊源上清晰地显示出纵向性的承续关系,而不见有任何横向性的外界联系。客观上这是由地理环境构成的巨大的自然屏障所造成,在主观上则是中华法系的法律意识和文化精神上的自我法律优越观和自我中心主义。

说到对中华法系的封闭性特点有影响的自我法律优越感和自我中心主义,其产生应当说无可厚非,而且有一定的理由。因为中华法系的母法国中国很早就是古代世界的文明中心之一,包括法律文化在内的各个领域相对于周边国家具有很大程度的先进性,到唐代更是达到了极盛。从隋唐到明清前期,中国是世界上人口最多、最富饶的国家,在许多方面都处于世界领先地位。中国的强大使其在东亚大陆的地缘政治中具有特殊地位,外来挑战和威胁在文化上最后都被同化,因而古代中国的本土法律文化对外域法律文明体系产生了很大的影响。由于长期处于文化交流向外单向传播的这种优越地位,形成了中华民族独特的优越文化观和世界中心论。于是在法律意识方面,历代封建统治者无不以自己的法律为正宗嫡传而标榜自豪。发展到后来,在这种法律优秀完备观的支配下,历代封建统治者一味孤芳自赏,拒绝借鉴任何外域法律文化的优点,久而久之便形成为一种强大的历史传统。文明的过于烂熟使其在以后的发展中步履维艰,最终因固步自封而被淘汰,以致当海外更强大的文明浪潮席卷而来时,中华法系已无法自行调适,终于在西方法律的冲击下彻底崩溃。(参见李昕:《中华法系的封闭性及其成因》,载《法律科学》1994年第6期)当然,这样的结果,是《唐律疏议》的编纂者们所无法预见的,也是创造了灿烂的中国古代文明的唐人不愿意看到的。

正是由于以上所说的原因,如今,我们在总结《唐律疏议》

达到的杰出成就时,除了感叹古人的智慧、钦佩唐代法制的完备以外,仍然在深深地嗟叹此后失去的一次次发展机会。为了不再有类似的遗憾,我们将认真地面对今天的挑战与机遇,也会认真地面对今后每一次具有特殊意义的抉择。

附录一

《唐律疏议》选译

总6条 《名例律》"十恶"(摘录)

[原文] 《疏》议曰:五刑之中,十恶尤切,亏损名教,毁裂冠冕,特标篇首,以为明诫。其数甚恶者,事类有十,故称"十恶"。然汉制《九章》,虽并湮没,其"不道"、"不敬"之目见存。原夫厥初,盖起诸汉。案梁、陈已往,略有其条。周、齐虽具十条之名,而无"十恶"之目。开皇创制,始备此科,酌于旧章,数存于十。大业有造,复更刊除,十条之内,唯存其八。自武德以来,仍遵开皇,无所损益。

[译文] 疏议说:在五刑之中,对犯"十恶"罪尤其切要,因为这些罪行亏损了名分和礼教,损害了士大夫阶层。因此特地把"十恶"之罪标出列为首篇,以作为显明的儆戒。算起来这些罪恶极大的行为

总共有十类,所以将其称作"十恶"。然而汉代制订的《九章律》,虽然因为年久都已湮没,但其中"不道"、"不敬"等的名目至今犹存。推究它的开始,是起源于汉代。按自南朝的梁、陈以前各代,大略都有这几条。北朝的周、齐虽具备十条的罪名,却没有"十恶"的名称。隋代制订《开皇律》,方才完备了这"十恶"之罪的科目,当时参酌过去的刑典,数目归纳成十条。到了隋炀帝大业年间,制订《大业律》,将十恶名称重新删除,十条罪名只保留了八条。从唐高祖武德年间制订《武德律》以来,仍旧遵照《开皇律》中关于"十恶"的条目,对有关内容未作增减。

[原文] 一曰谋反。(谓谋危社稷。)(说明:原文中括号内的文字为律注,下同。)

[译文] 十恶之罪第一条是谋反。

[原文] 《疏》议曰:案《公羊传》云:"君亲无将,将而必诛。"谓将有逆心,而害于君父者,则必诛之。《左传》云:"天反时为灾,人反德为乱。"然王者居宸极之至尊,奉上天之宝命,同二仪之覆载,作兆庶之父母。为子为臣,惟忠惟孝。乃敢包藏凶慝,将起逆心,规反天常,悖逆人理,故曰"谋反"。

[译文] 疏议说:按《公羊传·庄公三十二年》的说法:"君亲无将,将而必诛",这是说对臣下及子女存有图谋叛逆心意,企图加害国君、父母的,就必须诛杀他们。《左传·宣公十五年》说:"天气违反季节就叫做灾害,人们背离道德准则就叫做祸乱。"但帝王处于最高的尊贵地位,承奉上天的符命,如同天覆地载,成为万民的父母。做子女和臣下的,对父、君只有尽忠尽孝。可是竟有人胆敢包藏凶险邪恶,谋划叛逆的心思,策划违反上天的常道,背逆伦理,所以叫做"谋反"。

[原文] 注:谓谋危社稷。

《疏》议曰：社为五土之神，稷为田正也，所以神地道，主司啬。君为神主，食乃人天，主泰即神安，神宁即时稔。臣下将图逆节，而有无君之心，君位若危，神将安恃？不敢指斥尊号，故托云"社稷"。《周礼》云："左祖右社"，人君所尊也。

[译文]　注：(谋反)指的是图谋危害国家。

疏议说：社是东、南、西、北、中五方的土地神，稷是掌管稻、黍、稷、麦、菽等五谷的田官之长，用来显示地道的神奇莫测，主管谷物的收获。国君是土地神和五谷之神的主人；粮食是百姓赖以生存的东西。国君安泰，土地神和五谷之神就安宁，土地神和五谷之神一安宁，年成就丰收了。臣下图谋反叛的行为，有蔑视国君的心意；国君的尊位如果不安全，那土地神和五谷之神将靠谁来得到祭祀呢？这里不敢指名直呼国君的尊号，所以就托名改叫"社稷"。《周礼·冬官·匠人》说："左侧宗庙，右侧社稷"，这都是国君们尊奉的神圣之物。

[原文]　五曰不道。(谓杀一家非死罪三人，支解人；造畜蛊毒、厌魅。)

[译文]　第五是不道。(是说杀死同一家的都不应当有死罪的三个人，分解被杀人的肢体；制造毒物或畜养毒虫杀人，及暗中用邪恶的方法使人得病痛或死亡。)

[原文]　《疏》议曰：安忍残贼，背违正道，故曰"不道"。

[译文]　疏议说：惯于狠毒、残害，违反和背离做人的"正道"，所以叫做"不道"。

[原文]　注：谓杀一家非死罪三人，支解人。

《疏》议曰：谓一家之中，三人被杀，俱无死罪者。若三人之内，有一人合死，及于数家各杀二人，唯合死刑，不入"十恶"。或杀一家三人，本条罪不至死，亦不入"十恶"。支解人者，谓杀人而支解，亦据本罪合死者。

[译文]　　疏议说：是说在1户家庭中被杀死了的3个人，都没有犯死罪。倘若这被杀的3个人中，有一人本应该处死，以及在几家中，每家各杀了2人，对凶犯也只应判处死刑，不列入"十恶"罪的范围内。倘若在一家中杀了3个人，根据所犯本罪条文还不至于判处死刑的（如主杀奴婢、部曲，夫杀妾等），也不列入"十恶"范围内。所谓"支解人"，是说杀了人，而且把被杀者的肢体分解割裂，也是根据本罪条文规定应该处死的。

[原文]　　注：造畜蛊毒、厌魅。

《疏》议曰：谓造合成蛊；虽非造合，乃传畜堪以害人者：皆是。即未成者，不入"十恶"。厌魅者，其事多端，不可具述。皆谓邪俗阴行不轨，欲令前人疾苦及死者。

[译文]　　疏议说：是说令各种毒虫聚合使其互相吞食，最后剩下一只最毒的虫，便是蛊。虽然不是自己制成蛊毒，是把他人制成的蛊毒传授畜养足以害人的各种情况，都属于这种罪行。如果是没有配制成功的，不列入"十恶"。用邪术厌胜魅人的，这种事情种类十分繁多，无从一一详细述说，它们指的都是出于邪恶习俗，阴谋暗算他人进行违法活动，想使受害者生病、受苦，以致死亡的。

[原文]　　七曰不孝。（谓告言、诅詈祖父母父母；及祖父母父母在，别籍、异财，若供养有阙；居父母丧，身自嫁娶，若作乐，释服从吉；闻祖父母父母丧，匿不举哀，诈称祖父母父母死。）

[译文]　　第七是不孝。（是说告发或者咒骂祖父母、父母；以

及祖父母、父母在世时,就与其别立户籍,分置财产,或者能供养而不供养,造成祖父母、父母衣食缺乏;在为父母服丧期间自主娶妻或出嫁,或者奏乐,脱掉丧服穿华丽衣服;听到祖父母、父母的死讯隐瞒不哀哭,以及诈说祖父母、父母死亡。)

[原文]　　《疏》议曰:善事父母曰孝。既有违犯,是名"不孝"。

[译文]　　疏议说:善于侍奉父母的叫做孝。既然有了违背、冒犯的行径,就叫做"不孝"。

[原文]　　注:谓告言、诅詈祖父母父母。
《疏》议曰:本条直云"告祖父母父母",此注兼云"告言"者,文虽不同,其义一也。诅犹咒也,詈犹骂也。依本条"诅欲令死及疾苦者,皆以谋杀论",自当"恶逆"。唯诅求爱媚,始入此条。
问曰:依《贼盗律》:"子孙于祖父母父母求爱媚而厌、咒者,流二千里。"然厌魅、咒诅,罪无轻重。今诅为"不孝",未知厌入何条?
答曰:厌、咒虽复同文,理乃诅轻厌重。但厌魅凡人,则入"不道";若咒诅者,不入十恶。《名例》云:"其应入罪者,则举轻以明重。"然咒诅是轻,尚入"不孝";明知厌魅是重,理入此条。

[译文]　　疏议说:本律条文直说"告祖父母、父母",这里律注兼说到"告言",两者文字虽有不同,意思是一样的。诅,就如同咒;詈,等于说骂。依照本条的规定:"咒诅是想要使人死亡以及遭受疾病、痛苦的,都依照谋杀论罪",自然应当依照"恶逆"条来治罪。只有用咒诅来求得宠爱怜惜的,方才列入"不孝"这一条。

问道:按照《贼盗律》的规定,做孙子、儿子的为向祖父母、父母求得宠爱怜惜而进行厌魅或咒诅的,处流刑2 000里。这样,厌魅和咒诅这两罪并没有轻重的分别,现在将诅咒定为"不孝",不知道厌魅该列入哪一条?

答道:厌与咒在文字的含义上虽然相同,从情理上看,却是咒诅罪轻,厌魅罪重。只要对平常人进行厌魅就要列入"不道",倘若只对平常人进行咒诅的,不列入十恶。《名例律》说:"那些应该作为犯罪来处罚的,就列举法律中有关轻罪的规定来说明其罪重。"这样咒诅是轻罪,尚且列入"不孝",由此可明白,厌魅是重罪,按理更应该列入不孝这一条。

[原文]　　注:及祖父母父母在,别籍、异财。

《疏》议曰:祖父母、父母在,子孙就养无方,出告反面,无自专之道。而有异财、别籍,情无至孝之心,名义以之俱沦,情节于兹并弃,稽之典礼,罪恶难容。二事既不相须,违者并当十恶。

[译文]　　疏议说:祖父母、父母在世的日子,做儿孙的在他们身边赡养,应该想方设法,做到无微不至。有事出门,得先向父母禀告;归来时,一进门还要面见父母,对家事没有擅做主张的道理。可是却有人自身不同父、祖共家财,对外竟别立门户,恩情名分大义在这里完全被抛弃。考查典礼制度,这种罪恶实在难以容忍。"别籍"和"异财"两件事,既然不一定互相关联,违犯其中任何一条的人,都适合用十恶判刑。

[原文]　　注:若供养有阙;

《疏》议曰:《礼》云:"孝子之养亲也,乐其心,不违其志,以其饮食而忠养之。"其有堪供而阙者,祖父母、父母告乃坐。

[译文]　　疏议说:《礼记·内则》说:"孝子供养父母亲,应使他

们心情欢乐,不违背他们的意志,依照他们的饮食和爱好全心全意地供养他们。"如果有能够供养却缺少供养的,经他的祖父母、父母告发,就予以治罪。

[原文]　　注:居父母丧,身自嫁娶,苦作乐,释服从吉;《疏》议曰:"居父母丧,身自嫁娶",皆谓首、从得罪者。若其独坐主婚,男女即非"不孝"。所以称"身自嫁娶",以明主婚不同十恶故也。其男夫居丧娶妾,合免所居之一官;女子居丧为妾,得减妻罪三等:并不入"不孝"。"若作乐"者,自作、遣人,等。乐,谓击钟、鼓,奏丝、竹、匏、磬、埙、麓,歌舞,散乐之类。"释服从吉",谓丧制未终,而在二十七月之内,释去衰裳而着吉服者。

[译文]　　疏议说:处在父母的丧期,自己做主出嫁或娶妻,为首或顺从者都同样构成犯罪。倘若依法应单独对主婚的家长判罪,那么,娶妻的男子或出嫁的女子就不构成"不孝"罪。所以在律文上称为自己做主出嫁或娶妻,是用来说明,如果是由家长主婚嫁娶,就不同于十恶的缘故。至于男的在居丧期间娶妾,该免去他所担任的职事官或勋官中的一官;女的在居丧期间出嫁做人家的妾,应比照嫁人为妻之罪减轻三等处罚,都不列入"不孝"罪。倘若在居丧期间作乐的,不管是自己吹打乐器还是指派别人演奏,两者的罪罚都相等。"乐",是指敲打钟、鼓,演奏丝竹及匏、磬、埙、麓等乐器,以及唱歌、舞蹈,演出清唱等一类。"释服从吉",是说服丧还未满期,却在 27 个月之内就已脱掉斩衰、齐衰的丧服,穿上了喜庆的衣服。

[原文]　　注:闻祖父母父母丧,匿不举哀;及诈称祖父母父母死。

《疏》议曰:依《礼》:"闻亲丧,以哭答使者,尽哀而问故。"

父母之丧，创巨尤切，闻即崩殒，擗踊号天。今乃匿不举哀或拣择时日者，并是。其"诈称祖父母父母死"，谓祖父母、父母见在而诈称死者。若先死而诈称始死者，非。

[译文]　　疏议说：依照《礼记·奔丧》所说："一听到尊亲去世，就用号哭来应对报丧的使者，要极尽哀痛，然后再询问尊亲死因及前后经过。"对于父母死亡，心头的创痛更加巨大深切，一听到死讯就昏倒，醒过来后还要捶胸顿足，号叫上天。现在有人竟把死讯隐瞒起来，不举行哀哭穿着丧服，或者推迟择定日期才举办丧事的，都属于犯了这条罪。谎说祖父母或父母死去，是说祖父母或父母都还活着，却谎说他们已死。倘若早先已去世却谎说才死的，那就不构成此罪。

总8条　《名例律》"八议者（议章）"

[原文]　　诸八议者，犯死罪，皆条所坐及应议之状，先奏请议，议定奏裁；（议者，原情议罪，称定刑之律而不正决之。）

[译文]　　凡列入"八议"的人，犯了死罪，都要分条列举其所犯罪行和所符合的"议"的条件，先奏请皇帝交由大臣们在尚书都省内集会评议，然后将评议的结果呈报皇帝，最后由皇帝裁决；（"议"就是根据犯罪人的罪状及享有的"八议"资格来评议刑罚，对这些人在奏请时只列举所触犯的法律条文，而不正式判决应处哪一种死刑。）

[原文]　　《疏》议曰：此名"议章"。八议人犯死罪者，皆条录所犯应死之坐及录亲、故、贤、能、功、勤、宾、贵等应议之状，先奏请议。依令，都堂集议，议定奏裁。

[译文]　　疏议说：这条名叫"议章"。属于八议范围的人犯了

死罪,都按条写明他所犯罪行应该适用的死刑条文,以及写明他在议亲、议故、议贤、议能、议功、议勤、议宾、议贵这八个方面中应议的情状,先奏报请示皇帝批准发交大臣集议,依照《狱官令》规定,在尚书省都堂集体讨论,议定后,报请皇帝最后裁决。

[原文] 注:议者,原情议罪,称定刑之律而不正决之。
《疏》议曰:议者,原情议罪者,谓原其本情,议其犯罪。"称定刑之律而不正决之"者,谓奏状之内,唯云准犯依律合死,不敢正言绞、斩,故云:"不正决之"。

[译文] 疏议说:所谓原情议罪,是说推究犯罪的本意,来平议他的犯罪事实。"称定刑之律,而不正决之",是说在上皇帝的奏报中,只说按其所犯的罪行,依照刑律应该处死,而不能冒昧地正面直说应绞或应斩,所以说:"对属于八议中犯死罪的人不作结案判决。"

[原文] 流罪以下,减一等。其犯十恶者,不用此律。
[译文] 犯流刑以下罪行的,减轻一等处刑。如果是犯"十恶"大罪的,不得适用本条律文。

[原文] 《疏》议曰:流罪以下,犯状既轻,所司减讫,自依常断。其犯十恶者,死罪不得上请,流罪以下不得减罪,故云"不用此律"。

[译文] 疏议说:该判流刑以下的罪,所犯的罪状既然较轻,审理这些案件的官员就依法减轻完毕,自应依照常法判决(不需要经过议的程序)。对那些犯了十恶大罪的,犯死罪不得上请皇帝,犯流刑以下罪的,也不得减轻刑罚,所以说"不适用这条刑律"。

总 30 条 《名例律》"老小及疾有犯"

［原文］ 诸年七十以上、十五以下及废疾,犯流罪以下,收赎。(犯加役流、反逆缘坐流、会赦犹流者,不用此律;至配所,免居作。)

［译文］ 凡年龄在 70 岁以上(不满 80 岁)的老人,15 岁以下(超过 10 岁)的小孩及病残人,犯流刑以下的罪,处赎刑。(犯加役流、反逆缘坐流及会赦犹流的,不适用本条法律;但到流放地后,可免于服劳役。)

［原文］ 《疏》议曰:依《周礼》:"年七十以上及未龀者,并不为奴。"今律:年七十以上,七十九以下,十五以下、十一以上,及废疾,为矜老、小及疾,故流罪以下收赎。

问曰:上条"赎章"称"犯流罪以下听赎",此条及官当条即言"收赎"。未知"听"之与"收"有何差异?

答曰:上条犯十恶等,有不听赎处,复有得赎之处,故云"听赎"。其当徒,官少不尽其罪,余罪"收赎";及矜老、小、废疾,虽犯十恶,皆许"收赎"。此是随文设语,更无别例。

［译文］ 疏议说:依照《周礼·秋官·司厉》中所说:"年龄在 70 岁以上和孩童尚未换牙齿的,都不当男奴。"现在律文中规定:年龄在 70 岁以上、79 岁以下,15 岁以下、11 岁以上,和患有废疾(单目失明、一肢残废者为废疾)等,为了怜悯衰老、幼小和病废的人,所以他们如果犯流刑以下的罪,可以用财物收赎。

问道:上面"赎章"的条文中说:犯流刑以下的罪"听赎"。本条和官当条则说"收赎"。不知道"听赎"与"收赎"之间有什么区别?

答道:在上面条文中,所犯是十恶等罪名,有不准许用财物赎罪的地方,但又有可以用财物赎免的地方,所以说"听赎"。倘若用官职抵当徒刑,官品太少不能把罪刑抵尽,余下的罪刑可收取财物赎免;以及怜悯衰老、幼小及患有废疾之人,虽然所犯是十恶大罪,也都允许收取财物赎罪。这是条文中随用的词语,没有别的规定法例。

[原文]　注:犯加役流、反逆缘坐流、会赦犹流者,不用此律;至配所,免居作。

《疏》议曰:加役流者,本是死刑,元无赎例,故不许赎。反逆缘坐流者,逆人至亲,义同休戚,处以缘坐,重累其心,此虽老疾,亦不许赎。会赦犹流者,为害深重,虽会大恩,犹从流配。此等三流,特重常法,故总不许收赎。至配所免居作者,矜其老小,不堪役身,故免居作。其妇人流法,与男子不同:虽是老小,犯加役流,亦合收赎,征铜一百斤;反逆缘坐流,依《贼盗律》:"妇人年六十及废疾,并免。"不入此流。"即虽谋反,词理不能动众,威力不足率人者,亦皆斩,父子、母女、妻妾并流三千里"。其女及妻妾年十五以下、六十以上,亦免流配,征铜一百斤;妇人犯会赦犹流,唯造畜蛊毒,并同居家口仍配。

[译文]　疏议说:加役流这一刑名,本来是从死刑改设,原来就没有赎罪的法例,所以不许用财物来赎罪。反逆缘坐流,是说因家人犯反逆罪而缘坐被判流刑者,他们与反逆罪本犯是至亲,在情义上是对忧喜祸福同受,将其缘坐判刑,是把连累罪名重压在他们心上,这类流犯即使是年老病残之人,也不许用财物赎罪。遇皇帝发布大赦命令而由死刑改判流刑的人,他们所犯罪行造成的祸害深重,虽已遇到大赦皇恩,还是要依流刑发配。这三等流刑特别要比通常的流刑法条罪重,所以均不许用财物收赎。至配所免居作,是说怜悯流犯中衰老、幼小的男子服劳役在体力上承受不了,所以免予承担在配所的劳役。对妇女处流刑的法律规定和男子不相同,虽然是年老或者幼小的女子,犯加役

流,也可以通过收取财物来赎罪,征缴铜 100 斤。反逆缘坐流,依照《贼盗律》的规定:"对妇人年六十岁以上和患有废疾的,都予宽免。"不归入这一流刑。"如果犯了谋反大罪,虽然他的言语道理上不能煽动群众,威信和力量不足以领导别人的,也都处以斩刑。本犯的父子、母女、妻妾都判处流刑三千里"。他的女儿和妻妾,其年龄在 15 岁以下或 60 岁以上者,也免处流刑发配,改为征铜 100 斤。妇人犯了会赦犹流中的各种罪行,只对犯"造畜蛊毒"这一条罪的,仍须和同居的家属人口一并发配。

[原文] 八十以上、十岁以下及笃疾,犯反、逆、杀人应死者,上请;

《疏》议曰:《周礼》"三赦"之法:一曰幼弱,二曰老耄,三曰蠢愚。今十岁合于"幼弱",八十是为"老耄",笃疾"蠢愚"之类,并合"三赦"之法。有不可赦者,年虽老、小,情状难原,故反、逆及杀人,准律应合死者,曹司不断,依上请之式,奏听敕裁。

[译文] 年龄在 80 岁以上(不满 90 岁)的老人,10 岁以下(超过 7 岁)的小孩和笃疾者(指双目失明、双肢残废的人),犯谋反罪、谋大逆罪、杀人罪按法律要处死刑的,奏请皇帝裁处;

疏议说:《周礼·秋官·司刺》中有"三赦"的法律规定;第一叫做幼弱,第二叫做老耄,第三叫做蠢愚。现在十岁正处在幼稚弱小的时期,八十衰老已进入老耄之年,患有笃疾以及蠢直愚蠢的一类人,都合乎"三赦"的法定条件。但也有不可宽赦的,是他们年龄虽属衰老或幼小,但所犯案情罪状却难以原宥,所以对犯反逆罪和杀人罪的,按照本律应该归入死罪,司法官员不予判决,依照上请的程式,上奏皇帝,听候敕令裁定。

[原文]　　盗及伤人者,亦收赎。(有官爵者,各从官当、除、免法。)

《疏》议曰:盗者,虽是老、小及笃疾,并为意在贪财。伤人者,老、小、疾人未离忿恨。此等二事,既侵损于人,故不许全免,令其收赎。若有官爵者,须从官当、除、免之法,不得留官征赎。谓殴从父兄、姊伤,合除名;盗五匹以上,合免官;殴凡人折支,合官当之类。

问曰:既云"盗及伤人亦收赎",若或强盗合死;或伤五服内亲亦合死刑,未知并得赎否?

答曰:"盗及伤人亦收赎",但盗既不言强、窃,伤人不显亲疏,直云"收赎",不论轻重。为其老、小,特被哀矜。设令强盗,伤亲合死,据文并许收赎。

又问:既称伤人收赎,即似不伤者无罪。若有殴、杀他人部曲、奴婢,及殴己父母不伤,若为科断?

答曰:奴婢贱隶,唯于被盗之家称人,自外诸条杀、伤,不同良人之限。若老、小、笃疾,律许哀矜,杂犯死刑,并不科罪;伤人及盗,俱入赎刑。《例》云:"杀一家三人为'不道'"。注云:"杀部曲、奴婢者,非。"即验奴婢不同良人之限。唯因盗伤杀,亦与良人同。"其应出罪者,举重以明轻",杂犯死刑,尚不论罪;杀、伤部曲、奴婢,明亦不论。其殴父母,虽小及疾可矜,敢殴者乃为"恶逆"。或愚痴而犯,或情恶故为,于律虽得勿论,准礼仍为不孝。老、小、重疾,上请听裁。

又问:八十以上、十岁以下,盗及伤人亦收赎。注云:"有官爵者,各从除、免、当、赎法。"未知本罪至死,仍得以官当赎以否?

答曰:条有"收赎"之文,注设"除、免"之法,止为矜其老、疾，非谓故轻其罪。但杂犯死罪，例不当赎，虽有官爵，并合除名。既死无比徒之文，官有当徒之例，明其除、免、当法，止据流罪以下。若欲以官折死，便是律外生文，自须依法除名，死依赎例。

[译文]　　犯盗罪以及伤人的，也处赎刑。（有官职及爵位的，分别按照官当、除名、免官的办法处理。）

疏议说：犯盗罪的人，纵使是衰老、幼小及患有笃疾，都是起意贪财。伤人的，这些年老、年幼和有病的人心中都离不开愤恨。以上犯盗罪和伤人这两种行为，既然已侵害损伤别人，所以不允许完全免罪，命令他们用财物赎罪。倘若是有官品、爵位的，必须依照官当、除名、免官的法例处理，不准他们保留官职，仅以征铜来赎罪。这是指殴伤堂兄、堂姊的，应该削除名籍；盗窃得财物价值绢五匹以上，应该免去官职；殴打普通人造成伤折肢体的，应该用官品抵罪等一类。

问道：既然说"犯盗罪及伤人罪也收取财物赎罪"，假如有强盗打劫财物，应该判处死刑；有人伤害五服内的亲属，也应该判处死刑，不知这是否都可用财物赎罪？

答道：犯盗罪与犯伤害他人罪也收取财物赎罪，但律只泛称"盗"，既没有说明是强劫还是偷窃；所伤的人，也没有规定是亲是疏，只是说"收赎"，自然不论本罪轻重，这是因为犯罪人年老或幼小，特别蒙受哀怜矜恤。假使犯了强盗罪、伤害亲长罪，应该判处死刑，根据本条文，都允许收取他们的财物赎罪。

又问道：既说是伤害他人的，允许收取财物赎罪，就好像没有致伤的便可以无罪。倘若有殴打杀死别人家的部曲、奴婢，以及殴打自己的父母却并未致伤的，应当怎样判决？

答道：奴与婢的身份是贱民奴隶，只有在主人家被强盗杀死或杀伤时才称作"人"，除了这以外的各法条中，对杀、伤奴婢都不同于杀、伤良民。若是年老、幼小、患有笃疾的人，按法律规定准许加以哀怜矜恤，在除本律的各种犯罪的死刑上，并不判罪执行犯伤人罪以及犯盗罪，全部归入赎刑的范围。《名例律》中说:"杀死一家中三个人的属于'不道'。"律注说:"杀死部曲、奴婢的不算在这三个人以内。"这就可证明奴婢有别于良民。只是奴婢因强盗作案而被杀伤的,才和良民的被杀伤相同。对犯本刑应该出罪的,举出其中罪行重的就可明白其他罪行轻的,他们在犯除本律外的各种死刑罪时,尚且不予论罪,那么,对杀伤部曲、奴婢显然也不应论罪。至于殴打父母,虽然是幼小以及有病的人应予以怜恤,但敢于殴打的在犯罪性质上就是犯了"恶逆"罪。他们或者是出于愚蠢痴呆而触犯了这一罪名,或者是性情顽劣而故意做出这一行为,按照法律规定虽可不予论罪,但依照礼法仍属"不孝"。对这些年老、幼小或患有重疾者犯"恶逆"罪的情况,应上奏请示皇帝,听候裁决。

又问道:80岁以上、10岁以下的人,犯盗窃及伤人的罪,也予以收取财物赎罪。律注说:"有官品、爵位的人,各按照削除名籍、罢免官职、用官品抵罪、用财物赎罪等法例处理。"不知道本罪至应判死刑时,是否仍可用官品来抵罪、赎罪?

答道:律条中有通过收取财物赎罪的明文,律注内设立了除名、免官的法例,这只是为了怜恤年老、重病的人,并不是说故意减轻他们的罪责。但对所犯各种死罪,法例上不许官当及收赎。虽然有官品爵位,都应该削除名籍。既然是死罪没有比处徒刑的条文,官员有用官品当抵徒刑的法例,可见有关除名、免官、以官当罪的法律规定,只适用于犯流刑以下的罪。倘若要用官品折抵死罪,便是在本律外另生条文,自然必须依照法律规定予以除名,死刑则另外依照用财物赎罪的法例。

[原文] 余皆勿论。

《疏》议曰:除反、逆、杀人应死,盗及伤人之外,悉皆不坐,故云"余皆勿论"。

[译文] 犯其他罪行的都不处刑。

疏议说:对前述罪犯除了犯谋反、大逆和杀人等罪应该判处死刑,盗罪以及伤人罪以外,其他各项罪名都不予判处,所以说"其余都不论罪"。

[原文]　　九十以上,七岁以下,虽有死罪,不加刑;(缘坐应配没者,不用此律。)

《疏》议曰:《礼》云:"九十曰耄,七岁曰悼。悼与耄,虽有死罪不加刑。"爱幼养老之义也。"缘坐应配没者",谓父祖反、逆,罪状已成,子孙七岁以下仍合配没,故云"不用此律"。

[译文]　　年龄在90岁以上的老人、7岁以下的小孩,即使犯有死罪,也不处刑。(因父亲、祖父犯谋反罪、大逆罪而缘坐处流刑发配和收为奴隶的人,不适用本条法律。)

疏议说:《礼记·曲礼上》说:"九十岁叫耄,七岁叫悼。悼和耄虽然所犯是死罪,也不施加刑罚。"这是体恤幼小,存养衰老的意思。所谓"缘坐应配、没的人",是说父亲、祖父犯谋反、大逆,罪状已经成立,他的儿子、孙子,在七岁以下的人,仍旧应该发配或没收做官奴婢,所以说:"不适用这条律文"。

[原文]　　即有人教令,坐其教令者。若有赃应备,受赃者备之。

《疏》议曰:悼、耄之人,皆少智力,若有教令之者,唯坐教令之人。或所盗财物,旁人受而将用,既合备偿,受用者备之;若老、小自用,还征老、小。故云"有赃应备,受赃者备之"。

问曰:悼、耄者被人教令,唯坐教令之者。未知所教令罪,亦有色目以否?

答曰:但是教令作罪,皆以所犯之罪,坐所教令。或教七岁小儿殴打父母,或教九十耄者斫杀子孙,所教令者,各同自殴打及杀凡人之罪,不得以犯亲之罪加于凡人。

[译文]　　如果这些人是受人教唆的,给教唆人处刑。若是有

赃要偿付的,由受用的人偿付。

疏议说:幼小、年老的人都缺少智力,倘若有教唆指使他们犯罪的人,就只处罚教唆指使他们犯罪的人。或者由他们所盗取的财物,旁人收受到手再拿去使用,既然应该全部退赔,就由到手使用的人全部退赔赃物;倘若是幼小、年老的人自己使用的,还应追征这幼小、年老的人退赔原赃。所以说"有赃物,应完全退赔的,由收受赃物的人全部退赔"。

问道:幼小、年老的人受人教唆指使犯罪,只判处教唆指使犯罪的人。未知所教唆指使的罪名也有不同的名目吗?

答道:只要是教唆指使他人去犯罪作案,都将其所犯的本罪名判处所教唆指使的人。或有指使7岁小儿殴打自己的父母,或有教唆90岁的老人砍杀自己的子孙,所教唆指使的人各和自己殴杀及杀害寻常人的罪行相同,不能将殴杀尊亲属或卑亲属的罪刑,施加到有教唆行为的普通人身上。

总31条 《名例律》"犯时未老疾"

[原文]　　诸犯罪时虽未老疾,而事发时老、疾者,依老、疾论。

[译文]　　凡犯罪时虽然不属年老、残废,而被告发时属于年老和残废的,以年老、残废论处。

[原文]　　《疏》议曰:假有六十九以下犯罪,年七十事发,或无疾时犯罪,废疾后事发,并依上解"收赎"之法;七十九以下犯反逆、杀人应死,八十事发,或废疾时犯罪,笃疾时事发,得入"上请"之条;八十九犯死罪,九十事发,并入"勿论"之色。故云"依老、疾论"。

问曰:律云:"犯罪时虽未老、疾,而事发时老、疾者,依老、疾论。"事发以后未断决,然始老、疾者,若为科断?

答曰:律以老、疾不堪受刑,故节级优异。七十衰老,不能徒役,听以赎论。虽发在六十九时,至年七十始断,衰老是一,不可仍遣役身,此是役徒内老疾依老疾论。假有七十九犯加役流事发,至八十始断,止得依老免罪,不可仍配徒流。又,依《狱官令》:"犯罪逢格改者,若格轻,听从轻。"依律及令,务从轻法。至于老疾者,岂得配流。八十之人,事发与断相连者,例从轻典,断依发时之法。唯有疾人与老者理别,多有事发之后,始作疾状。临时科断,须究本情:若未发时已患,至断时成疾者,得同疾法;若事发时无疾,断日加疾,推有故作,须依犯时。实患者听依疾例。

[译文]　　疏议说:假使有人在69岁以前犯罪,到年龄70岁才被发觉;或在无病时犯了罪,到患废疾时才被发觉,都依照上面解释用财物赎罪的法律规定办理。对79岁以前犯谋反、大逆、杀人应该判死刑的罪,到80岁才被发觉;或在患废疾时犯了罪,到恶化成笃疾时才被发觉,都可以归入上请皇帝裁决的法条处理。89岁时所犯的死罪,到90岁才被发觉,都列入不予论罪的人一类。所以说:"依照老、疾的法律规定处理。"

问道:律文中说:"犯罪时虽还未年老,或患废疾、笃疾,但所犯罪被发觉时已年老或患废疾、笃疾的,依照老、疾处理。"若在被发觉后没有及时判决,就这样才进入老年以及病或残废的,应该怎样判决呢?

答道:律文中因年老、疾病经受不起刑罚,所以次第按情节等级给予不同照顾。到70岁时,人已衰老,不能再服徒刑和劳役,所以准许用财物赎罪论处。虽然发觉其犯罪是在69岁时,到年70岁时才判刑,但衰老的情况都是一样的,不可以仍遣配他亲身去服劳役,这是在服劳役的徒刑期间内出现老、疾情况的,依照老、疾处理的法律规定。假如有人在79岁时被发觉曾犯有应判加役流的罪,到80岁时才判决,只可依照年老免罪的规定,不可以依旧发配徒刑、流刑。又依照《狱官令》的规定:"犯罪时遇到'格'的规定有所更改,倘若格文对该罪的处罚由重改轻的,就照轻的办。"依据律条与《狱官令》的要求,必须按照轻的法律办理。对老、疾的罪犯,怎么可以发配流放?对80岁的人,被发觉犯罪和审理判决在时间上相连续的,照例按照轻的法典,根据适用于犯罪被发觉时的法律规定判决。只是对以上的病人和年老人在处理上还要有所区别,经常有这样的情况,到了犯罪被发觉时,罪犯才装出了有病的样子。临判决时,必须追究查明他的真实情况。倘若犯罪还未发觉就已经得病,临判决时病情恶化的,可以按照废疾重病的法条处理;倘若犯罪被发觉时没有病,临判决时突然身患重病,经推问发现是故意装病的,必须依照犯罪被发觉时的情况处理。确实患重病的,则准许依"重疾"的规定办理。

[原文] 若在徒年限内老、疾,亦如之。

《疏》议曰:假有六十九以下配徒役,或二年、三年,役限未满,年入七十;又有配役时无疾,役限内成废疾:并听准上法"收赎"。故云"在徒限内老、疾,亦如之"。又,计徒一年三百六十日,应赎者征铜二十斤,即是一斤铜折役一十八日,计余役不满十八日,征铜不满一斤,数既不满,并宜免放。

[译文] 如果在服徒刑的期间成为老年人、残废人的,也按年老、残废处理。

疏议说:假如有人在69岁以前被发配徒刑去服劳役,或是2年徒刑,或是3年徒刑,服劳役期限还未满,年龄已进入70岁;又有在发配服劳役时没有病,在服劳役期限内生了病成为废疾,这些都允许其按照上面的法条,通过交纳财物来赎罪。所以说"对在服徒刑期限内年老、病残的人,也照样办理"。再有,计算徒刑1年为360天,对符合赎罪条件的人收铜20斤,也就是说,1斤铜折合劳役18天。计算剩余下来的役期如果不满18天,收铜也就不满1斤;既然是不满1斤的零数,都应该免收零数,予以释放。

[原文] 犯罪时幼小,事发时长大,依幼小论。
《疏》议曰:假有七岁犯死罪,八岁事发,死罪不论;十岁杀人,十一事发,仍得上请;十五时偷盗,十六事发,仍以赎论。此名"幼小时犯罪,长大事发,依幼小论"。

[译文] 犯罪时属年龄幼小,被告发时已经长大,按年龄幼小处罚。
疏议说:假如有人在7岁时犯死罪,8岁时被发觉,所犯死罪,不予论处;如果在10岁时犯杀人罪,11岁时被发觉,仍得上请皇帝裁决;若在15岁犯盗窃罪,16岁时被发觉,仍然按照用财物赎罪的规定处理。这就叫做"幼小时犯罪,长大后被发觉,依幼小犯罪处理"。

总34条 《名例律》"平赃及平功庸"

[原文] 诸平赃者,皆据犯处当时物价及上绢估。
[译文] 凡是评估得赃的价值,都按犯罪当地当时的物价并依上等绢的价格评估。

[原文] 《疏》议曰:赃谓罪人所取之赃,皆平其价直,准犯处当时上绢之价。依令:"每月、旬别三等估。"其赃平所犯旬估,定罪取所犯旬上绢之价。假有人蒲州盗盐,隽州事发,盐已费用,依令"悬平",即取蒲州中估之盐,准蒲州上绢之价,于隽州断决之类。纵有卖卖贵贱,与估不同,亦依估价为定。

问曰:赃若见在犯处,可以将赃对平。如其先已费损,悬平若为准定?又有获赃之所,与犯处不同,或远或近,并合送平以否?

答曰:悬平之赃,依令准中估。其获赃去犯处远者,止合悬平;若运向犯处,准估其物,即须脚价、生产之类,恐加瘦损,非但奸伪斯起,人粮所出无从。同遣悬平,理便适中。

又问:在蕃有犯,断在中华。或边州犯赃,当处无估,平赃定罪,从何取中?

答曰:外蕃既是殊俗,不可牒彼平估,唯于近蕃州县,准估量用合宜。无估之所而有犯者,于州、府详定作价。

[译文]　　疏议说:赃,是指罪犯所取得的赃物,都要通过平议确定它的价值,折合犯罪所在地当时的上等绢价格。依照《关市令》:"每月的物价,按每月三旬分上中下三等估定。"对赃物金额估计,按照犯罪的这一旬估价;定罪,用所犯罪得赃那一旬的上等绢折价。假如有人在蒲州盗到盐,在隽州被发觉,所盗取的盐已被变卖花用,依照《关市令》:"平议定罪",即以蒲州盐的中等质量估价,比照蒲州的上等绢价,在隽州进行判决等一类。纵使买进卖出的市价高低,与官断赃物的估价有所不同,也依照这估价作决定。

问道:赃物倘若仍在犯罪地点,当场破案,可以把原赃计算成绢的价值作为赃值。如果原物先已花用完或已损坏,要虚悬赃物平议其赃值,那么应根据什么标准来确定?还有,查获赃物的地点,与犯罪的场所不是在同一个地方,相隔或远或近,都应该将赃物送到犯罪的当地加以平议吗?

答道:虚悬的赃物不勘验原来的赃物,依照《关市令》:按中等绢估价。对查获赃物的场所离开犯罪地点距离远的,只应该通过虚悬赃物取其中等质量赃值。倘若把赃物运往犯罪地去比照估价,就必须花运费,如果赃物是畜产或者奴婢,途中或许还会生育,另外恐怕还要加上消瘦或损伤的损失。不但奸恶、为非作歹等种种诈伪的事会由此而起,连同人和在途粮食所需出的费用也无从开支。共同派人虚悬平议,在道理上就较为适中。

又问道:中国人在国外地区犯有赃罪,应在其回到国内后定罪量刑。有的在边远地区犯赃罪,当地对赃物无从估价,要平议赃物的价值,确定罪刑,如何才得适中?

答道:国外番邦地区既然和中国的风俗不同,不可以行文到那里去要求平议估价,只有在靠近外蕃地区的州、县,参照当地的绢值估量出一个适宜的价值。在没有绢值估价的地方有犯赃罪的,就由该地方所属的各上级官署详核审定作价。

[原文]　　平功、庸者,计一人一日为绢三尺,牛马驼骡驴车亦同;

[译文]　　评估劳务工时价值的,以一人一天值三尺绢计算,牛、马、骆驼、骡、驴、车的工价也这样评估;

[原文]　　《疏》议曰:计功作庸,应得罪者,计一人一日为绢三尺。牛马驼骡驴车计庸,皆准此三尺,故云"亦同"。

[译文]　　疏议说:平议计算人工庸值,应该加以判罪的,按1个人1天的人工折合绢3尺来计算。牛、马、骆驼、骡、驴、车的庸值,也都比照这1天3尺绢的标准计算,所以说:"也相同。"

[原文]　　其船及碾硙、邸店之类,亦依犯时赁直。

[译文]　　凡船只、碾磨和旅店一类,也按照犯罪当时的租赁价值评估。

[原文]　　《疏》议曰:自船以下,或大小不同,或闲要有异,故依当时赁直,不可准常赁为估。邸店者,居物之处为邸,

沽卖之所为店。称"之类"者,铺肆、园宅,品目至多,略举宏纲,不可备载,故言"之类"。

[译文]　　疏议说:从船只以下的各种器物,或大或小,各不相同,在时间上或空闲少用,或紧要多用,各有差异,所以要依照犯罪当时的租赁价格,不可以比照平时一般的租赁价格进行估算。所谓邸店,囤积堆放货物的场所叫"邸",估价出售货物的地方叫"店"。称为"之类",是因为店铺、商肆、田园、住宅,种类极多,约略列举其大纲,不可能一一都写下来,所以说"之类"。

[原文]　　庸、赁虽多,各不得过其本价。

[译文]　　工时和租价即使再多,评估都不得超过车、马、船、旅店等本身的价值。

[原文]　　《疏》议曰:假有借驴一头,乘经百日,计庸得绢七匹二丈,驴估止直五匹,此则庸多,仍依五匹之罪。自余庸、赁虽多,各准此法。

[译文]　　疏议说:假如有人租借1头驴子,总共乘骑了100天,计算其庸费,折算为价值绢7匹2丈。那头驴子本身估价只值绢5匹,这笔出借的收入是大于驴价,仍依照驴价五匹赃物定罪。其余的租赁费用虽多,也都比照这一法条。

总48条　《名例律》"化外人相犯"

[原文]　　诸化外人,同类自相犯者,各依本俗法;异类相犯者,以法律论。

[译文]　　凡是外国人,如属同一国人相互之间发生的犯罪,各

依照其本国的习惯和法律处理;属不同国籍的人相互间的犯罪,按照大唐的法律论处。

[原文]　　《疏》议曰:"化外人",谓蕃夷之国,别立君长者。各有风俗,制法不同。其有同类自相犯者,须问本国之制,依其俗法断之。异类相犯者,若高丽之与百济相犯之类,皆以国家法律,论定刑名。

[译文]　　疏议说:所谓"王化达不到的外国人",是指番邦异族的国家,另立国君的。各有其独特的风尚习俗,他们制定的法律和中国不同。他们同类侨居在中国境内有自相侵犯的,执法官吏须问明他们本国的制度,依照他们本国的习惯法律,予以判罪。对居住在中国的不同国别的外国人互相侵犯的,譬如高丽国人与百济国人相互侵犯等一类,都按照中国的法律来判定罪刑。

总50条　《名例律》"断罪无正条"

[原文]　　诸断罪而无正条,其应出罪者,则举重以明轻;

[译文]　　凡断罪时没有明确的律条内容作依据的,如果不予定罪判刑或准备做减轻处理的,就要举出比本案情节性质更重的情况都做出罪处理的法条,来证明现在做出罪处理的正确;

[原文]　　《疏》议曰:断罪无正条者,一部律内,犯无罪名。"其应出罪者",依《贼盗律》:"夜无故入人家,主人登时杀者,勿论。"假有折伤,灼然不坐。又条:"盗缌麻以上财物,节级减凡盗之罪。"若犯诈欺及坐赃之类,在律虽无减文,盗罪尚

得减科,余犯明从减法。此并"举重明轻"之类。

[译文]　　疏议说:对判罪在法律上没有制定明确条文的,就是一部刑律内,按所犯的罪行找不到罪名。律称"应出罪"的,依照《贼盗律》中规定:"夜间无故进入他人家中,主人登时把他杀死的不予论罪。"假如有人将半夜侵入者打成折肢伤害,显然也是不予判罪。又一条文规定:"窃盗缌麻服以上亲属的财物,按窃盗普通人财物之罪逐级减轻。"倘若对这缌麻服以上亲属有犯诈欺罪,及因赃致罪等一类事,在刑律上虽没有减刑的条文,然而对他们犯盗窃罪尚且可以减轻判刑,对其余的犯罪,也显然应当援用减刑的法律规定。这些都是"举出有关重罪的规定来说明罪轻"的一类。

[原文]　　其应入罪者,则举轻以明重。

《疏》议曰:案《贼盗律》:"谋杀期亲尊长,皆斩。"无已杀、已伤之文。如有杀、伤者,举始谋是轻,尚得死罪;杀及谋而已伤是重,明从皆斩之坐。又《例》云:"殴、告大功尊长、小功尊属,不得以荫论。"若有殴、告期亲尊长,举大功是轻,期亲是重,亦不得用荫。是"举轻明重"之类。

[译文]　　如果要作判罪或加重处理的,就要举出比本案更轻的情况都作入罪处理的规定,来证明现在作入罪处理的正确。

疏议说:查《贼盗律》中规定:"谋杀期服亲的尊长都判处斩刑。"没有已经杀死或已经伤害的要求。如果有杀死、伤害期服亲的,举出开始预谋尚未下手杀人这一轻的情况,尚且要判处死刑;那么已下手杀死或者谋杀且已伤害期服亲的尊长这一犯罪是重,足以说明依法都应处斩刑。又《名例》中说:"殴打或控告大功服亲尊长、小功服尊亲属,不许用荫庇论处。"倘若有殴打或控告期服亲尊长,那么,举出殴打或控告大功服亲的尊长之罪是轻,就可说明殴打、控告期服亲尊长的罪是重,也不行用荫庇来减刑。这是"举出轻罪来说明重罪"的一类。

总55条 《名例律》"称日年及众谋"

[原文]　　诸称"日"者,以百刻。计功庸者,从朝至暮。(役庸多者,虽不满日,皆并时率之。)

[译文]　　凡律文上称"日"的,以100刻计算。计算劳务工值的,从早到晚为"一日"。(役使人工多的,即使不满1日,也合并所有人的工时折日计算。)

[原文]　　《疏》议曰:《职制律》:"官人无故不上,一日笞二十。"须通昼夜百刻为坐。计功庸者,《职制律》:"监临之官,私役使所监临者,各计庸以受所监临财物论。"从朝至暮,即是一日,不须准百刻计之。

[译文]　　疏议说:《职制律》中规定:"官员无故不到官署公干,一天不到,处笞刑二十下。"必须连续昼夜100刻算作1天定罪。"监临官员私自役使所监临的人,分别计算佣力的工价,按照收受其监临对象的财物论罪。"从早到晚,就算是1天,不必比照100刻计算。

[原文]　　《疏》议曰:计庸多者,假若役二人,从朝至午,为一日功;或役六人,经一辰,亦为一日功。纵使一时役多人,或役一人经多日,皆须并时率之。

[译文]　　疏议说:计算佣力人数多的,假如役使了2人,从早晨干到中午,就是1天的人工;或者役使6人工作了一个时辰,也是作为1天人工。纵使一时役使了很多人,或役使1个人工作了多天,都须合并时辰,按照从早到晚为1天的标准计算。

[原文]　　称"年"者,以三百六十日。

[译文]　　称"年"的,以三百六十日为一年。

[原文]　　《疏》议曰:在律称年,多据徒役。此既计日,不以十二月称年。

[译文]　　疏议说:在律文上称作年的,多是依据徒刑劳役。这里既然是用天数计算佣力工价,就不再以12个月称为1年。

[原文]　　称"人年"者,以籍为定。
　　《疏》议曰:称人年处,即须依籍为定。假使貌高年小,或貌小年高,悉依籍书,不合准貌。籍既三年一造,非造籍之岁,通旧籍计之。
　　问曰:依《户令》:"疑有奸欺,随状貌定。"若犯罪者年貌悬异,得依令貌定科罪以否?
　　答曰:令为课役生文,律以定刑立制。惟刑是恤,貌即奸生。课役稍轻,故得临时貌定;刑名事重,止可依据籍书。律、令义殊,不可破律从令。或有状貌成人而作死罪,籍年七岁,不得即科;或籍年十六以上而犯死刑,验其形貌,不过七岁:如此事类,貌状共籍年悬隔者,犯流罪以上及除、免、官当者,申尚书省量定。须奏者,临时奏闻。

[译文]　　称"人年"的,以户籍为准。
　　疏议说:称人的年龄的地方,就须依照户籍为准,假如从外貌看来年龄已大,但实际上年轻;或容貌看上去年轻,但实际上年纪大,都依据户籍中写明的年龄为定,不应该看外貌作准。户籍既然是每3年造册一次,不是造新户籍册的年份,就通用旧的户籍册推算。
　　问道:依照《户令》:"怀疑有奸诈欺骗的做法,只随人的状貌来估定他的年龄。"倘若年龄与外貌之间存在很大的差距,可以依照《户令》用状貌估定年龄来判罪吗?

答道:《户令》是为了规定有关课税、徭役方面的事情而写下的条文;法律则是用来规定刑名,建立法制的。只应当慎重恤刑,如果专凭外貌估定年龄就会滋生奸伪。课税与徭役对人的利害关系相对较轻,所以允许临时凭外貌估定;判罪的刑名则事关重大,只可依据户籍文书为准。"律"与"令"的含义不同,不可以违反"律"来服从"令"。或者有形状外貌已似成人而犯了死罪,在户籍中年龄仅是 7 岁,就不得判处刑罚;或者户籍记载年龄在 16 岁以上,犯了死罪,检验他的外貌看上去却不过 7 岁。诸如此类,外貌与户籍所载的年龄距离相差很大的人,如果犯了流刑以上罪和应适用除名、免官、用官品抵当罪刑等规定的,申报尚书省衡量定罪;必须请皇帝决定的,临时奏报上闻。

[原文]　　称"众"者,三人以上。称"谋"者,二人以上。

《疏》议曰:称众者,《断狱律》云:"七品以上,犯罪不拷,皆据众证定刑,必须三人以上始成众。"但称众者,皆准此文。称谋者,《贼盗律》云:"谋杀人者徒三年,皆须二人以上。"余条称谋者,各准此例。

[译文]　　称"众"的,指三人以上。称"谋"的,指二人以上相商议。

疏议说:称为"众"的,《断狱律》说:"七品以上的官,犯罪不加拷刑讯问,根据众人的陈述证明来认定事实判刑。但必须有 3 个人以上的证明才称得上众。"只要是在各条律文中称为众的,都比照适用这一条文的规定。称为"谋"的,《贼盗律》说:"谋杀人的,判徒刑三年,都必须具备两个人以上同谋的条件。"对于其他条文中称为谋的,各比照这一法例办理。

[原文]　　注:谋状彰明,虽一人同二人之法。

《疏》议曰:假有人持刀仗入他家,勘有仇嫌,来欲相杀,虽止一人,亦同谋法。故云"虽一人同二人之法"。

[译文]　　预谋事实明显的,即使1个人也按照2人以上相商论处。

疏议说:假如有人手持兵器进入别人家,经查明,对主人怀有仇恨嫌隙,是前来打算杀害的,虽然只是1个人独自的犯罪行为,也同样适用关于犯预谋杀人的法律规定。所以说:"虽然只有1个人,也同样按两个人以上共谋的法条处断。"

总56条　《名例律》"称加减"

[原文]　　诸称"加"者,就重次;称"减"者,就轻次。

[译文]　　凡是律文称为"加"的,是按照就近的重等依次相加;称为"减"的,是按照就近的轻等依次相减。

[原文]　　《疏》议曰:假有人犯杖一百,合加一等,处徒一年;或应徒一年,合加一等,处徒一年半之类,是名"就重次"。又有犯徒一年,应减一等,处杖一百;或犯杖一百,应减一等,决杖九十。是名"就轻次"。

[译文]　　疏议说:假如有人犯杖刑100的罪,应该加重一等,就是判处徒刑1年;或应判徒刑1年的罪,加重一等,就是判处1年半等一类,这叫做"就重次",即按刑等判处重一等的刑罚。又有犯徒刑1年的罪,应该减轻一等,判处杖刑100;或者犯了杖100的罪,减轻一等,即打90大板,这叫做"就轻次",即按刑等判处轻一等的刑罚。

[原文]　　惟二死、三流,各同为一减。

《疏》议曰:假有犯罪合斩,从者减一等,即至流三千里。或有犯流三千里,合例减一等,即处徒三年。故云:"二死、三流,各同为一减。"其加役流应减者,亦同三流之法。

[译文]　　只有死刑的两个等级和流刑的三个等级,都合起来作为一个等级来减。

疏议说:假如有人犯死罪应该判斩刑,从犯减轻一等,就是判处流刑发配3 000里。或有犯了流刑3 000里的罪,应该援例减罪一等,就判处徒刑三年。所以说:"对斩、绞二死罪,三等流刑的罪,各同样可以作为一个等级,一下子减轻一个刑种。"对犯加役流的罪应该减轻的,也同样适用三流(流2 000里,流2 500里,流3 000里)的法条规定,减为徒刑3年。

[原文]　　加者,数满乃坐。又不得加至于死;本条加入死者,依本条。(加入绞者,不加至斩。)

《疏》议曰:加者数满乃坐者,假令凡盗,少一寸不满十匹,依《贼盗律》:"窃盗五匹徒一年,五匹加一等。"为少一寸,止徒年。又不得加至于死者,依《捕亡律》:"宿卫人在直而亡者,一日杖一百,二日加一等。"虽无罪止之文,唯合加至流三千里,不得加至于死。"本条加入死者依本条",依《斗讼律》:"殴人折二支,流三千里。"又条云:"部曲殴伤良人者,加凡人一等。加者,加入于死。"此是"本条加入死者依本条"。

[译文]　　加等的,要满了加等的数额才加等处罚,同时不得加重到死刑;但本条规定可加重到死刑的,就依本条规定。(已经加重到绞刑的,就不再加重到斩刑。)

疏议说:称加的,加到本刑数满才判处该刑罚。假使有人犯盗窃罪,少了1寸未满10匹。依照《贼盗律》:"窃盗五匹绢,判徒刑一年;每五匹加罪一等。"如果还缺1寸,不到满5匹数,只能判处徒刑1年。所称"又不得加至于死"的,依照《捕亡律》:"对值宿守卫的人在值班期间逃亡的,逃亡一天处杖刑一百;逃亡又过二天,罪加一等。"虽然没有最高可加罪到哪一刑等为止的条文,也只应该加到判处流刑发配3000里,不得加到判处死刑。所称"本条加入死者,依本条",照《斗讼律》中规定:"殴打他人折断其二肢的罪,判流刑发配三千里。"又一条说:"部曲殴打伤害平民的,比一般人犯本罪加重一等。应当加的,本罪加入到死刑。"这就是"本条中加重入死刑的,依照本条"的规定。

[原文]　　《疏》议曰:部曲殴良人,折二支,已合绞坐;若故殴折,又合加一等。今既加入于绞,不合更加至斩。

[译文]　　疏议说:部曲殴打平民,折断二肢,已经应该判处绞刑。倘若是出于故意把他打断二肢的,又应该加罪一等。现在既然已经加到了绞罪,不应该再加到判处斩刑。

[原文]　　其罪止有半年徒,若应加杖者,杖100,应减者,以杖90为次。

《疏》议曰:假有县典,故增囚状,加徒半年,县尉知而判入,即以典为首,合徒半年。典若单丁,决杖一百;县尉应减一等,处杖九十,征铜九斤之类。

[译文]　　所犯之罪只处半年徒刑的,如果又应以施行加杖替代的,最高限为杖1百;应该减等的,以杖90为次一等的减等刑罚。

疏议说:假如有个县衙里掌管文案的人员,故意加重囚犯的罪状,导致加判了徒刑半年,县尉明知此情却仍予以加重判刑,就以掌管文案的人员为首犯,应判处徒刑半年。他若是个单丁,就改为杖刑决罚100;县尉应比首犯减罪一等,处杖刑90大板,征收铜9斤来赎罪等一类。

总73条　《卫禁律》"向宫殿射"

[原文]　　诸向宫、殿内射,(谓箭力所及者。)宫垣,徒

二年;殿垣,加一等。箭入者,各加一等;即箭入上阁内者,绞;御在所者,斩。

[译文]　　凡是向宫、殿内射箭,(是指弓箭力量能达到的情况。)射宫墙的,处2年徒刑;射殿墙的,加一等处刑。箭射入墙内的,各增加一等处罚;如果箭射进上阁的,处绞刑;射到皇帝所在地方的,处斩刑。

[原文]　　《疏》议曰:射向宫垣,得徒二年;殿垣,徒二年半。箭入者,宫内,徒二年半;殿内,徒三年。即箭入上阁内者,绞。"御在所者斩",谓御在所宫殿。若非御在所,各减一等;无宫人处,又减一等。皆谓箭及宫、殿垣者。若箭力应及宫、殿而射不到者,从"不应为重"。不应及者,不坐。

问曰:何以知是御在所宫殿?

答曰:向宫垣射得徒二年,殿垣徒二年半,准其得罪,与"阑入"正同。上条:"阑入宫、殿,非御在所,各减一等。无宫人,又减一等。"即验车驾不在,又无宫人,阑入上阁者合徒三年。此条箭入上阁绞,御在所斩,得罪既同"阑入",明为御在宫中。御若不在,皆同上条减法:箭入宫中,徒一年半;殿中,徒二年;入上阁内,徒三年。

[译文]　　疏议说:在射程内把箭射向宫墙的,应判处徒刑2年;射向殿墙的,判处徒刑2年半;箭射入宫内的,判处徒刑2年半;已射到殿内的判处徒刑3年。倘若箭射入上阁内的,判处绞刑。"射入皇帝所在处的,判处斩刑",这是指皇帝所在的宫殿。倘若不是皇帝所在,各按其罪减刑一等;如果是没有宫人的处所,又减刑一等。这都是指箭射到宫墙和殿墙的。倘若箭力应可射到宫殿,即宫殿在射程以内但没有射到的,按《杂律》"不应得为"从重判罪(杖80)。箭力射不到宫殿的,即在射程以外的,不予办罪。

问道:怎么知道是皇帝所在的宫殿?

答道:向宫墙射箭,判处徒刑2年;向殿墙射箭,判处徒刑2年半。比照他所判的罪,与"妄自擅入宫殿的"恰好相同。上条规定:"妄自擅入宫殿,但不是皇帝所在,各予罪减一等;闯入的宫殿中没有宫人,又减罪一等。"这就证明皇帝不在,又没有宫人在内,就妄自擅入上阁的,应该判处徒刑三年。这条把箭射入上阁的判处绞刑;射入皇帝所在处的判处斩刑,所判的罪既和"妄自擅入"的相同,也说明皇帝是在宫中。皇帝如果不在,都同样按照上面条文中有关减罪的规定:把箭射入宫中的,判处徒刑1年半;射入殿中的,判处徒刑2年;射入上阁的,判处徒刑三年。

[原文]　　放弹及投瓦石等,各减一等。(亦谓人力所及者。)

《疏》议曰:放弹及投瓦石,比箭罪轻。放向宫垣,徒一年半;向殿垣,徒二年。入宫内,徒二年;殿内,徒二年半;入上阁内及御在所,流三千里。是为"各减一等"。"亦谓人力所及者",据弹及投瓦石及宫殿方始得罪,如应及不到,亦从"不应为重"上减一等。

[译文]　　向宫内放射弹丸和投掷瓦块石头的,各自比射箭的减一等处罚。(也是指人力能达到的地方。)

疏议说:放射弹丸及投掷瓦石,比射箭的罪轻。把弹丸、瓦石投向宫墙的,判处徒刑1年半;投向殿墙的,判处徒刑2年;投入宫内的,判处徒刑2年;投入殿内的,判处徒刑2年半;投入上阁内及皇帝所在之处的,判处流刑发配3 000里。这就是"各减一等"。所谓"亦谓人力所及者",是根据放射弹丸、投掷瓦石到宫殿,犯罪才成立,如果应可投到但未投到,也从《杂律》"不应得为"条从重论处上减刑一等(杖70)。

[原文]　　杀伤人者,以故杀伤论。

《疏》议曰:射及放弹,若投瓦石,有杀伤人者,以故杀伤论:杀人者,斩;伤人者,加斗杀伤一等。

[译文]　　射箭、放弹或投掷瓦石有杀伤人的,以故意杀伤人罪论处。

疏议说:射箭、放弹与投掷瓦石有杀伤人的,按故意杀人、伤人论罪。杀死了人的,判处斩刑;伤害了人的,比斗杀伤害人的罪加重一等处罚。

[原文]　　即宿卫人,于御在所误拔刀子者,绞;左右并立人不即执捉者,流3000里。

《疏》议曰:宿卫人常执兵仗,得带刀子。若在御所者,非敕遣用,不得辄拔刀子。其有误拔者,绞。左右并立人,见其误拔,皆须执捉。不即执捉者,流三千里。若有别敕处分令用及仗内赐食者,不坐。但举宿卫人为例者,明余人在御所亦不得误拔刀子。其有误拔及傍人不即执捉,一准宿卫人罪。

[译文]　　如果守卫人员,在皇帝所在的地方因过误而拔出刀子的,处绞刑;在其左右站立的人不立即上前捕捉的,流放3000里。

疏议说:值宿守卫的人经常手执武器,可以随带小刀。倘若是在皇帝所在之处的,非经皇帝命令吩咐使用,不得随意拔出刀子。如果有人误拔刀子的,判处绞刑。在他左右立在一起的人看到他误拔,都必须立即上前抓捕。不立即上前抓捕的,判处流刑发配3000里。如果另有皇帝的吩咐,命令他使用,以及在他执仗宿卫期间有所赏赐的,不予办罪。这里只举值宿卫士的情况为例,说明其他人在皇帝所在之处也不得误拔随带的刀子。若有误拔及在其身旁的人不立即上前抓捕的,一律比照值宿卫士治罪。

总91条 《职制律》"罪官过限及不应置而置"

[原文]　　诸官有员数,而署置过限及不应置而置,(谓非奏授者。)一人杖一百,三人加一等,十人徒二年;

[译文]　　凡官员编制名额有规定而派任超过限额和不该设置而设置,(是指不属于奏请皇帝任命的官吏。)超编1人判处杖刑100,以后每超编3人加一等,满10人处2年徒刑;

[原文]　　《疏》议曰:"官有员数",谓内外百司,杂任以上,在令各有员数。"而署置过限及不应置而置",谓格、令无员,妄相署置。注云"谓非奏授者",即是视六品以下及流外杂任等。所司判补一人杖一百,三人加一等,十人徒二年。若是应奏授,诈而不实者,从"诈假"法。如不合置官而故剩奏授者,从"上书诈不实"论。

[译文]　　疏议说:"官职有定额员数",这是说内外百官,自杂任以上,在《三师三公台省职员令》上各有定员编制数额。所谓"署置过限,及不应置而置",是指根据格令,已没有剩余的员数,却妄加以签署设置。律注说"这是指不是经过奏请皇帝授职的",也就是视同六品官以下及流外杂任官等,凡经所主管官员的批准,补委1名就处杖刑100,以后每增加3人罪加一等,补委10人判处徒刑2年。倘若是应当奏请皇帝授职,在奏报时诈伪不实,弄虚作假的,就依从《诈伪律》"诈假官假与人官"条的规定处理。如果不应该设置官职却故意超额奏请皇帝授职的,依《诈伪律》"对制上书不以实"条的规定治罪。

[原文]　　后人知而听者,减前人署置一等;规求者为从

坐,被征须者勿论。即军务要速,量事权置者,不用此律。

《疏》议曰:前人署置过限及不应置而置,后人知其剩员而听任者,减初置人罪一等,谓一人杖九十,四人以上杖一百,七人以上徒一年,十人徒一年半。"规求者为从坐",谓人自规求而任者,为初置官从坐,合杖九十。"被征须者",谓被征召而补者,勿论。"即军务要速,量事权置者",谓行军之所,须置权官,不当署置之罪,故云"不用此律"。

[译文]　　后任官员知情而听任的,比照超额设官的前任减轻一等处罚;谋求通过超编得到官职的人以超编罪的从犯论处;被征召补官的人无罪。如果军情紧急,根据情势临时任命人员代理官职的行为,不适用此律。

疏议说:前任判署设置官职超过限额以及不应设置官职而设置的,后任知道这是额外人员却仍然听任留用的,比照当初超额设置的前任罪减一等,就是说超额设置1人处杖刑90,4人以上处杖刑100,7人以上判徒刑1年;10人判徒刑1年半。"规求者为从坐",是说那些通过自行谋求就任超编官职的人,作为当初设置这些官职的官员的从犯,应该判处杖刑90。所谓"被征须者",是说为工作需要而被征引就聘担任官职的,不予论罪。"倘若军务紧急,刻不容缓,衡量军务,权宜设官的",也就是说在行军所经之处,须设置代理摄守的官职,不应承担署理设置官职的罪责,所以说"不适用这条律文"。

总123条　《职制律》"驿使稽程"

[原文]　　诸驿使稽程者,一日杖八十,二日加一等,罪止徒二年。

《疏》议曰:依令:"给驿者,给铜龙传符;无传符处,为纸券。"量事缓急,注驿数于符契上。据此驿数以为行程。稽此程者,一日杖八十,二日加一等,罪止徒二年。

[译文] 凡驿使迟缓行程期限的,迟缓1天处杖刑80,每多两天加重一等处罚,最高判处2年徒刑。

疏议说:依照《公式令》的规定:"应发给驿马传递公文的人,可发给铜制的龙纹的传符;没有传符的地方,发给纸券作凭证。"衡量公事的轻重缓急,将驿站的站数在铜符契券上注明。根据这上面的驿站数字来计算行程,稽延这行程的,稽延1天处杖刑80,以后每多稽延两天加刑一等,最后加重到判处徒刑2年止。

[原文] 若军务要速,加三等;有所废阙者,违一日,加役流;以故陷败户口、军人、城戍者,绞。

《疏》议曰:"军务要速",谓是征讨、掩袭、报告外境消息及告贼之类,稽一日徒一年,十一日流二千里,是为"加三等"。"有所废阙者",谓稽迟废阙经略、掩袭、告报之类。"违一日加役流",称日者,须满百刻。为由驿使稽迟,遂陷败户口、军人、卫士、募人、防人一人以上及诸城戍者,绞。若临军对寇,告报稽期者,自从"乏军兴"之法。

[译文] 如果是属于军务紧急的情况,加重三等处罚;因此而影响军事行动的,违期1天,处加役流;因此而使守卫的城堡、据点陷落和百姓、军事人员遭受掳掠的,处绞刑。

疏议说:"军务要速",指的是出征讨伐,乘敌人不备发动突然袭击,报告边境外的消息,及报告贼寇情况等一类,稽缓1天,判处徒刑1年;稽缓满11天的,判处流刑发配2 000里,这就是加刑三等。"有所废阙者",是说由于稽留迟延,以致破坏错失了对重大谋划处理、突然袭击、情报传递等一类。"犯稽留迟延一天,判处加役流",称为"日",必须满100刻。由于信使传递公文稽留迟到,以致陷入敌寇,损折了户口、军人、卫士和招募来的边防士兵、丁夫1人以上,以及陷入敌寇,损折营垒、城堡的,判处绞刑。倘若面临敌寇对阵,报告消息稽缓失期的,自应按照《擅兴律》"乏军兴"条中所规定的法条判罪。

总149条 《职制律》"律令式不便辄奏改行"

[原文] 诸称律、令、式,不便于事者,皆须申尚书省议定奏闻。若不申议,辄奏改行者,徒二年。即诣阙上表者,不坐。

《疏》议曰:称律、令及式条内,有事不便于时者,皆须辨明不便之状,具申尚书省,集京官七品以上,于都座议定,以应改张之议奏闻。若不申尚书省议,辄即奏请改行者,徒二年,谓直述所见,但奏改者。即诣阙上表,论律、令及式不便于时者,不坐。若先违令、式,而后奏改者,亦徒二年。所违重者,自从重断。

[译文] 凡是要举说律、令、式中有不适用之处的,都必须呈报尚书省议定修改方案上奏。如果未申报议定上奏,就擅自奏请改变的,处2年徒刑。如果到朝廷上表论说要改变的道理的,不予处罚。

疏议说:称为律、令与式的条文内,有些事情是不便于当时施行的,都必须辨别清楚不方便的状况,一一申报尚书省,集中京城中的七品以上的官员,于都堂讨论确定,把应变更方针、措施的意见奏报皇帝。倘若不先申请尚书省议论,辄即妄自奏请皇帝更改措施的,判处徒刑2年。这是说直接陈述自己的看法,只是奏请更改律令和式。如果到朝廷上表论述律、令和式不便在当时施行的,不予治罪。倘若先违背令、式,以后奏请改变令、式的,也应判处徒刑2年。所违犯情节严重的,自当从重判处。

总158条 《户婚律》"立嫡违法"

[原文] 诸立嫡违法者,徒一年。即嫡妻年五十以上无子者,得立庶以长,不以长者亦如之。

[译文] 凡确立继承人违法的,判处一年徒刑。如果嫡妻年龄在五十岁以上仍无儿子的,可以遵照立长的原则来确立继承人。不遵照立长原则确立继承人的也处一年徒刑。

[原文] 《疏》议曰:立嫡者,本拟承袭。嫡妻之长子为嫡子,不依此立,是名"违法",合徒一年。"即嫡妻年五十以上无子者",谓妇人年五十以上,不复乳育,故许立庶子为嫡。皆先立长,不立长者,亦徒一年,故云"亦如之"。依《令》:"无嫡子及有罪、疾,立嫡孙;无嫡孙,以次立嫡子同母弟;无母弟,立庶子;无庶子,立嫡孙同母弟;无母弟,立庶孙。曾、玄以下准此。"无后者,为户绝。

[译文] 疏议说:设立嫡子,本来是为了继承先人的世代祭祀,因袭封爵。正妻所生的长子就是"嫡子",不依照这一原则设立嫡子的,就叫做"违法",该判处徒刑1年。又称:"即嫡妻年五十以上无子者",是说妇女年龄在五十岁以上,不能再生育孩子,所以允许把庶出的儿子立为嫡子,都要先择立诸子中最年长的;不设立最年长的,也要判处徒刑一年,所以说"亦如之"。依照《封爵令》:"没有嫡子,及嫡子有罪、患病的,就改立嫡孙;没有嫡孙的,就按次序改立嫡子的同母弟;没有嫡子的同母弟,就立庶出的儿子。没有庶出的儿子,就改立嫡孙的同母弟;嫡孙没有同母弟的,就改立庶出的孙子。对曾孙、玄孙以下的后代,亦照此办理。"没有后裔的,叫做"户绝"。

总 162 条 《户婚律》"同居卑幼私辄用财"

[原文]　　诸同居卑幼,私辄用财者,十匹笞十,十匹加一等,罪止杖一百。即同居应分,不均平者,计所侵,坐赃论减三等。

[译文]　　凡同居的卑幼,非法擅自动用家庭财产的,价值满 10 匹绢的笞 10 下,每多 10 匹加一等,最高处以杖 100。如果同居的人依法令应该分割财产,分配不均的,计算其多占的数量,依坐赃罪减三等论处。

[原文]　　《疏》议曰:凡是同居之内,必有尊长。尊长既在,子孙无所自专。若卑幼不由尊长,私辄用当家财物者,十匹笞十,十匹加一等,罪止杖一百。"即同居应分",谓准《令》分别。而财物不均平者,准《户令》:"应分田宅及财物者,兄弟均分。妻家所得之财,不在分限。兄弟亡者,子承父分。"违此令文者,是为"不均平"。谓兄弟二人,均分百匹之绢,一取六十四,计所侵十四,合杖八十之类,是名"坐赃论减三等"。

[译文]　　疏议说:凡是共同居住、生活在一起的家庭当中,必定有尊长辈。尊长辈既然健在,做子孙的就没有可以擅自专行的事。倘若卑幼不经过尊长的同意,而私下妄自取用本家庭中的财物,取用价值绢 10 匹,处笞刑 10 下;以后每满 10 匹,加刑一等;直到判处杖刑 100 下为止。"若同居一起的兄弟应该分家别户",这是说比照《户令》的规定分家别户。如果分受财物不均匀公平的,比照《户令》:"应该划分田地、住宅和其他财物的,由兄弟平均分配。各人从妻子的娘家所得到的财物,不在划分的范围以内。兄弟已死亡的,由其儿子继承父亲应得的

一份。"违犯该《户令》条文的,就是"不均平"。比如有兄弟 2 人,想平均分配 100 匹绢,但其中 1 人拿了 60 匹,算起来侵占了 10 匹,该处杖 80 大板等一类,这叫做"以坐赃论罪减刑三等"。

总 179 条 《户婚律》"居父母夫丧嫁娶"

[原文]　　诸居父母及夫丧而嫁、娶者,徒三年;妾减三等。各离之。知而共为婚姻者,各减五等;不知者,不坐。

[译文]　　凡是在父母和丈夫的丧期内出嫁或娶妻的,处 3 年徒刑;出嫁作妾的减轻三等处罚。都离异。家长知情而安排婚姻的,各减五等处罚;不知情的,无罪。

[原文]　　《疏》议曰:父母之丧,终身忧戚,三年从吉,自为达礼。夫为妇天,尚无再醮。若居父母及夫之丧,谓在二十七月内,若男身娶妻,而妻、女出嫁者,各徒三年。"妾减三等",若男夫居丧娶妾,妻、女作妾嫁人,妾既许以卜姓为之,其情理贱也,礼数既别,得罪故轻。"各离之",谓服内嫁娶妻妾并离。"知而共为婚姻者",谓妻父称婚,婿父称姻,二家相知是服制之内,故为婚姻者,各减罪五等,得杖一百。娶妾者,合杖七十。不知情,不坐。

[译文]　　疏议说:对父母亲的去世,终生都感到忧伤悲戚,3 年服满后换上吉服,自然是达到了礼制的要求。丈夫是妻子的天一般的依靠,世所崇尚的是没有再嫁。若居父母及丈夫的丧期,是说在 27 个月的居丧期内,倘或男子在服中娶妻,或妻子在服中再嫁、女儿在服中出嫁的,各判处徒刑 3 年。"妾减三等",倘或男子在服中娶妾,妻子、女儿在服中嫁给他人作妾,妾既允许通过占卜来选择异姓妇女去做,情理上是属比较卑贱的,礼仪的等级既然和嫁作正妻不同,所判罪名也因

此从轻。"各离之",是说在丧服期间嫁出、娶入的,无论是妻是妾都得离婚。"知而共为婚姻",是说妻子的父亲称为"婚",女婿的父亲称为"姻",两家都知道是在丧服的限期内,仍故意结为婚姻的,各按"居父母及夫之丧而嫁娶"罪减刑五等,判处杖刑 100。同样情况下娶妾的,处杖刑 70,不知情的,不予处罚。

[原文]　若居期丧而嫁娶者杖一百,卑幼减二等;妾不坐。

《疏》议曰:若居期亲之丧嫁娶,谓男夫娶妇,女嫁作妻,各杖一百。"卑幼减二等",虽是期服,亡者是卑幼,故减二等,合杖八十。"妾不坐",谓期服内男夫娶妾,女妇作妾嫁人,并不坐。

[译文]　如果在期亲的丧期内出嫁或娶妻的,处杖刑 100,亡故人是卑幼的,减轻二等处罚;出嫁作妾或娶妾的无罪。

疏议说:所谓"若居期亲之丧嫁娶",是说(在为期服亲居丧期间)男子娶妻,女子嫁人为妻,各处杖刑 100。"卑幼减二等",是说:虽然是期服亲属,因为死者是卑幼,所以减轻二等,该处杖刑 80。"妾不坐",是说在期服亲的居丧期内,男子娶妾,女子嫁人作妾,都不予处罚。

总 203 条　《厩库律》"故杀官私马牛"

[原文]　诸故杀官私马牛者,徒一年半。赃重及杀余畜产,若伤者,计减价,准盗论,各偿所减价;价不减者,笞三十。(见血踠跌即为伤。若伤重五日内致死者,从杀罪。)

[译文]　凡故意杀死官有或他人私有的马、牛的,处 1 年半徒刑。计赃处刑重于 1 年半徒刑以及还杀其他牲畜,如果杀伤的,计算牲畜受伤后价钱降低的数额,计赃照盗罪的办法处罚,同时赔偿牲畜因伤

而跌价的金额;牲畜伤后不跌价的,处以笞刑30。(见血、虽不见血节骨跌断都为伤。若是伤重在5天内死亡的,按照杀官私马牛牲畜罪论处。)

[原文]　　《疏》议曰:官私马牛,为用处重:牛为耕稼之本,马即致远供军,故杀者徒一年半。"赃重",谓计赃得罪,重于一年半徒。假有杀马,直十五匹绢,准盗合徒二年,此名"赃重"。"及杀余畜产",除马牛之外,并为余畜。"若伤",谓虽不死,而有损伤。自马牛及余畜,各计所减价,准盗论。"减价",谓畜产直绢十匹,杀讫,唯直绢两匹,即减八匹价;或伤止直九匹,是减一匹价。杀减八匹偿八匹,伤减一匹偿一匹之类,其罪各准盗八匹及一匹而断。"价不减者",谓元直绢十匹,虽有杀伤,评价不减,仍直十匹,止得笞三十罪,无所陪偿。注云"见血踠跌即为伤",见血,不限伤处多少,但见血即坐;踠跌,谓虽不见血,骨节差跌亦即为伤。"若伤重",谓所伤处重,五日内致死者,亦从杀罪及偿减价。

[译文]　　疏议说:公家、私人的马、牛,在使用上处于重要的位置:牛是耕种庄稼的根本,马用以远道驮运,供给军需,所以对故意杀死马、牛的,处徒刑1年半。"赃重",是说计算赃值,所应判处的罪刑已超过了1年半徒刑。假如有人杀了价值15匹绢的马,比照盗窃罪,该处徒刑二年,这就叫做"赃重"。"及杀余畜产",这是说马、牛以外,都是其他牲畜。"若伤",是说没有死但有损伤。从马、牛直至其他牲畜,分别计算其因损伤而减跌的价钱,比照窃盗论罪。"减价",是说牲畜原来价值10匹绢,被杀死后只值两匹绢,就减去了8匹绢的价值;或损伤后只值9匹绢,是减去了1匹绢的价钱。杀死后所值减低8匹绢就赔偿8匹绢,损伤后所值减低1匹绢就赔偿1匹绢等一类。他们所犯之罪各比照窃盗8匹或1匹绢来处断。"价不减",是说牲畜原来值绢10匹,

虽然有所杀伤,经过评定,价值不减,仍值十匹绢,就只处笞刑 30 的罪,不需作什么赔偿。律注说"见血踠跌即为伤。"见血,不论伤处多少,只要看见流血,就办此罪。"踠跌",是说虽然未看见流血,骨节因脱臼等发生参差,也就是损伤。"若伤重",是说受伤多处或伤势严重,5 天内招致死亡的,也依照杀死罪判刑。并赔偿所减的售价。

[原文]　　其误杀伤者,不坐,但偿其减价。主自杀马牛者,徒一年。

《疏》议曰:"误杀伤者",谓目所不见,心所不意。或非系放畜产之所而误伤杀,或欲杀猛兽而杀伤畜产者,不坐,但偿其减价。"减价"同上解。主自杀马牛,徒一年;误杀者,不坐。

[译文]　　如果是过失杀伤的,不处罚,只赔偿牲畜因杀伤而跌价的差额。主人杀死自己的马牛的,处 1 年徒刑。

疏义说:"误杀伤",是说眼睛所未看见,心中所未想到,或不是在拴系放牧牲畜的场所,却造成误伤、误杀,或原想杀死猛兽,但结果却杀死了牲畜的,不予处罚,只赔偿所减的售价。这里的"减价"和上面的解释相同。主人自己杀死马、牛,判处徒刑 1 年,出于误杀的,也不予办罪。

总 248 条　《贼盗律》"谋反大逆"

[原文]　　诸谋反及大逆者,皆斩;父、子年十六以上,皆绞,十五以下,及母女、妻妾、(子妻妾,亦同。)祖孙、兄弟、姊妹若部曲、资财、田宅,并没官,男夫年八十及笃疾、妇人年六十及废疾者,并免;(余条妇人应缘坐者,准此。)伯叔父、兄弟之子皆流三千里,不限籍之同异。

[译文]　　凡谋反及大逆的,本人都处斩刑;犯罪者的父亲及 16 岁以上的儿子都处绞刑,15 岁以下的儿子及母亲、女儿、妻子、妾(儿

子的妻子和妾也相同。)祖父、孙子、兄弟、姐妹以及部曲、财产、田地住宅都分别没为奴和入官,家中80岁以上或严重残废的男性、60岁以上或残废的女性都免刑;(其他条文中关于女性应缘坐的,都照此规定处理。)伯叔父、侄子都流3 000里,不管这些人同犯罪者是不是同一户籍。

[原文] 《疏》议曰:人君者,与天地合德,与日月齐明,上祗宝命,下临率土。而有狡竖凶徒,谋危社稷,始兴狂计,其事未行,将而必诛,即同真反。《名例》:"称谋者,二人以上。若事已彰明,虽一人同二人之法。"大逆者,谓谋毁宗庙、山陵及宫阙。反则止据始谋,大逆者谓其行讫,故谋反及大逆者皆斩。父、子年十六以上皆绞。言"皆"者,罪无首从。十五以下及母女、妻妾,注云"子妻妾,亦同",祖孙、兄弟、姊妹,若部曲、资财、田宅,并没官。部曲不同资财,故特言之。部曲妻及客女,并与部曲同。奴婢同资财,故不别言。男夫年八十及笃疾,妇人年六十及废疾,并免缘坐。注云"余条妇人应缘坐者,准此",谓"谋叛已上道"及"杀一家非死罪三人",并"告贼消息",此等之罪,缘坐各及妇人,其年六十及废疾,亦免。故云"妇人应缘坐者,准此"。"伯叔父、兄弟之子,皆流三千里,不限籍之同异",虽与反逆人别籍,得罪皆同。若出继同堂以外,即不合缘坐。

[译文] 疏议说:统治万民的君主,和天地覆载万物的德行相配,和日月普照一切的明察相齐,对上恭承天命,对下君临海内。如果有狡诈小人和凶顽歹徒,图谋危害国家,带头发起实施狂妄计划,即使没有付诸行动,怀有这种阴谋的人就非诛杀不可,这也就等同于真正的谋反。《名例律》:"所谓的谋,指的是两人以上。倘若所谋的事已经明显暴露,即使只有1人犯罪,也同样依照两个同谋的法律规定处治。"所谓大逆,是指图谋毁坏皇帝的祖庙、陵墓和宫殿。谋反罪只根据其开始

图谋犯罪,大逆这一罪行,是说已有了实际行动,所以对犯谋反罪和大逆罪的人都处斩刑。犯罪者的父亲和年龄在16岁以上的儿子都处绞刑。所说"皆"者,是指对这两种罪犯,不分首犯、从犯。他们的儿子在15岁以下的,和他们的母亲、女儿、妻、妾,律注说"儿子的妻、妾也一样",祖父、孙子、兄弟、姐妹和部曲、钱财、田地、住宅,都没入官府。部曲不同于资产财物,所以特别分开来说。部曲的妻和女儿都如同部曲。奴隶、婢女如同资产财物,所以不分开来说。男子在80岁以上和患有笃疾的,妇人在60以上和患有废疾的,都免予因亲属关系而缘坐。律注说"其他条文中妇女应当缘坐的,照此办理"。这是说图谋叛乱已开始实施,和杀死一家中没有死罪的3人以上,以及向寇贼报告内部消息,凡犯这一类罪行的,缘坐的人各包括妇女在内,但对妇女年龄在六十岁以上和患有废疾的,也免予缘坐,所以说"妇女应当缘坐的,照此办理"。上述罪犯的伯叔父以及兄弟的儿子都流放3 000里,也不限他们的户籍是否相同,纵然和谋反、大逆罪犯的户籍不同,所判流罪都相同。倘若出继给同堂兄弟以外的人,就不该因缘坐判罪。

[**原文**]　　即虽谋反,词理不能动众,威力不足率人者,亦皆斩;(谓结谋真实,而不能为害者。若自述休征,假托灵异,妄称兵马,虚说反由,传惑众人而无真状可验者,自从袄法。)父子、母女、妻妾并流三千里。资财不在没限。其谋大逆者,绞。

《疏》议曰:即虽谋反者,谓虽构乱常之词,不足动众人之意;虽骋凶威若力,不能驱率得人;虽有反谋,无能为害者,亦皆斩。父子、母女、妻妾并流三千里,资财不在没限。注云:"谓结谋真实,而不能为害者"。若自述休征,言身有善应,或假托灵异,妄称兵马,或虚论反状,妄说反由:如此传惑众人,而无真状可验者,"自从袄法",谓一身合绞,妻子不合缘坐。

"谋大逆者,绞",上文"大逆"即据逆事已行,此为谋而未行,唯得绞罪。律不称"皆",自依首、从之法。

问曰:反、逆人应缘坐,其妻妾据本法,虽会赦犹离之、正之;其继、养子孙依本法,虽会赦合正之。准离之、正之,即不在缘坐之限。反、逆事彰之后,始诉离之、正之,如此之类,并合放免以否?

答曰:刑法慎于开塞,一律不可两科。执宪履绳,务从折中。违法之辈,已汩朝章,虽经大恩,法须离、正。离、正之色,即是凡人。离、正不可为亲,须从本宗缘坐。

[译文]　　如果虽然是谋反,但讲的话不能讲动众人,影响也不足以带动别人的,本人也都处斩;(是指勾结谋乱的情状真实,但不能造成危害的。比如自称有富贵征兆、假托神灵怪异,胡说兵灾战乱,瞎编造反的理由,制造谣言蛊惑众人而并无真事可以核对的,应依惩治造祆书和祆言罪的办法论处。)父亲、儿子、母亲、女儿、妻子和妾都处流3 000里,家产不列入没收范围。如果是预谋大逆的,处以绞刑。

疏议说:即虽谋反,是说虽然编造了扰乱纲常的言词,不足以煽动群众;虽然逞凶显示他的威势和暴力,并不能得到供驱使被率领的人;虽然有造反的图谋但没有能力危害国家的,也一律判处斩刑。他的父亲、儿子、母亲、女儿和妻妾,判处流刑发配3 000里,他的财物不在没收的范围以内。律注说"这是指确实地组织了阴谋活动但不能造成危害的"。倘若他自己陈述吉祥的征兆,说是本身有善果应运,或者假托鬼神灵怪的奇迹,虚妄地声称有大批兵马,或者虚张声势地谈论谋反的情状,荒诞地讲说谋反的情由,像这样彼此相传,迷惑众人,并没有具体确实的谋反罪状可供验明的,"自当依照关于祆书、祆言等的法律规定处治",这是说本犯自身应处绞刑,妻和儿子不该缘坐得罪。所谓"谋大逆者,绞",上面条文中的"大逆罪",就是根据谋逆事实已经具备的犯罪行为,这里是有预谋但还没有实际行动,只得到判处绞刑的罪名。律文上不加"皆"字,自当分别依照首犯、从犯的法律规定来处理。

问道:谋反、大逆罪犯的亲属应当缘坐得罪,对他的妻、妾,根据该条法律规定,虽然适逢赦令下达,还应割断她和罪犯的关系、改正她的身份;他所继嗣收养的儿子、孙子,依照该条法律,虽逢赦令下达,应当恢复他被继嗣收养前的身份。比照和罪犯脱离、改正的规定,就不属缘坐的范围。谋反、大逆的罪行明显暴露后,方才上诉请求脱离、改正,诸如此类,都该予以宽放或减免吗?

答道:刑法在开放还是堵塞的问题上掌握极其慎重,一部法律不可施用两种标准判罪。执掌国法,履行准则,务必不偏不倚,处断适中。违反法律的那些罪人,已经扰乱了朝廷宪章,虽然经过皇恩大赦,依照法律还必须加以脱离关系和改正身份。脱离关系、改正了身份的一类人,就是和罪犯没有任何关系的寻常人。脱离改正以后就不可再算是亲属,须随从他本宗亲属的犯罪连坐。

总264条 《贼盗律》"憎恶造厌魅"

[原文]　　诸有所憎恶,而造厌魅及造符书咒诅,欲以杀人者,各以谋杀论减二等;(于期亲尊长,及外祖父母、夫,夫之祖父母、父母,各不减。)

[译文]　　凡因憎恶人,而用造厌魅及写符咒的办法来诅咒,想要以此杀人的,各以谋杀罪减二等论处;(对期亲尊长及外祖父母、丈夫,丈夫的祖父母、父母犯此罪,都不减轻处罚。)

[原文]　　《疏》议曰:有所憎嫌前人而造厌魅,厌事多方,罕能详悉,或图画形像,或刻作人身,刺心钉眼,系手缚足,如此厌胜,事非一绪;"魅"者,或假托鬼神,或妄行左道之类;或咒或诅,欲以杀人者:各以谋杀论减二等。若于期亲尊长及

外祖父母、夫、夫之祖父母、父母,各不减,依上条皆合斩罪。

[译文]　　疏议说:有所憎恨及有嫌隙于他人,而制作厌魅向其加祸。这厌胜的方术多种多样,很少能详尽明晓,或者描绘出被害者的形状图像,或者雕刻出被害者的人形身体,对着图形偶像在心上加刺、眼中加钉,两手系绳、双足捆绑,这样的厌魅方术,远不止一端。"邪魅",是指假托鬼神附身,或肆意行使邪道之类;或者咒骂,或者诅咒,想用这些方术来杀人的:各依谋杀论罪,减本刑二等。倘若对于期服亲的尊长辈及外祖父母、丈夫、丈夫的祖父母和父母也使用这些方术,就依谋杀罪处理,各不予减轻,依照上面条文,都该判处斩刑。

[原文]　　以故致死者,各依本杀法。欲以疾苦人者,又减二等。(子孙于祖父母、父母、部曲、奴婢与主者,各不减。)

《疏》议曰:"以故致死者",谓以厌魅、符书咒诅之故,但因一事致死者,不依减二等,各从本杀法。"欲以疾苦人者",谓厌魅、符书咒诅,不欲令死,唯欲前人疾病苦痛者,又减二等。称"又减"者,谓大功以下亲及凡人,非外祖父母。谋杀得减二等者,谓从谋杀上总减四等。注云"子孙于祖父母、父母,部曲、奴婢于主者,各不减",即是期亲尊长、外祖父母、夫、夫之祖父母、父母,唯减二等;其祖父母、父母以下,虽复欲令疾苦,亦同谋杀之法,皆斩,不同减例。

问曰:咒诅大功以上尊长、小功尊属,欲令疾苦,未知合入十恶以否?

答曰:疾苦之法,同于殴伤。谋殴大功以上尊长、小功尊属,不入十恶;如其已疾苦,理同殴法,便当"不睦"之条。

[译文]　　因此而死亡的,都依谋杀本罪处罚不予减等。想以此使人遭病痛的,比诅咒杀人罪又减二等处罚。(子孙对祖父母、父母,奴婢对主人犯这种罪的,都不减等。)

疏议说:"以故致死",是指使用了厌魅、符书咒诅的缘故。只要是由于其中一件事造成死亡的,就不依谋杀论罪减刑二等,各自依杀人罪本刑的法条处断。"想用疾病给人带来痛苦的",是指使用厌魅、符书咒诅,并不想使人死亡,只要被害人患上疾病,遭受痛苦的,依谋杀罪又减刑二等。称为"又减"的,是说对大功服以下亲属和一般人,不是对外祖父母的。谋杀可以减刑二等的,是说从谋杀罪上总的减刑四等。律注说"子孙对于祖父母、父母,部曲、奴婢对于主人所犯的罪,各不减刑",也就是对于期服亲的尊长辈、外祖父母、丈夫、丈夫的祖父母和父母,只减二等;对祖父母、父母以下,虽然也是想使他们只患上疾病,遭受痛苦,也同样依照谋杀的本罪法条,都处斩刑,不和减刑的法例相同。

问道:咒诅大功服以上的亲长辈、小功服的尊亲属,想要使他们患上疾病,遭受痛苦,未知是否该归入十恶的罪行?

答曰:犯有使人患上疾病,遭受痛苦的罪行,相等于殴打伤人。预谋殴打大功服以上的尊长辈、小功服的尊亲属,不归入十恶大罪以内。如若已患上疾病,遭受痛苦,照理同样依照关于殴打的法律规定,罪当入"不睦"的法条。

[原文] 即于祖父母、父母及主,直求受媚而厌咒者,流二千里。若涉乘舆者,皆斩。

《疏》议曰:子孙于祖父母、父母,及部曲、奴婢于主,造厌咒符书,直求爱媚者,流二千里。若涉乘舆者,罪无首从,皆合处斩。直求爱媚,便得极刑,重于"盗服御之物",准《例》亦入十恶。

[译文] 对祖父母、父母或主人,只是为了争得宠爱而造厌魅、符书来咒诅的,处流刑2000里。如果这类犯罪涉及皇帝的,不论属何动机,都不分首从一律处斩。

疏议说:子孙对于祖父母、父母,和部曲、奴婢对于主人,制作厌魅咒诅、符书,只是为争取宠爱怜惜的,判处流刑发配2000里。倘若事情牵涉到皇帝的,犯罪者不分首犯、从犯,都该判处斩刑。这只是对皇帝争爱献媚,便判处斩首的极刑。这比"盗窃皇帝、皇后、太子的衣服、车马等生活用品的罪"还重,比照《名例律》也归入十恶以内。

总268条 《贼盗律》"造祅书祅言"

[原文] 诸造祅书及祅言者,绞。(造,谓自造休咎及鬼神之言,妄说吉凶,涉于不顺者。)

[译文] 凡编造祅书及祅言的,处绞。("造",是指胡说自己或别人有吉利、凶险的征兆以及国家要遭到厄运,诡称神鬼的言语,胡说灾祥祸福等关于逆乱的内容。)

[原文] 《疏》议曰:"造祅书及祅言者",谓构成怪力之书,诈为鬼神之语。"休",谓妄说他人及己身有休征。"咎",谓妄言国家有咎恶。观天画地,诡说灾祥,妄陈吉凶,并涉于不顺者,绞。

[译文] 疏议说:"造祅书及祅言",是指自行编写怪异荒诞、勇力斗狠的书籍,假托伪造鬼神所说的话语。"休",是指胡说别人和自身有吉祥的征兆。"咎",是指胡说国家有灾祸和不祥。眼睛望着天,手指画着地,诈称灾异或祥瑞,瞎吹吉征和凶兆,内容涉及不顺从朝廷命令的,判处绞刑。

[原文] 传用以惑众者,亦如之;(传,谓传言。用,谓用书。)其不满众者,流三千里。言理无害者,杖一百。即私有祅书,虽不行用,徒二年;言理无害者,杖六十。

《疏》议曰:"传用以惑众者",谓非自造,传用祅言、祅书,以惑三人以上,亦得绞罪。注云:"传,谓传言。用,谓用书。"

"其不满众者",谓被传惑者不满3人。若是同居,不入众人之限;此外一人以上,虽不满众,合流三千里。其"言理无害者",谓袄书、袄言,虽说变异,无损于时,谓若豫言水、旱之类,合杖一百。"即私有袄书",谓前人旧作,衷私相传,非己所制,虽不行用,仍徒二年。其袄书言理无害时者,杖六十。

[译文] 传用现成的袄书、袄言来惑乱众人的,也处同样的刑罚。("传",指传播。"用",指使用。)其中被传惑的人不满3个的,判处流刑3 000里。所传用的袄书、袄言的内容不能造成危害的,处杖刑100。如果私下留存别人造作的袄书,即使没有使用,也处2年徒刑;内容不能造成危害的,处杖刑60。

疏议说:"传用以惑众",是说并不是自己编造,而是传播袄言、使用袄书,从而煽惑了3人以上的,也判处绞刑的罪。律注说:"传,是指使用袄书。""其不满众"是说在袄言的传播、袄书的使用过程中,被蛊惑的还未满3个人。倘若是同一户的,就不归入众人的范围。除此以外,1个人以上,虽未满3个以上众人之数的,也该判处流刑发配3 000里。"其言理无害",是说那袄书、袄言,虽然讲说自然现象的怪异变化,并未损害当时,这是说假如预言水灾、旱灾等一类,该判处杖刑100。"如果是私自藏有袄书",这指前代人写的著作,内心偏爱,私自收藏留传下来,不是自己所著述,虽然没有实行、使用,仍得判处徒刑2年。如果那袄书所说的道理对当时不会造成损害的,处杖刑60。

总276条 《贼盗律》"盗毁天尊佛像"

[原文] 诸盗毁天尊像、佛像者,徒3年。即道士、女官盗毁天尊像,僧、尼盗毁佛像者,加役流。真人、菩萨,各减一等。盗而供养者,杖100。(盗、毁不相须。)

[译文] 凡盗取或毁坏天尊像、佛像的,处3年徒刑。如果男

女道士盗毁天尊像,和尚、尼姑盗毁佛像的,处加役流。盗毁真人、菩萨像的,分别减一等处罚。盗取后供奉起来的,处杖100。(盗取和毁坏两种行为不必都具备。)

[原文]　　《疏》议曰:凡人或盗或毁天尊若佛像,各徒三年。"道士、女官盗毁天尊像,僧、尼盗毁佛像者,各加役流",为其盗毁所事先圣形像,故加役流,不同俗人之法。"真人、菩萨,各减一等",凡人盗毁,徒二年半。道士、女官盗毁真人,僧、尼盗毁菩萨,各徒三年。"盗而供养者,杖一百",谓非贪利,将用供养者。但盗之与毁,各得徒、流之坐。故注云"盗、毁不相须"。其非真人、菩萨之像,盗毁余像者,若化生神王之类,当"不应为从重"。有赃入己者,即依凡盗法。若毁损功庸多者,计庸坐赃论,各令修立。其道士等盗毁佛像及菩萨,僧、尼盗毁天尊若真人,各依凡人之法。

[译文]　　疏议说:一般人盗窃或毁坏道教徒所尊奉的天尊像或佛教所供奉的佛祖像,各处徒刑3年。"道士、女道士盗窃、毁坏天尊像,和尚、尼姑盗窃、毁坏佛祖像的,各判处加役流",因为他们盗窃、毁坏自己所侍奉的教主神像,所以判处加役流,不同于对待世俗人的法律。盗窃、毁坏真人、菩萨像,处徒刑2年半,道士、女道士盗窃、毁坏真人像,和尚、尼姑盗窃、毁坏菩萨像的,各处徒刑3年。"盗窃到手后加以供奉起来的,处杖刑一百",这是说不是为了贪求私利,而是用来进行供奉的。但对以上这些像的盗窃和毁坏,各得判处徒刑或流刑的罪。所以律注说"盗窃和毁坏,是两种独立的犯罪行为,不一定两者都具备"。至于不是真人、菩萨的像,而是盗窃、毁坏其他塑像,例如坐化的佛门弟子塑像、神王像等一类的,只该依照《杂律》"不应得为"条从重处治。有赃物入私肥己的,就依照一般盗窃的法律治罪。倘若所损毁、破坏的像重新塑造要花费人工多的,就计算人工按坐赃论罪,并分别命令修理、

重建。对道士等盗窃、毁坏佛像及菩萨像,和尚、尼姑盗窃、毁坏天尊及真人像的,各依照对一般人的法律治罪。

总 307 条 《斗讼律》"保辜"

[原文] 诸保辜者,手足殴、伤人,限十日;以他物殴、伤人者,二十日;以刃及汤、火伤人者,三十日;折、跌支体及破骨者,五十日。(殴、伤不相须。余条殴伤及杀伤,各准此。)

[译文] 凡实行保辜的,用手脚殴打及伤人,保辜期限是 10 天;用其他东西殴打及伤人,期限是 20 天;用金属器物及用烫水、火伤人,期限是 30 天。折断四肢、摔伤身体及皮肉破开伤至骨头的,期限是五十天。(殴打、伤状不必同时具备。其他律条中打伤及杀伤的实行保辜,都依本条规定的时限为准。)

[原文] 《疏》议曰:凡是殴人,皆立辜限。手足殴人,伤与不伤,限十日;若以他物殴伤者,限二十日;"以刃",刃谓金、铁,无大小之限,"及汤、火伤人",谓灼烂皮肤,限三十日;若折骨、跌体及破骨,无问手、足、他物,皆限五十日。注云"殴、伤不相须",谓殴及伤,各保辜十日。然伤人皆须因殴,今言不相须者,为下有僵仆,或恐、迫而伤,此则不因殴而有伤损,故律云"殴、伤不相须"。"余条殴、伤及杀伤各准此",谓诸条殴人,或伤人,故、斗、谋杀,强盗,应有罪者,保辜并准此。

[译文] 疏议说:凡是殴打人,都要确定保辜期限。举手打人,提脚踢人,不论被害人受伤还是不受伤,立保辜期限 10 天;如果用其他器物打伤人的,立保辜期限 20 天;"以刃",刃,是说铜、铁一类的武器,这类武器没有大小的限制;"及汤火伤人",指的是皮肤被烫水烫烂,

被火烧焦,以上这些情况,订立保辜期限为30天。倘若使人骨折、跌伤身体及骨节破损,不问是用手、脚或其他器物,全部订立50天的保辜期限。律注说"殴、伤不相须",是说殴打及受伤条件不需要两者都具备,它们分别各立保辜期限为10天。但是使人受伤都必须是因殴打所致,现在说殴打与受伤两者不相关连的,是为了下面条文中列有被推仰面跌倒,或者被恐吓胁迫而受伤,这些却不是因为被殴打而受伤害的,所以本律说"殴、伤不相须"。"余条殴伤及杀伤各准此",就是说其他条文中,凡属殴打人或者伤害人,或者故杀、斗杀、谋杀、强盗,应治罪的,立保辜期限都应根据本条规定办理。

[原文] 限内死者,各依杀人论;其在限外,及虽在限内,以他故死者,各依本殴伤法。(他故,谓别增余患而死者。)

《疏》议曰:"限内死者,各依杀人论",谓辜限内死者,不限尊卑、良贱及罪轻重,各从本条杀罪科断。"其在限外",假有拳殴人,保辜十日,计累千刻之外,是名"限外";"及虽在限内",谓辜限未满,"以他故死者",他故,谓别增余患而死,假殴人头伤,风从头疮而入,因风致死之类,仍依杀人论。若不因头疮得风,别因他病而死,是为"他故",各依本殴伤法。故法云"他故,谓别增余患而死"。其有堕胎、瞎目、毁败阴阳、折齿等,皆约手足、他物、以刃、汤火为辜限。

[译文] 保辜期限内伤者死亡的,各依杀人罪论处;如在保辜期限外,以及虽然在限内,但是因为别的缘故而死去的,各自依本来的打伤罪或杀伤罪的规定处理。("他故",指由于发生致伤以外的其他疾病或事故而死的情况。)

疏议说:"限内死者,各依杀人论",是说被害人在保辜期限内死亡的,不论加害人尊卑、贵贱的身份,以及罪行的轻重,各依照本条杀人的规定定罪判刑。"其在限外",是说假若有人挥拳打人,订立保辜期10

天,计算积时已经在1 000刻即10天以外,这叫做"限外";"及虽在限内",是说规定的保辜期限还没有满,"以他故死者",他故,是说另外出现了其他病患死去的,假如因殴打而致使他人头部受伤,破伤风从头部伤口侵入,因伤口感染引起破伤风致死这一类情况,仍然依照杀人罪论处;倘若不是因为头部伤口引起破伤风,而是因为又患其他疾病致死,这叫做"他故",各依照本条殴伤的法律规定处理。因此,律注说"他故,是指因另外增加别的疾病才死去的"。至于对因殴打致使受害人胎儿堕落、眼睛失明、男女生殖机能被毁坏、牙齿折断等罪,都应参照用手、脚、其他器物、用兵器锋刃、用沸水和火等伤人的情况,规定保辜期限。

总342条 《斗讼律》"诬告反坐"

[原文]　　诸诬告人者,各反坐。即纠弹之官,挟私弹事不实者,亦如之。(反坐致罪,准前人入罪法。至死,而前人未决者,听减一等。其本应加杖及赎者,止依杖、赎法。即诬官人及有荫者,依常律。)

[译文]　　凡诬告人的,各实行反坐。即使以检举犯罪为职责的官员,怀私怨检举不实的,也同诬告之罪。(反坐所应确定的罪刑,是依照被诬陷人的刑罚处罚诬陷者。要判处死刑的,如果被诬陷人还未被处决,诬陷人可以比死罪减一等处罚。被诬陷人照所诬告之罪本来应处加杖及赎刑的,诬陷人也依加杖及赎刑的办法论处。如果诬告官员及有庇荫权的人的,对诬陷人就依常法实际判处刑罚。)

[原文]　　《疏》议曰:凡人有嫌,遂相诬告者,准诬罪轻重,反坐告人。"即纠弹之官",谓据令应合纠弹者,若有憎恶前人,或朋党亲戚,挟私饰诈,妄作纠弹者,并同"诬告"之律。反坐其罪,准前人入罪之法,至死而前人虽断讫未决者,反坐

之人听减一等。若诬人反、逆,虽复未决引虚,不合减罪。本应加杖者,谓诬告部曲、奴婢流罪,若实,部曲、奴婢止加杖二百;既虚,诬告者不流,亦准杖法反坐。单丁应加杖者,亦依决杖反坐。"及赎者",谓诬告老、小、废疾,若实,即前人合赎;虚,即反坐者亦依赎论。"即诬官人及有荫者",假有白丁诬七品官流罪,若实,官人即合例减、官当;如虚,反坐还得流罪。诬告有荫之人,事合减、赎;反坐之者,不得准前人减、赎法,并真配徒、流。是名"依常律"。

[译文]　　疏议说:一般人之间因有怨恨仇隙,就诬告对方的,比照所诬告他人的本罪轻重,反过来判处诬告者相应的刑罚。"即使是职掌纠举弹劾的官员",这是说依据《职官令》的规定,对应该进行纠弹的,如果因憎恨厌恶被弹劾人,或者朋友、同党、亲戚等人,怀有私情,饰词作假,任意进行纠弹的,都应同样按照"诬告"他人的法律处理。反坐治他的罪,比照被诬告人受冤枉入罪的法条处断,倘若所诬告的本罪至死刑的,如被告人虽然已经被判死刑,但还未执行处决,对因诬告被反坐的人,允许按死罪减刑一等。倘若诬告他人谋反、谋大逆,虽然案经三复奏,被诬告人还未处决,诬告人就自己承认虚言诬告,也不应减轻罪刑。在本罪上应处易杖刑的,是说诬告部曲、奴婢犯流刑罪的,倘若所告属实,对部曲、奴婢流罪只改易处杖刑 200;既然所告是虚,对诬告人就不处流刑,也比照易杖刑 200 的法条办诬告罪,被诬告人是单丁,所告罪是徒以上改易杖刑的,对诬告人也依照处杖刑来反坐诬告罪。"以及犯罪收赎的",是说诬告年老、幼小、废疾的人,倘若所告属实,就对该老、小、废疾被告人应判征铜赎罪;倘若所告是虚,就反坐诬告人,也依照收赎论处。"即诬告官员及有荫庇的人",这是说,假如有平民诬告七品官员犯流刑罪,倘若属实,对所告官员应依法例减刑、以官当罪;如果所告是虚,应反坐诬告人,以其诬告官员的流刑办罪。诬告有荫庇的人,对荫人本身犯事,应该以荫减罪收赎;但对诬告应予反坐的人,不

能比照荫人减、赎的法条处理,应根据他所诬告的罪分别判处,并真实执行徒刑、流刑。这叫做"依照徒、流罪的常律"。

[原文]　若告二罪以上,重事实及数事等,但一事实,除其罪;重事虚,反其所剩。即罪至所止者,所诬虽多,不反坐。

《疏》议曰:"若告二罪以上,重事实",假有甲告乙殴人折一齿,合徒一年;又告人盗绢五匹,亦合徒一年;或故杀他人马一匹,合徒一年半。推杀马是实,殴、盗是虚,是名"告二罪以上,重事实"。又有丙告丁三事,各徒一年,此名"数事等",但一事实,除其罪。重事虚,反其所剩者,假如甲告乙盗绢五匹,合徒一年;又告故杀官私马牛,合徒一年半。若其盗是实,杀马牛是虚,即是剩告半年之罪,反坐半年,故云"反其所剩"。"即罪至所止者,所诬虽多,不反坐",假有告人非监临主司因事受财百匹,勘当五十匹实,坐赃五十匹,罪止徒三年;剩告五十匹,为"罪至所止,不反坐"之类。

[译文]　如果告发他人两个以上的罪名,其中重罪确实,以及告轻重相等的几个罪名,其中只一项确实,都不反坐;如果重罪是虚、轻罪是实,就反坐差欠的刑罚。如果所告之罪有处罚的最高限规定的,诬告不实超过最高限度的部分即使较多,也不越过高限反坐。

疏议说:"若告二罪以上,重事实",假如有甲告发乙殴打别人折断1枚牙齿,应判徒刑1年;又告发别人盗窃绢5匹,也应判徒刑1年;或者又告发别人故意杀他人马1匹,应判徒刑1年半。经审理查明,杀死别人的马匹一事是真实的,但殴人、盗窃两事不是事实,这叫做"告两罪以上,较重一事是实"。又有丙告发丁犯了3个罪,各应判徒刑1年,这叫做"几件事刑度相等",只要有一事属实,就免除他的罪行。"较重的一事是虚,反坐其中所剩余罪的",假若甲告发乙盗绢5匹,应当判徒刑1

年；又告发他故意杀死公家或私人的马牛，应判徒刑1年半。经审讯，倘若乙盗窃绢的一事是实，故杀马牛的一事是虚，就是剩余所告不实半年的罪，应反过来判处诬告人徒刑半年，所以说"反坐其中所剩余的罪"。"即是判罪到所止刑度的，所诬告的罪虽多，不再反坐"，倘若有人告发他人不是监临的主管官员，因事收受财物价值绢100匹，经审讯查明，受赃50匹是实，依坐赃50匹罪，最高刑是到徒刑3年为止；其剩余所告受赃50匹，这是"判罪达到所止刑度，不再反坐诬告人"这一类的事。

[原文]　　其告二人以上，虽实者多，犹以虚者反坐。（谓告二人以上，但一人不实，罪虽轻，犹反其坐。）若上表告人，已经闻奏，事有不实，反坐罪轻者，从上书诈不实论。

《疏》议曰：告二人以上，罪虽实者多，"犹以虚者反坐"，以其人、事各别，故得罪不同。注云"谓告二人以上，但一人不实，罪虽轻，犹反其坐"，假有人告甲乙丙丁四人之罪，三人徒罪以上并实，一人笞罪事虚，不得以实多放免，仍从笞罪反坐。若上表告人，已经闻奏，事有不实，反坐罪轻于上书不实，准从"上书诈不实"，处徒二年。不应反坐者，无罪。假如甲上表告乙两个徒一年，一实，一虚，准律既免反坐，于甲无"上书不实"之罪。

[译文]　　有告发两个以上的人犯罪，虽然所告真实的占多数，所告虚假的占少数，仍要对占少数的虚告的罪实行反坐。（指告两个以上的人，只要有告一人不实，即使所告罪是轻罪，也要实行反坐。）如果上表章告发他人犯罪，已经奏知，而所告事情不实，反坐罪比上书诈不以实罪轻的，就依上书诈不以实论处。

疏议说：告发2人以上犯罪，虽然其中告发他人犯罪属实的占多数，"还应依所告人犯罪不实的部分对诬告人实行反坐"，这是因为所告的人和所告的事各有区别,所以告发者的罪责也有所差异。律注说"是说所告为2人以上,只要所告中有一人犯罪不真实,所告本罪虽轻,还是要将该罪名加过来令诬告者受刑",假若有人告发甲、乙、丙、丁4人犯了罪,其中所告3人犯徒刑罪同属真实,所告一个人犯笞刑罪的事是虚,便不能因他所告发3个人罪属实的占多数,就对诬告人免予反坐,仍应依照所告不实的笞刑罪判处诬告人反坐。倘若上表给皇帝告发他人,已经主管部门上闻申奏,所告事有不实,对反坐罪的本刑轻于《诈伪罪》中"上书诈不以实"的罪,应比照"上书诈不实"的罪名,判徒刑2年。不应该反坐的人,无罪。假如甲上表告发乙犯了两个应判徒刑1年的罪,所告的罪中有一个属实,一个是虚,依照法律规定,既然免予告发反坐,对于甲就没有"上书不实"的罪。

总348条 《斗讼律》"子孙违犯教令"

[原文]　　诸子孙违犯教令,及供养有阙者,徒二年。(谓可从而违,堪供而阙者。须祖父母、父母告,乃坐。)

[译文]　　凡子孙违犯祖父母、父母的教诲与命令,以及对他们的生活供养不足的,处2年徒刑。(指可以听从却违抗,有能力供奉却短缺的情况。这种犯罪必须祖父母、父母提出控告才处罚。)

[原文]　　《疏》议曰:祖父母、父母有所教令,于事合宜,即须奉以周旋,子孙不得违犯;"及供养有阙者",《礼》云"七十,二膳;八十,常珍"之类,家道堪供,而故有阙者;各徒二年。故注云"谓可从而违,堪供而阙者"。若教令违法,行即有愆;家实贫窭,无由取给:如此之类,不合有罪。皆须祖父母、父母告,乃坐。

[译文]　　疏议说:祖父母、父母对子孙的教诲和命令,对事如

果合理适宜,子孙即必须听从,不得违犯。"及供养不全有缺的",《礼记·内则》说:"年到七十,应该备有副食,年满八十,应该常留美食"这一类,倘若家计财用上能够供养,却故意欠缺供养的,各判处徒刑 2 年。因此律注说"是说对教令可服从而违犯,能够供养而欠缺的"。假如祖父母、父母的教令违犯法令,依靠他们的教令去做,就有犯罪的危险;或者家道实在贫穷,没有办法取得东西来供养他们;对于子孙这一类的情况,不应认为有罪。以上犯罪行为,都必须经祖父母、父母亲自告诉,法官才予以受理办罪。

总 358 条 《斗讼律》"邀车驾挝鼓诉事不实"

[原文]　　诸邀车驾及挝登闻鼓,若上表,以身事自理诉,而不实者,杖八十;(即故增减情状,有所隐避诈妄者,从上书诈不实论。)

[译文]　　凡拦车驾及击登闻鼓,或者写表章,呈诉自己的事要求伸冤,但内容有不实的,处杖刑八十;(属故意增减情状或有所隐瞒欺诈的情况,按照对制上书欺诈不实之罪论处。)

[原文]　　《疏》议曰:车驾行幸,在路邀驾申诉;及于魏阙之下,挝鼓以求上闻;及上表披陈身事:此三等,如有不实者,各合杖八十。注云"即故增减情状,有所隐避诈妄者,从上书诈不实论",谓上文以理诉不实,得杖八十。若其不实之中,有故增减情状,有所隐避诈妄者,即从"上书诈不实论",处徒二年。

[译文]　　疏议说:遇皇帝车驾外出巡幸,在路旁拦驾申诉;和在朝廷宫阙的下面击鼓鸣冤告御状,以求奏闻皇上;以及上表列述本身的事件,这三等申诉,如果内容有不实的;各应处杖刑 80 大板。律注说

"如果故意增加或减少情状,有所隐瞒逃避、虚妄欺诈的,依上书欺诈不实论罪",是说上述条文以本身事自理申诉不实在,应处杖刑80大板。如果在申诉不属实的内容中,有故意增加或减少的情节状况,及存在隐瞒逃避、虚妄欺诈等事的,就应依照"上书诈不以实罪"论处,判处徒刑2年。

[原文] 自毁伤者,杖一百。虽得实,而自毁伤者,笞五十。即亲属相为诉者,与自诉同。

《疏》议曰:"邀车驾"以下,诉人所诉非实,辄自毁伤者,皆杖一百。若所诉虽是实,而自毁伤者,笞五十。"即亲属相为诉者",亲属,谓缌麻以上及大功以上婚姻之家。为诉者,"与自诉同",自"邀车驾"以下,虚、实得罪,各与自诉罪同。

[译文] 告状人有自我毁伤行为的,处杖刑100。即使所告之事属实,但有自我毁伤情况的,也笞50。如果是受害者的亲属代为申诉的,有不实之情也同本人自诉不实一样论处。

疏议说:"对于在路上拦皇帝车驾申诉"以下等事的,如果申诉人所申诉的事情并不实在,就装成受迫害的样子而毁伤自己身体的,都处杖刑100大板。倘若所诉虽然属实,却自己毁伤身体的,处笞刑50。"即使是亲属相互代为申诉的",亲属,是说缌麻服以上以及大功以上姻亲的亲属。这些人代为申诉的,"和本人亲自申诉相同",自"在路上拦车驾"以下等的申诉,所诉事状不管是真实还是虚假,所应得的罪,和本人自己申诉的得罪都相同。

总421条 《杂律》"卖买不和较固"

[原文] 诸卖买不和,而较固取者;(较,谓专略其利。固,谓障固其市。)及更出开闭,共限一价;(谓卖物以贱为贵,

买物以贵为贱。)

[译文]　凡卖买不自愿,而较固强迫收购的;("较",是垄断获取赢利。"固",指妨碍自由买卖。)及反复购进投放,垄断价格;(指卖出时以贱充贵,买进时以贵为贱。)

[原文]　《疏》议曰:卖物及买物人,两不和同,"而较固取者",谓强执其市,不许外人买,故注云"较,谓专略其利。固,谓障固其市";"以更出开闭",谓贩鬻之徒,共为奸计,自卖物者以贱为贵,买人物者以贵为贱,更出开闭之言,其物共限一价,望使前人迷谬,以将入己。

[译文]　疏议说:卖物及买物人,两人不能协商一致,"而较固取者",是说强横地把持市场,不允许别人购买,所以律注说"较,是说垄断获取赢利。固,是说妨碍自由买卖"。"及更出开闭",是说贩卖货物这一帮人,共同商定欺诈的计谋,自己出卖货物的,用低劣的物品当作优质高价品,买进别人货物时,把别人的优质价高物品硬说成低劣的物品,任意变更卖出和买进的价格。他们把某种货物共同限定一个价钱,指望使其他卖买的人迷糊弄错,自己以图从中牟取利益。

[原文]　若参市,(谓人有所卖买,在傍高下其价,以相惑乱。)而规自入者:杖八十。已得赃重者,计利,准盗论。

《疏》议曰:"参市",谓岁贩之徒,共相表里,参合贵贱,惑乱外人,故注云"谓人有所卖买,在傍高下其价,以相惑乱",而规卖买之利入己者:并杖八十。已得利物,计赃重于杖八十者,"计利,准盗论",谓得三匹一尺以上,合杖九十,是名"赃重",其赃既准盗科,即合征还本主。

[译文]　若是扰乱买卖(指别人在买卖时,在旁边抬价、压价,欺诈扰乱。)而谋求自己从中获利的,处杖刑80。已得非法赢利计数超

过坐赃罪的,按惩治盗窃罪的规定处罚。

疏议说:"参市",是说挑担贩卖这一类人,共同里外勾结,把优劣货品搀合在一起,迷惑欺骗别人,所以律注说"这是说人们在卖买时,他们在旁边故意把货品的价钱抬高或者压低,使人们迷惑糊涂",企图将卖买的非法赢利归入自己的,一律判处杖刑80。已取得的不法赢利,计赃重于杖刑80的,"按所得的赢利比照盗窃罪论处",就是得到不法利益价值在绢3匹1尺以上的,应判处杖刑90,这叫做"赃重"。那些赃既然比照盗窃罪判刑,就应当将赃物追征归还给原主。

总450条 《杂律》"不应得为"

[原文] 诸不应得为而为之者,笞四十;(谓律、令无条,理不可为者。)事理重者,杖八十。

[译文] 凡属不应当做而做的行为,处笞刑40;(指律、令都无明确的条文规定,但按情理不可做的事情。)情节和性质严重的,处杖刑80。

[原文] 《疏》议曰:杂犯轻罪,触类弘多,金科玉条,包罗难尽。其有在律在令无有正条,若不轻重相明,无文可以比附,临时处断,量情为罪,庶补遗阙,故立此条。情轻者,笞40;事理重者,杖80。

[译文] 疏议说:杂犯罪比较轻微,涉及的方面却广泛众多,法律条文难以将其全部包罗。其中有的在法律、法令中没有明文规定,倘若不举重明轻,或举轻明重,就没有条文可以用来比附判罪,在临时处理判断时,应酌量情节以定罪。这样才可以弥补遗漏,因此规定本条文。对犯罪情节轻的,应处笞刑40;对犯罪事理重的,处杖刑80。

总454条 《捕亡律》"道路行人不助捕罪人"

[原文]　　诸追捕罪人而力不能制,告道路行人。其行人力能助之而不助者,杖八十;势不得助者,勿论。(势不得助者,谓隔险难及驰驿之类。)

《疏》议曰:"追捕罪人",谓将吏以下据法追捕,及在律文听私捕系。而力不能拘制,告道路行人,"其行人力能助之",谓行者人杖堪制罪人,而不救助者,行人合杖八十。"势不得助者",谓隔川谷、垣篱、堑栅之类,不可逾越过者及驰驿之类。称"之类"者,官有急事,及私家救疾赴哀,情事急速,亦各无罪。

[译文]　　凡追捕犯人而力量不能制服罪犯,告诉路上行人,行人有力量协助而不协助的,处杖刑80;情势不许可协助的,不论处。(情势不许可协助,指有险阻相隔或紧急赶路投送公文等一类的情况。)

疏议说:"追捕犯罪的人",是说武将、文官以下的人,依据法律规定追捕罪犯;以及根据法律条文的规定,允许私人将罪犯捕捉捆绑。可是力量不足拘捕制服罪犯,于是告知道路行人,"如果行人力能协助他捕捉捆绑罪犯",这是说道路上的行人凭气力、用棍棒能够制服罪犯,却不尽自己的力量帮助捕捉罪犯的,对这行人应处杖刑八十。"情势不可得助力的",是说行人隔着河川、山谷、藩篱、深沟、栅栏等这一类,不可能跨越过去的,以及驰马传递公文之类。称它为"之类"的,是说当时因公家有紧急事,以及私人救治急病、奔丧,情事急迫,有以上情事不能相救助力的,也各无罪。

总 476 条 《断狱律》"讯囚察辞理"

[原文]　　诸应讯囚者,必先以情,审察辞理,反复参验;犹未能决,事须讯问者,立案同判,然后拷讯。违者,杖六十。

[译文]　　凡应该对囚犯进行刑讯的,必须先根据实情,详察供词内容,反复予以验证。如果仍然不能辨明真相做出决断,事情必须刑讯的,要立案记载,审判官一起出席,这之后才能实行拷打审问。违反这一规定的,处杖刑 60。

[原文]　　《疏》议曰:依《狱官令》:"察狱之官,先备五听,又验诸证信,事状疑似,犹不首实者,然后拷掠。"故拷囚之义,先察其情,审其辞理,反复案状,参验是非。"犹未能决",谓事不明辨,未能断决,事须讯问者,立案,取见在长官同判,然后拷讯。若充使推勘及无官同判者,得自别拷。若不以情审察及反复参验,而辄拷者,合杖六十。

[译文]　　疏议说:依照《狱官令》:"审察刑狱的法官,必先通过五听的办法去审理案件,即:观察当事人供辞情实还是情虚,神色正常还是慌张,气息松缓还是急促,两耳是否注意问话,两眼是否慌张躲避法官,并且又勘验各种证物,对犯罪事状发现有怀疑之处,但罪犯还不肯自己招认实情的,然后可加以拷问责打。"所以拷打囚犯的准则,应该先行审察他的犯罪情节,研究他的供辞理由,反复详按事状,参验证明它的真假属实。"倘若还不能决断",是说对事实还不能明确分辨清楚,不能做出审断判决,对于其中犯罪事实必须讯问的,应说明意见签立文案,经现在衙门主管长官的同意,然后对罪犯进行拷问。倘若是充任使者对案件推勘审问,以及没有另派官员共同审判的,可以自行进行拷

讯。倘若不根据案情仔细进行审查研究，以及反复深入验证就对当事人进行拷打的，应处杖刑60。

[原文] 若赃状露验，理不可疑，虽不承引，即据状断之。若事已经赦，虽须追究，并不合拷。（谓会赦移乡及除、免之类。）

《疏》议曰："若赃状露验"，谓计赃者见获真赃，杀人者检得实状，赃状明白，理不可疑，问虽不承，听据状科断。若事已经赦者，虽须更有追究，并不合拷。注云"谓会赦移乡及除、免之类"，谓杀人会赦，仍合移乡；犯"十恶"、"故杀人"、"反逆缘坐"，会赦犹除名；监临、主守，于所监守犯奸、盗、略人，若受财而枉法，会赦仍合免所居官。称"之类"，谓会赦免死犹流，及盗、诈、枉法犹征正赃，故云"之类"。

[译文] 如果赃证、罪行明白确凿，事理不容存疑，即使疑犯不招认，也根据实情判决。如果所犯之罪已经遇皇帝赦免，即使仍有其他追究处置的事项，都不应拷打。（指遇赦后将杀人犯避仇移乡，以及其他需要给予撤销一切官职、爵位及撤销所任官职之类的情况。）

疏议说："若赃物、罪状查获证实"，是说对应计赃的罪已经查获案内的确凿赃物，对杀人的证据事实已经查实，以上赃物、罪状已经清楚明白，在事理上没有可疑，经过讯问，被告虽然不承认，法官仍可依据犯罪事实定罪判刑。倘若所犯罪行已经被赦免，虽然还有其他须再追查究问的情况，但对他们一概不应拷问。律注说"这是说逢大赦后，为避复仇将杀人犯移乡，以及将官员除名、免官之类"，是说对杀人罪虽遇赦免但仍应移居他乡；犯"十恶"、"故意杀人"、"因谋反、大逆案受到缘坐"，虽然遇到大赦本刑被赦免，但有官爵的仍应削除全部官爵名籍；监临、主守（地方或部门的负责和主管官员）在所监临、主管的部门和地区内，犯强奸、强盗、窃盗、掠卖人口和收受贿赂而曲法枉断等各罪，虽然遇到大赦免刑,仍应削掉他现在所任官职。称"之类",是说遇到赦免犯死罪的人,还应改处流刑;以及对赦免犯强盗、窃盗、诈伪及枉法等罪行的人,还应没收他们非法得到的赃物。因此说"之类"。

总477条 《断狱律》"拷囚不得过三度"

[原文]　　诸拷囚不得过三度,数总不得过二百,杖罪以下不得过所犯之数。拷满不承,取保放之。

[译文]　　凡拷问囚犯不能超过3次,拷打的总数不能超过200下,对该判杖罪以下刑罚的犯人,拷打的数目不能超过本罪应判处的数目。拷问的次数或打的数目满限之后犯人仍不承认的,让其找保人取保释放。

[原文]　　《疏》议曰:依《狱官令》:拷囚"每讯相去二十日。若讯未毕,更移他司,仍须拷鞫,即通计前讯,以充三度"。故此条拷囚不得过三度,杖数总不得过二百。"杖罪以下",谓本犯杖罪以下、笞十以上,推问不承,若欲须拷,不得过所犯笞、杖之数,谓本犯一百杖,拷一百不承,取保放免之类。若本犯虽徒一年,应拷者亦得拷满二百,拷满不承,取保放之。

[译文]　　疏议说:依照《狱官令》:拷讯囚犯,"每次审讯要相隔20天。倘若审讯尚未完毕,更移解到别的主管衙门,仍然必须拷问,就应该统算以前拷讯的次数,来补足拷讯3次的总数"。所以这一条规定,拷讯囚犯不得超过3次,前后责打的杖数,总共不得超过200。"犯杖刑以下罪",是说对本罪是犯杖刑以下,和犯笞刑10以上的人,经过审问不肯招承供认的,如果要对他责打拷讯,拷打的次数不得超过他所犯笞刑、杖刑的数目。就是说对本罪所犯为杖刑100的人,在对他拷讯杖打过100以后,他还是不肯招承供认,应该给予取保释放免罪等之类

的事。倘若本罪所犯虽然是处徒刑1年,应该拷打讯问的,也可拷打满200,拷满200后,仍不肯招承供认,也应予以取保释放。

[原文]　　若拷过三度,及杖外以他法拷掠者,杖一百;杖数过者,反坐所剩;以故致死者,徒二年。

《疏》议曰:"拷过三度",谓虽二百杖,不得拷过三度。"及杖外以他法拷掠",谓拷囚于法杖之外,或以绳悬缚,或用棒拷打,但应行杖外,悉为"他法"。犯者,合杖一百。"杖数过者,反坐所剩",谓囚本犯杖一百,乃拷二百,官司得一百剩罪之类。"以故致死者",谓拷过三度,或用他法及杖数有过,而致死者,徒二年。

[译文]　　如果拷打超过3次,或者除杖打之外还用别的办法拷打的,处杖刑100;拷打的杖数超过限额的,按照多拷的数目反过去处罚违法的官吏;因非法拷打致使罪犯死亡的,处2年徒刑。

疏议说:"拷讯过三度",是说虽然总数可以讯打到二百,但拷打不能超过3次。"以及在杖外,用别的方法加以拷打",是说拷讯囚犯,除在规定的杖打以外,有的用绳索捆吊,有的用棍棒拷打,但是除应该执行法律规定的拷打以外,别的全部是"其他非法拷讯的方法"。法官违反拷讯规定的,应处杖刑100。"拷囚杖数超过规定的,反坐不应拷的所剩数",这是说该囚犯本犯应处杖刑100,对他拷讯时却竟杖打了200,法官应判处多杖打被拷人100的所剩罪之类。"因非法多拷的缘故致囚死亡的",这是说对囚犯拷讯数超过3次,或者在杖打之外另行使用其他的非法方法,以及拷囚的杖数超过规定数目,因而造成罪囚死亡的,对司法官应判处徒刑2年。

[原文]　　即有疮病,不待差而拷者,亦杖一百;若决杖、笞者,笞五十;以故致死者,徒一年半。若依法拷决,而避迍致死者,勿论。仍令长官等勘验,违者杖六十。(拷决之失,立

案、不立案等。)

《疏》议曰：拷虽依法，囚身有疮若病，不待差而拷者。杖一百。若决杖、笞者，笞五十。若囚疮病未差，而拷及决杖、笞致死者，徒一年半。若依法用杖，依数拷决，而囚邂逅致死者，勿论。"邂逅"，谓不期致死而死，《诗》云"邂逅相遇"，言不期而遇。仍长官以下，并亲自检勘，知无他故，具为文案。若长官不即勘检者，杖六十。注云"拷、决之失"，谓讯囚及决杖、笞，于法有失者，立案、不立案等。其有失者，依《职制律》："失者，听减三等。"

[译文]　　如果囚犯身上有疮病或有重病，没有等到复原就对其拷打的，也处杖刑100；如在犯人有疮病情况下执行杖刑、笞刑判决的，处笞刑50；因为这一缘故造成犯人死亡的，处1年半徒刑。如果依法拷问及执行杖、笞刑判决，而偶然致囚犯死亡的，不处罚；在这种情况下要命令长官检验证实，违犯规定的处杖刑60。(官吏在拷问及执行杖、笞刑罚方面的过失犯罪，记载立案及无记载立案都一样。)

疏议说：拷讯囚犯虽然依照法律进行，如果囚犯身上有创伤或疾病，法官不等待囚犯伤好病愈就拷讯的，应处杖刑100；倘若法官在这种情况下对囚犯执行杖刑、笞刑的，应处笞刑50。倘若法官在囚犯有伤及病未愈时就进行拷讯，以及执行杖刑、笞刑，以致囚犯死亡的，应判徒刑1年半。倘若法官依法行杖，依照规定杖数执行拷决，可是囚犯恰巧在这一期间偶然身死的，不予论罪。"邂逅"是说没有预料到会使他死亡却死亡的，《诗经》上说"邂逅相遇"，说的就是没有相约而相遇的事。对此，仍由主管长官以下的官员亲自前去检验囚尸，确定没有其他原因致死，就具文立案报告上司。倘若长官等不立即勘明验尸的，应处杖刑60。律注说："拷讯和执行决杖、笞产生的过失"，这是说讯问囚犯以及执行杖刑、笞刑，对法律规定有违失的，立文案或者不立文案性质相同。倘若法官有过失的，依《职制律》规定："有过失的，听其减本罪刑三等。"

附录二

主要参考书目

《唐律疏议》 刘俊文点校,中华书局,1983年11月版。

《唐律译注》 钱大群译注,江苏古籍出版社,1988年4月版。

《唐律疏议译注》 曹漫之主编,吉林人民出版社,1989年9月版。

《贞观政要》 吴兢著,北京燕山出版社,1995年8月版。

《旧唐书》 中华书局,1975年版。

《新唐书》 中华书局,1975年版。

《唐律初探》 杨廷福著,天津人民出版社,1982年5月版。

《唐律研究》 钱大群著,法律出版社,2000年8月版。

《唐律论析》 钱大群、钱元凯著,南京大学出版社,1989年12月版。

《唐律研究》 乔伟著,法律出版社,1985年4月版。

《唐律新探》 王立民著,上海社会科学院出版社,1993年版。

《中国法律与中国社会》 瞿同祖著,中华书局,1981年12月版。

《中国法制通史》(第四卷·隋唐) 陈鹏生主编,法律出版社,1999年1月版。

《中国法制史》 叶孝信主编,北京大学出版社,1996年10月版。

《中国法律思想史》 杨鹤皋主编,北京大学出版社,1988年10月版。

《中国古代法制史研究》 韩国磐著,人民出版社,1993年7月版。

《中国法系研究》 郝铁川著,复旦大学出版社,1997年5月版。

《中国古代的家族与身份》 史凤仪著,社会科学文献出版社,1999年9月版。

《中国古代婚姻与家庭》 史凤仪著,河北人民出版社,1987年7月版。

《〈论语〉的现代法文化价值》 陈鹏生主编,上海交通大学出版社,1995年版。

《中国丧服制度史》 丁凌华著,上海人民出版社,2000年1月版。

《中国法制史》 徐永康主编,华东理工大学出版社,1994年8月版。

《中国传统法律文化》 武树臣等著,北京大学出版社,

1994年8月版。

《寻求自然秩序中的和谐——中国传统法律文化研究》梁治平著,中国政法大学出版社,1997年5月版。

《中华文化要义》 梁漱溟著,学林出版社,1987年6月版。

《中国法律的传统与近代转型》 张晋藩著,法律出版社,1997年4月版。

《中国古代法律三百题》 陈鹏生主编,上海古籍出版社,1991年12月版。

《中国文化史三百题》 上海古籍出版社,1987年11月编辑出版。

《中国法律传统的基本精神》 范忠信著,山东人民出版社,2001年1月版。

《礼与法》 马小红著,经济管理出版社,1997年4月版。

《情理法与中国人——中国传统法律文化探微》 范忠信、郑定、詹学农著,中国人民大学出版社,1992年7月版。

《宗教法律制度初探》 龙敬儒著,中国法制出版社,1995年版。

《世界三大宗教在中国》 曹琦、彭耀编著,中国社会科学出版社,1986年9月版。

《儒教与道教》 [德]马克斯·韦伯著、洪天富译,江苏人民出版社,1997年1月版。

后 记

今年春,铁川君约我为河南大学出版社"元典文化丛书"写一本《〈唐律疏议〉与中国文化》的小书。余自20年前研习中国法律史,至今未离开这一学科领域,其间,讲授最多的课程是"中国法制史"和"中国法律思想史",同时,也为研究生讲授过"唐律研究"等课程。考虑到对这方面的内容比较熟悉,平时讲课时也略有一些体会,便一口答应了下来。

其实,这一段时间正是我工作不太稳定,教学、科研和学习任务又非常紧张的时候。为了保证如约在6月份交稿,我便请了两位研究生协助我一起工作。其中吉霁光写了第四部分的初稿,郑取写了第六到第九部分的一些初稿,他们完成的初稿各为2万余字。然后由我集中时间,对他们写的初稿进行补充和修改,并理顺整个框架结构,完成全书的其余部分,最后是对全书作润色。在合作过程中,两位研究生态度十分认真,写作水平也有了很大提高。可惜我的时间实在紧张,已很难对书中有些因为我没有预先明确具体内容而略显重复的地方再作修改了。当然,书中如果存在什么问题,责任也应当由我来负。

需要说明的还有,华东政法学院的另两位研究生包珍和张斐在文字输入方面也帮了我很大忙,使我得以在相当短的时间内完成这项工作。在《唐律疏议》的研究方面过去积累的许多成果使我受益匪浅,这也是我有胆子接下这个活的原因之一。一些主要的参考书已在书中列出,在此谨向其作者及其他未专门列出的参考资料的作者表示我深深的谢意。

徐永康
2001年6月1日晚于华政园

图书在版编目(CIP)数据

法典之王:《唐律疏议》与中国文化/徐永康等著.
—开封:河南大学出版社,2004.8
(元典文化丛书/李振宏主编)
ISBN 7-81041-719-3

Ⅰ.法… Ⅱ.徐… Ⅲ.唐律-研究 Ⅳ.D929.42

中国版本图书馆 CIP 数据核字(2002)第 101793

书　　名	法典之王——《唐律疏议》与中国文化		
作　　者	徐永康　等		
责任编辑	陈广胜	责任校对	王　琪
责任印制	苗　卉	装帧设计	刘广祥
版式设计	龙玉明	封底篆刻	闻　道
出　　版	河南大学出版社 地址:河南省开封市明伦街 85 号　邮编:475001 电话:0378—2864669(行管部)　0378—2825001(营销部) 网址:www.hupress.com　E—mail:bangong@hupress.com		
经　　销	河南省新华书店		
排　　版	河南大学出版社印务公司		
印　　刷	河南第一新华印刷厂		
版　　次	2005 年 4 月第 1 版	印　次	2005 年 4 月第 1 次印刷
开　　本	850mm×1168mm　1/32	印　张	9.625
字　　数	214 千字		
印　　数	1—3000 册		
ISBN 7—81041—719—3/K·371		定　价	25.00 元

(本书如有印装质量问题请与河南大学出版社营销部联系调换)